Bonne le

Une vie

20 a

Bisou

MAMIE LUGER

Né en 1976, Benoît Philippon est auteur, scénariste et réalisateur. Il a grandi en Côte d'Ivoire, aux Antilles, au Canada et en France. Après *Cabossé*, *Mamie Luger* est son deuxième roman noir.

BENOÎT PHILIPPON

Mamie Luger

LES ARÈNES

Ce livre a été publié dans la collection EquinoX.

ISBN : 978-2-253-24148-5 – 1re publication LGF

6 h 08

Blam ! Blam !

Berthe recharge. Ses membres tremblent. Beaucoup d'émotions pour une vieille de cent deux ans. Elle pense à sa camomille qui prend la poussière sur l'étagère de sa cuisine et se dit qu'elle s'en ferait bien une tasse. Les sirènes qui résonnent au loin ne sonnent peut-être pas encore le glas, mais reculent inéluctablement la perspective du réconfort d'un bon pisse-mémère.

De Gore gît à quelques pas de la niche de son chien. Du sang autour de lui. Il a un trou dans le dos, un autre dans le cul, en plus de l'officiel. Merde, elle y a peut-être été un peu fort. Berthe ne l'a jamais aimé, de Gore. Le digne descendant de sa raclure de père. Elle ne pensait pas pour autant qu'il finirait au bout de son canon. Même si l'idée l'a souvent titillée.

Rien de ce qui est arrivé ce matin n'était prémédité. Roy et Guillemette avaient besoin d'un moyen de locomotion et de temps, et Berthe s'apprêtait à leur procurer les deux. À son âge, on ne peut plus vraiment parler de sacrifice. Berthe dirait plutôt « un don de sa personne ».

Si les gamins pouvaient gagner quelques jours de paradis, rien qu'à eux, dans la fièvre de leur cavale vers une chimère de liberté, Berthe se réjouissait de les leur offrir. Elle se sentait utile, le palpitant reparti comme en quarante, mais il fallait quand même qu'il arrête de battre la bourrée auvergnate, sinon, elle a beau ne pas être bien grosse, il n'y aurait pas assez de place sur le brancard pour charger sa vieille carcasse en plus de la charogne du voisin.

Les sirènes se rapprochent. Bonne nouvelle. Puisque Roy et Guillemette, eux, s'éloignent. Le stratagème de Berthe fonctionne. Elle sent qu'elle va être longue, cette journée. Et c'est tant mieux. Plus Berthe l'étirera, plus Roy creusera la route entre eux et les flics. Et afin de l'étirer, Berthe compte donner aux képis encore un peu de fil à retordre.

L'aïeule, pliée en huit par son arthrose galopante, elle, prend appui sur sa carabine, et parvient à claudiquer jusqu'à sa porte ouverte pour se barricader dans sa chaumière.

Clic, clac. Les deux verrous rouillés s'imbriquent dans la gâche. Berthe se colle à la porte, la pétoire contre elle, et s'empare de la boîte de cartouches qui l'attendait sur la commode de l'entrée.

Vrombissement de moteurs, crissement de pneus, rugissements de sirènes. Derrick en direct dans son jardin. Berthe arme sa carabine, parée pour l'embuscade.

— Police, sortez de chez vous ! Et mains en l'air, braille un mégaphone.

Le sonotone de Berthe sature dans ses oreilles. À la

retraite, Derrick ! Sa matinée, c'est Dirty Harry. Berthe a toujours eu un faible pour Clint Eastwood. Elle avait une fascination pour son gros Python Magnum. Plaisir coupable.

Le décor est posé, mais il faut que Berthe reste dans la scène, elle doit garder sa crédibilité jusqu'au bout. Elle se racle la gorge et harangue d'un chevrotement parfaitement maîtrisé :

— Rentrez chez vous, sales Gitans ! J'suis armée et j'me laisserai pas faire !

Le flic au mégaphone hésite, s'interroge, puis reprend :

— Madame, c'est la police. Sortez de chez vous, vous ne craignez rien.

— J'vais pas m'laisser berner ! J'le connais l'coup d'la police ! Vous voulez m'faire sortir pour m'violer ! J'suis qu'une vieille grand-mère qu'a qu'la peau sur les os, bande de détraqués !

Devant la maison se déploient une dizaine de policiers aussi armés qu'intrigués. Un camion de pompiers s'est parqué face au corps du voisin à qui les brancardiers fournissent déjà les premiers soins.

Le flic au mégaphone fait signe à son escouade de se répartir autour de la porte de la chaumière.

— Madame, il n'y a pas de Gitans ici. Sortez calmement et mains en l'air ou je vais devoir donner l'assaut.

— Qu'est-ce que tu m'chantes là, marlou ? J'sais bien qu't'en veux à mon bas de laine !

Les deux policiers en tête d'escouade se marrent, peu sur le qui-vive. Ils devraient se méfier.

Cling ! Clong ! Le carreau de la cuisine éclate. Berthe vient d'y faire de la place pour sa carabine dont le canon émerge soudain.

Blam ! Blam ! Et les poulets détalent comme des lapins.

Berthe, dans l'obscurité de la cuisine, s'amuse comme ça ne lui était pas arrivé depuis un quart de siècle, priant pour que son pacemaker tienne jusqu'au bout de cette folie.

— Alors, on fait moins les fiers, hein ?

Et le mégaphone d'insister avec plus d'autorité :

— Madame, au nom de la loi, jetez votre arme. Dernier avertissement.

Berthe sent que le ton a changé. Les secondes de sa pendule pétrifiée ne tiquent plus, pourtant Berthe sait qu'elles lui sont comptées.

« La commode », se dit-elle. Mue par une inspiration nourrie de trop de mauvais thrillers vus à la télé pendant ses longues soirées de veuve solitaire, Berthe s'imagine pousser la commode pour bloquer sa porte d'entrée et ainsi tenir le siège.

Elle s'élance, galvanisée par ce fol espoir, et ses trente-huit kilos s'écrasent mollement contre le lourd chêne lesté d'une demi-tonne de porcelaine de Limoges poussiéreuse. La commode ne moufte pas, contrairement à Berthe qui pousse un souffle de chambre à air crevée alors que ses charentaises patinent sur son parquet mité.

« Bien essayé, ma vieille… », se réconforte-t-elle.

— Poussez-vous de la porte, nous allons donner l'assaut !

Berthe n'a pas discerné distinctement les mots de l'agent à travers son sonotone trop vieux, lui aussi, mais le ton semblait plus vindicatif et elle voudrait s'assurer du contenu de la menace. Berthe pose ses mains en porte-voix devant l'ouverture du carreau cassé.

— Tu peux répéter, marlou ? Les piles de mon sonotone viennent de rendre l'âme et j'ai pas tout entend…

Un barouf de tous les diables derrière elle. Sa porte valdingue contre son Frigidaire en parfait état de marche depuis 1952. À l'époque, on fabriquait du solide et voilà qu'une escouade de poulets allait l'obliger à acheter de l'électroménager chinois pour stocker sa blanquette surgelée. Ces pensées inconsistantes traversent l'esprit de Berthe quand des agents en uniforme, casqués et armes brandies, chargent dans son antre auvergnat comme si y siégeait un nid de terroristes.

Coup d'accélérateur cardiaque pour Berthe qui évite l'infarctus de peu, trop occupée à être ulcérée du manque de savoir-vivre de ces intrus.

— Vous pourriez vous essuyer les pieds avant d'entrer !

8h15

L'inspecteur relève ses yeux de bouledogue blasé vers la grand-mère, pas intéressée pour un sou par la lecture de son rapport.

— Et vous avez accueilli les forces de police en disant : « Vous pourriez vous essuyer les pieds avant d'entrer ! »

— Ben quoi ? Déjà qu'arrêter une petite vieille aux aurores, c'est pas bien courtois, mais rentrer chez elle avec leurs godillots crottés, ils manquent sérieusement d'bonnes manières, vos troufions.

— C'est-à-dire que vous leur tiriez dessus. On peut comprendre qu'ils aient oublié les bases de la bienséance.

— Oh ben, s'ils prennent la mouche pour quelques coups tirés en l'air.

— Madame Gavignol, vous savez pourquoi vous êtes là ?

— Pour avoir tiré des coups de pétoire ? plaide Berthe en toute innocence surjouée.

— Plus exactement des tirs de 22, et dans une

agglomération habitée. Sur les forces de police. Et pour être plus précis, sur le fessier du voisin, notaire de surcroît.

— T'es bien tatillon. J'fais pas autant dans l'détail, moi, mâchonne Berthe entre ses gencives dégarnies.

— Je vois ça, constate l'inspecteur avec l'esprit analytique froid requis par sa profession. Vous me paraissez bien décontractée quant à ces coups de feu. Vous comprenez qu'on ne tire pas sur les gens.

— On voit qu't'as pas fait la guerre, toi.

L'inspecteur déglutit son café lavasse. Une grimace déforme son visage. Il a trente ans de maison, pourtant il ne s'habitue pas à ce café infect. Le même goût de serpillière moisie qu'on retrouve dans chaque commissariat.

Par contre, la vieille édentée, armée d'une carabine et d'un bagout pas commun, c'est une nouveauté. Il a beau être huit heures du matin, l'inspecteur a déjà fait crisser ses pneus sur l'asphalte, esquivé plusieurs coups de feu, lancé un assaut dans une chaumière mieux gardée que Fort Knox, et essuyé une tempête de jurons anachroniques sortis de la bouche chiffonnée, quoique en verve, de cette vieille pas plus haute que son arme, mais tout aussi cinglante quand elle l'ouvre pour tirer à vue.

— Bon, reprenons, vous avez droit à un avocat. Si vous n'en avez pas ou si vous n'avez pas les moyens d'en payer un, on peut vous en fournir un commis d'office.

Alors que l'inspecteur lui lit ses droits, Berthe tapote

sa boîte de Tic Tac dans sa main ravinée par les rides pour en sucrer son café.

— M'embrouille pas avec tes salamalecs administratifs. Les avocats ont d'intérêt que coupés en deux avec un zeste de citron.

— Comme vous voulez.

— J'peux rentrer maintenant ? L'est bientôt la demie, et y a mon jeu à la radio. Déjà qu'vous m'avez fait rater la tournée du boulanger, c'matin.

— Madame Gavignol, je crois que vous n'avez pas bien saisi la situation. Vous êtes ici en garde à vue. Je pense qu'aujourd'hui, vous allez devoir manquer votre jeu radio, j'en suis désolé.

— Tu m'as pas l'air bien désolé, avec ta gueule de poulet qu'a trop mariné dans le vinaigre.

— Madame Gavignol, votre grand âge requiert un respect que je n'ai pas manqué de vous montrer depuis votre arrestation, mais ne poussez pas trop le bouchon.

— Viens donc pas m'servir du respect parce que j'suis rabougrie, l'képi. Si tu voulais me respecter, tu m'aurais pas envoyé ta batterie de poulets qui m'a tout dégondé ma porte et confisqué ma carabine alors que j'venais de m'faire voler ma 4L par deux Gitans. C'est eux qui devraient être assis à ma place, plutôt qu'mes vieilles fesses.

— Vous oubliez que vous avez tiré à plusieurs reprises sur votre voisin, M. de Gore. Dont deux fois dans son dos.

— C'est mon doigt qu'a ripé.

— Pas sûr que votre excuse tienne auprès du juge…

— J'visais l'cul.

— Vous le visiez donc bien ?

L'inspecteur avance avec méthode ses pions sur l'échiquier de son interrogatoire.

— J'l'ai pris pour un des Gitans.

— Jean-Baptiste de Gore ? Avec son peignoir en satin ? Difficile à confondre avec un Rom, non ?

— Gamin, j't'explique, j'ai moins deux dixièmes à chaque œil, c'est encore un miracle que j'puisse conduire, vu qu'j'y vois pas plus qu'en plein brouillard de décembre, donc un rupin ou un Gitan, j'fais pas dans la nuance, si j'vois qu'il en veut au peu qu'j'possède, je tire.

— Madame Gavignol…

— Appelle-moi donc Berthe. Vu qu'on a l'air d'être là pour un moment, autant qu'on s'formalise pas sur les politesses, hein l'képi ?

— Bien, Berthe. Dans ce cas, je vous propose de m'appeler inspecteur Ventura. « Képi » est un terme familier qui aura vite tendance à m'irriter.

— J'te dis de m'appeler Berthe, et toi tu m'sors de « l'inspecteur » ?

— Je peux m'en tenir à « Madame Gavignol » si vous préférez.

— Lâche ton pipeau, képi, j'ai compris. Va pour Ventura.

— Inspecteur Ventura.

— T'as d'la famille dans l'cinéma ?

L'inspecteur ne peut réprimer un sourire. La vieille mord depuis qu'il l'a arrêtée, mais elle n'en reste pas moins touchante. Et mystérieuse. Ventura en a rencontré des cas sociaux, mentaux ou criminels dans sa carrière, mais une grand-mère centenaire, plus fragile qu'une brindille asséchée par une canicule trop longue, armée jusqu'au dentier et plus venimeuse qu'une vipère, c'est une première. Il a de la tendresse pour elle, tout en se disant qu'elle n'a pas fini de l'emmerder.

— J'te préviens, avec mon incontinence, tu vas pas me garder ici longtemps. J'dis ça autant pour moi qu'pour toi, faut pas m'en vouloir, mais passé les quatre-vingt-dix piges, y a tout qui fout l'camp et, contrairement à ma 4L, tu peux pas m'envoyer faire la révision des cent mille, j'suis plus cotée à l'Argus depuis 1986.

— Berthe, il faut bien que vous compreniez la gravité de votre cas. M. de Gore est en ce moment même au bloc opératoire où il subit une intervention chirurgicale grave. S'il dépose plainte contre vous, et il est plus que probable qu'il le fera, vous aurez à répondre de vos actes devant la justice.

— Moi ? Mais c'est les Gitans qu'ont volé ma 4L, s'offusque Berthe.

— Votre 4L n'a pas bougé. Elle est toujours parquée devant votre maison. C'est l'Audi TT de M. de Gore qui a été volée.

— Ah ? C'était pas ma 4L ? s'étonne Berthe avec une ingénuité falsifiée.

— Non.

— J'ai dû confondre alors. Elles font le même bruit.

— Une 4L et une Audi TT ?

Ventura n'avale pas ce mensonge. L'agent de police

posté au bureau en retrait derrière eux secoue la tête en pouffant, ce qui n'amuse guère son supérieur qui le lui fait savoir :

— Vous vouliez nous faire partager votre réflexion, Pujol ?

Ventura est le genre d'homme qui n'a pas besoin d'appuyer sa voix pour déclencher un frisson sibérien chez son interlocuteur. Son regard direct et franc fait l'effet d'une trombe de grêlons gros comme des poings dans la gueule à vous faire courir aux abris. Son destinataire ravale donc son sarcasme pour se focaliser plutôt sur son clavier d'ordinateur sur lequel il tape la déposition, après une vague excuse émasculée :

— Non, chef.

— Alors, fermez-la, et allez donc me chercher un autre café. Et chaud, celui-là, ordonne Ventura.

— Bien, chef.

— Tu viens d'te faire fesser cul nu, hein la bleusaille ? le titille la grand-mère. Faut dire, sténo dans un commissariat d'province, ça t'fait du bien qu'on te remette à ta place.

— Vous êtes bien irrévérencieuse, s'interpose l'inspecteur.

— J'ai plus de comptes à rendre à personne. On a cherché à m'la faire fermer plus souvent qu'à mon tour. Au début, j'faisais comme ton maton, là, j'regardais mes souliers. Pis j'ai appris à lever le menton.

— D'où la carabine ?

— T'as tout compris, Lino.

— Je m'appelle André.

— C'était pas Lino Ventura ?

Ventura exhale un soupir. Toute sa vie, on lui a fait le coup du rapprochement avec le comédien. Ironie du sort, en plus d'en partager le patronyme, André Ventura ressemble à Lino comme deux gouttes de gnôle. Même carrure, même timbre, même air de bouledogue irritable. La comparaison s'arrête là. Lino a fait la grande carrière de comédien que tout Français né avant les années quatre-vingt connaît. André, lui, a mené la sienne dans les forces de police, dans l'anonymat d'enquêtes, bien que régulièrement résolues, jamais applaudies du grand public. Un métier ingrat, tamponné d'un manque de reconnaissance, blessant les premiers temps, puis accepté avec fatalisme et l'aide de quelques pintes de Kronenbourg. On s'habitue à tout, au café rance, aux suspects irrespectueux, aux affaires qui s'étalent comme des furoncles. Mais avoir un patronyme de star et devoir s'en justifier à chaque début de garde à vue, non, André ne s'y fait pas.

— Si, mais moi je suis l'inspecteur, pas l'acteur. Et je voudrais qu'on oublie ma filmographie et qu'on revienne à votre cas.

— J'suis tout ouïe. Par contre, j'te préviens, chez moi, ça veut plus dire grand-chose, vu qu'j'suis sourde comme un pot.

— Bon, commençons par les formalités d'usage. Nom, prénom, date et lieu de naissance.

— Tu m'fais courir, Lino ?

— Inspecteur Ventura.

— Ah oui…, se reprend Berthe. Faut pas m'en vouloir, j'suis un peu gâteuse.

— Je ne sais pas pourquoi, mais sur ce point, je ne vous crois pas.

— En quoi ça t'intéresse, tout ça ?

— Vous m'intéressez beaucoup, Berthe.

— Y a bien quarante-trois ans que j'ai pas entendu ça.

— Eh bien, vous voyez, vous n'aurez pas perdu votre matinée. Donc on reprend : nom, prénom, date et lieu de naissance.

1914

Berthe est née Gavignol. Le premier nom apposé sur son livret de famille. Date de naissance : 11 juillet 1914. Dans un petit village auvergnat aux abords de Saint-Flour.

La mal nommée « der des ders » venait d'éclater, donc la naissance d'une enfant, aussi jolie soit-elle, n'était pas franchement un événement. Encore moins une célébration. On commençait déjà à faire des provisions de sucre, alors le champagne… Berthe a grandi dans une humeur sauvage. Un vrai chien errant. Elle ne mordait pas, mais elle grognait et se grattait à longueur de journée. Les poux avaient lancé une offensive dans sa tignasse emmêlée. Il aurait fallu une armée pour les déloger de là. Ou un bon shampooing au savon noir. Mais l'armée était occupée au front et le savon, dans le quotidien de Berthe, était une denrée aussi rare que la joie chez sa mère. Récession et marché noir. La propreté, Berthe s'en foutait. Elle ne voulait pas qu'on la touche, elle n'aimait pas qu'on l'approche. Un chien errant donc.

Son père était parti défendre sa patrie en l'abandonnant dès sa naissance. Il allait finir coupé en deux par un obus dans les tranchées de Verdun moins de deux ans plus tard. Mort pour servir la France. Enfin surtout pour lui servir de chair à canon. Parce que sa mort n'a pas changé grand-chose à l'Histoire. En tout cas pas à celle de son pays. Mais à celle de Berthe, oui. La môme s'est retrouvée élevée par sa mère et sa grand-mère. Un monde de femmes privées d'hommes.

Sa mère a tenu son foyer comme bon nombre d'autres femmes à l'époque : sans mâle et sans une pointe d'amour. Quand la moitié de la France se fait dézinguer dans les tranchées, on a du mal à dessiner des arcs-en-ciel dans la chambre de la môme qui vient de naître. Et quand on vient de perdre l'homme qu'on aimait, même si ce n'est pas sa faute, à la gosse, on lui en veut quand même. Parce qu'on en veut à tout le monde. Aux Boches, à la vie et à l'ingrate qu'il faut nourrir alors qu'elle ne lâche jamais un sourire et encore moins un merci. La mère n'était pas une mauvaise femme, juste une jeune veuve. Trop jeune pour gérer ce qui venait de lui tomber dessus : une môme et une guerre. Qui pourrait lui en vouloir ? Même Berthe, elle ne lui en a pas voulu. Mais ça ne l'a pas rendue aimable pour autant.

Le carnage décimait des troupes par milliers et des civils par villages entiers. Berthe était trop jeune pour comprendre ce qui se passait, mais elle sentait la vibration des bombes sous ses pieds. Pas à sa porte, pas dans le champ voisin, mais dans tout le pays. Dans le monde entier. Mondiale, la guerre. C'était dans l'intitulé. Le sol tremblait comme chaque habitant dans sa chaumière qui se demandait si ce carnage finirait un jour.

Quand on naît en temps de conflit, la paix, on ne connaît pas. Donc ce tremblement, il paraît naturel, il fait partie du paquet livré à l'accouchement. Comme l'absence d'un père. Quand on n'en a pas eu, on ne se rend pas compte du vide provoqué par le manque d'amour paternel. Berthe l'a cherchée, plus tard, dans les bras d'autres hommes, la chaleur de son père qui avait préféré éparpiller ses tripes dans les tranchées froides d'une triste région de France plutôt que de s'occuper de sa fille. Pauvre poilu ! Non seulement il se fait couper en deux par un obus, mais en plus sa fille lui en veut.

Berthe n'a jamais été du genre à plier. Déjà gamine, elle ne ressemblait pas à un roseau mais plutôt à un tas de ronces. Avec des épines larges et pointues. Le bouton de rose qu'elles renfermaient tout au milieu, il fallait deviner qu'il était là. Berthe préférait brandir les épines. Avertissement amical : « T'approche pas, je pique. Et je suis vénéneuse. Te voilà prévenu. »

La mère l'avait compris dès l'accouchement. Un déchirement à quinze points de suture, en termes de piquant, le message était clair. La sage-femme l'avait recousue sans anesthésie ni empathie. Une femme qui accouche au début du XXe siècle, si elle n'y a pas laissé sa vie ou ses reins, elle ne va pas faire une syncope parce qu'elle a une partie de l'intimité déchirée. Qu'elle le prenne pour preuve de bonne santé. Ah, on ne se faisait pas chouchouter en maternité, en ce temps, on accouchait chez soi. Et si l'entreprise dégénérait en septicémie et finissait à l'hôpital, on avait intérêt à se rétablir vite et sans trop se plaindre. On a besoin du lit, c'est la guerre, madame. Qu'est-ce que vous voulez répondre à ça ? « C'est la guerre. » Rien. Y a rien à répondre. Alors vous laissez le lit et vous rentrez cicatriser en torchant le nouveau-né d'une main et en préparant le paquetage de votre poilu de mari de l'autre. Une bonne poilade, cette période-là. Berthe, ça ne la faisait pas marrer pourtant. Sourcils froncés, poing levé à la moindre contrariété, le chien errant a traversé ses jeunes années comme un terrain vague. Sans se douter que la Première Guerre mondiale portait bien son nom et annonçait qu'il y aurait une suite aux réjouissances.

La maman se flétrissait, une errance dans les yeux, mais un effort aux lèvres. Un labyrinthe de désœuvrement dans lequel il ne fallait pas s'aventurer au risque de se faire aspirer. Le vide est contagieux, il appelle à s'approcher, près du bord. Et à sauter.

Berthe se tenait éloignée de la falaise, lui préférant son gros chêne. Son tronc étiré vers le ciel, ses racines massives étendues autour de lui, plongées profond dans la terre, contre vents et marées, ce chêne ne bougerait pas. Berthe se blottissait sous cet abri, solide et rassurant. Ce chêne s'appelait Nana. Sa grand-mère.

Nana n'avait été emportée ni par la grippe espagnole, ni par les hivers glacés du Massif central, ni par l'assommoir qu'elle se versait du soir au matin en guise d'abreuvoir. Certains se désaltèrent de molécules H_2O. D'autres ont besoin de chimie plus expérimentale et d'un bon outillage appelé alambic. Nana, depuis un quart de siècle, se fabriquait sa gnôle elle-même. Bio avant l'heure, elle n'aimait pas le picrate que ces voleurs d'épiciers vendaient à prix fort. Alors qu'avec son bon vieil alambic, vingt sacs de patates, quinze kilos de blé, huit cagettes de pommes et un soupçon de betteraves, elle était parée pour l'hiver. Réchauffée de l'intérieur, brûlée diront certains. Faut dire que c'était pas pour les petites natures, y avait un chien qu'était mort d'avoir lapé le fond de la cuve, mais c'était de la bonne came.

Les villageois, d'ici et des provinces d'à côté, qui avaient entendu parler de la marmite magique de la grand-mère avaient souscrit à la carte de fidélité après avoir goûté à la potion revigorante. Et plus encore pendant la guerre où ces salauds d'épiciers, non contents de faire flamber leurs prix, refourguaient du jaja coupé à l'eau. Quand on en trouvait encore. Les rayons des marchands étaient vides, les haussements d'épaules désolés, alors on allait discrètement voir Nana, dont la cave renfermait une machinerie de guerre bien plus enivrante que celles qui pilonnaient nos braves soldats au froid dans leurs tranchées.

L'alambic de Nana a redonné du baume au cœur et de la chaleur aux tripes aux soldats qui partaient au front en faire du boudin et à ceux qui avaient la chance d'en revenir en un morceau. Même entamé. Et plus ils avaient laissé des bouts de bidoche dans les tranchées, plus ils étaient passés par la case charcuterie après, plus Nana leur faisait un prix. Ceux à qui elle accordait des ristournes de 50 % faisaient peine à voir. Mais même si t'étais plus que la moitié d'un homme, Nana te réchauffait celle qui restait d'une bonne rasade de son vitriol, doublé de son hospitalité en or massif. Alors le soldat, toute gueule cassée qu'il était, se sentait à la maison. Merde, qu'est-ce qu'on y était bien, dans la cave de Nana !

Berthe n'avait pas le droit d'y descendre. Nana lui expliquait que c'était son lieu de travail, donc pas pour les enfants. Pourtant, lorsque Nana recevait ses clients, pas toujours fringants, des rires et des chants remontaient des soubassements et Berthe trépignait de jalousie.

Et quand les hommes remontaient en bringuebalant, arrimés tant bien que mal à la rambarde branlante, puis titubaient jusque chez eux, Berthe imaginait les manèges auxquels avaient dû s'adonner ces grands enfants pas prêteurs, tout comme ces garçons égoïstes qui jouaient aux billes en face de l'école et lui interdisaient de se joindre à eux.

Berthe s'asseyait en haut des marches, sa poupée en chiffon nommée Lili à la main, et elle écoutait les manchots et culs-de-jatte rire joyeusement avec Nana. Grâce à la gnôle de la grand-mère, les filles ont donc pu passer une guerre plutôt confortable. Pour preuve, elles ont survécu.

Le soir venu, Nana remontait les marches, droite comme un chêne – elle encaissait bien, la grand-mère, probablement grâce à quelque souche polonaise lointaine –, et rejoignait sa petite Berthe, laissant derrière elle des grands costauds ramassés en quatre dans la terre de la cave. Au jeu de la résistance, Nana était indéracinable et avait ainsi gagné le respect de tous les bataillons de passage.

Arrivée à sa petite-fille chérie, Nana se penchait et la hissait au-dessus de son épaule pour l'y reposer comme le sac de patates qu'elle utilisait pour confectionner la recette secrète de sa gnôle dévastatrice. La grand-mère la tractait sur son épaule moelleuse et l'emportait dans la cuisine pour y confectionner sa bonne soupe quotidienne, autre grand moment sacré de la journée.

Chaque soir, Nana apprenait à Berthe la recette spéciale de sa soupe. Celle de sa gnôle de contrebande viendrait plus tard. Et, mois après mois, année après année, la gracieuse chorégraphie se répétait. Nana soulevait sa cavalière, la faisait danser jusqu'à la cuisine pour la sustenter de son délicieux breuvage, au son de la mélopée des carottes coupées, des navets tranchés et des oignons rissolés de sa main experte, bien que bousillée à force de creuser dans les champs de patates.

— Nana, Lili, elle aimerait bien venir rigoler avec vous dans la cave, tentait régulièrement Berthe, avec l'insistance répétitive des enfants au volontarisme infatigable.

— Mange ta soupe, tranchait Nana avec la fermeté d'une grand-mère tout aussi inflexible.

— T'es pas drôle.

— Suis pas là pour être drôle, suis là pour que tu meures pas de faim, et si j'me trompe pas, j'fais du bon travail, vu que t'es toujours sur tes deux pattes, et que, même si t'es pas bien grosse, t'as les joues bien roses.

— C'est joli quand tu parles, Nana. On dirait une chanson.

Au tour de la grand-mère de rougir. Puis de poser une bise sur la joue de sa petite-fille qui, par sa poésie enfantine, savait lui offrir des bouquets de fleurs comme aucun galant, surtout après les dernières décennies bien pauvres en marques d'affection masculines.

Georgette, dite Nana, était née Téliot. Et dans la famille Téliot, on avait été aussi mal lotis en amour que chez les Gavignol, qui avaient le sens de la fête et partaient en confettis à vingt-deux ans. Veuves de mère en fille. La tuberculose avait pris le mari de Nana pour amant et ne le lui avait pas rendu. Cette roulure avait des armes contre lesquelles Nana ne pouvait pas rivaliser. Fabriquer de la gnôle à soixante-cinq degrés, c'est une chose, faire baisser la température d'un mari qui pointe à quarante-deux degrés du soir au matin, c'en est une autre.

Le destin de Nana se résumait à garder un œil sur le thermomètre. Elle a mieux géré celui de son alambic. Une fabrication artisanale plus solide que son Alphonse de mari dont les tuyaux ont lâché un jour de surchauffe. Pas possible de les renforcer avec le cuivre qualité premium qu'utilisait Nana pour les raccords de sa machine infernale. Alphonse a donc rendu l'âme, non pas à Nana, qui n'aurait pas su quoi en faire, mais à sa maîtresse.

Par contre, les dettes, il a bien fallu les gérer. Tout d'abord en levant la jupe. Nana n'avait ni éducation, ni diplômes mais une assise suffisamment confortable pour y offrir un court séjour au voyageur fatigué, moyennant rémunération. Elle n'avait pas le luxe de questionner l'éthique de la situation, une veuve qui doit nourrir sa gamine utilise son cul avant sa tête s'il le faut.

Lassée de louer le sous-sol de ses jupons, Nana a préféré mettre en branle son savoir-faire mécanique et tenir commerce dans la cave de sa maison. Formée par son grand-père à l'ingénierie des boulons et pistons, Nana était connue pour réparer les tracteurs condamnés à la casse. Son aïeul adoré lui avait légué un manuel technique secret avant de passer la clé de huit à gauche, se doutant qu'une femme seule au début du XXᵉ siècle aurait besoin de solides munitions pour se défendre et s'en sortir. Armée de ce précieux mode d'emploi, Nana s'est attaquée au montage de la Grosse Frida, l'alambic qui allait leur sauver la vie plus d'une fois.

9 h 11

— J'en demandais pas tant.

L'inspecteur Ventura inhale une bouffée de sa vapoteuse. Berthe, à défaut de sa carabine confisquée, est armée d'une patience ancestrale.

— Si tu les trouves trop longues, mes réponses, j'rentre chez moi écouter mon jeu à la radio.

— Je crains que votre jeu ne soit terminé.

— Ah, c'est malin ! Et pourquoi qu'tu veux savoir tout ça, d'abord ? s'agace la grand-mère.

— C'est le protocole.

— J'en ai rien à foutre, moi, que t'aies mal au trou d'balle.

— Je vous demande pardon ? s'étrangle Ventura.

— C'est toi qui m'parles de ton proctologue.

— Protocole, Berthe.

Rire étouffé de Pujol. Ventura lui suggère d'un regard réprobateur de se concentrer plutôt sur son correcteur d'orthographe.

— J't'avais dit qu'j'étais sourde comme un pot. Et sénile. J'espère que t'as pas prévu d'prendre tes RTT ce soir, parce qu'à c'rythme-là, on va y passer la semaine.

— Il n'y a pas de RTT dans mon métier.

— Viens pas m'jouer du violon, quand j'ai commencé à travailler, on n'avait même pas les congés payés, donc ta complainte de feignant d'syndicaliste, elle m'émeut pas plus que les vœux de Mireille Mathieu.

Ventura tapote du bout de ses gros doigts velus le formica de la table rabotée par des années d'interrogatoire, se reconnecte aux yeux vitreux de Berthe, cachés derrière ses triples foyers encrassés, puis reprend une bouffée de vapoteuse :

— Vous voulez un café, Berthe ?

— Avec des croissants au beurre ?

Un espoir enfantin vient de poindre dans la voix de la centenaire et perce la protection de l'inspecteur, qui vacille avant de remonter sa garde. Des années de métier pour ne pas se laisser amadouer durant les interrogatoires ne vous préparent pas à la rencontre d'une telle mamie.

Ventura passe la commande :

— Pujol, vous allez nous chercher ça ?

L'agent s'exécute sans se faire prier. Il préfère jouer le larbin que de servir de paillasson à son supérieur.

Ventura range sa vapoteuse – un cadeau saugrenu de sa femme, sensible à sa bonne santé, ou plus certainement à sa mauvaise haleine, mais qu'importe, puisqu'elle ne sera pas chez eux ce soir pour la sentir, s'entend ressasser l'inspecteur – et sort un paquet de Gauloises sans filtre :

— Vous fumez, Berthe ?

— Non. Ces saloperies-là, c'est un coup à s'choper l'cancer.

Ventura lui désigne une de ses clopes :

— Et ça vous dérange ?

— Ça m'dérange pas, non…

Ventura allume donc son briquet et l'approche de sa cigarette, la main en rempart face à la flamme.

— Ça m'incommode, tacle Berthe.

Ventura freine son geste, relève ses yeux cernés vers la vieille qui le toise avec l'assurance de son grand âge. Soupir d'air pur au lieu des volutes de nicotine escomptées.

— Décidément, vous êtes une emmerdeuse, madame Gavignol.

— Tu m'as demandé, alors j'réponds.

On frappe à la porte. Ventura claque, sans lâcher Berthe des yeux :

— 'trez !

Ce que fait un type, chemise étriquée sur son ventre gonflé par des années de bière et d'aigreurs mal digérées, les manches retroussées, des auréoles teintant d'un ton plus sombre le beige de sa chemise maussade, calvitie conquérante et épaisse moustache masquant ses lèvres absentes. Bernier se penche à l'oreille de Ventura.

Le sonotone de Berthe ne capte rien. Une mouche vole. Berthe l'écrase du plat de la main… vingt secondes trop tard. La centenaire maudit ses réflexes atrophiés alors que la mouche se pose sur son nez.

Bernier tend à Ventura un Luger sous scellés ainsi qu'une enveloppe. L'inspecteur examine l'arme nazie puis la repose sur son bureau. Il prend ensuite connaissance du contenu de l'enveloppe et acquiesce. Bernier se redresse et disparaît dans le même silence qui l'a accompagné jusque-là.

Ventura reprend son inspiration lasse devenue déjà familière à Berthe :

— Guillemette Desmoulins, ça vous dit quelque chose ?

La vieille fait mine de régler son sonotone.

— Qui ça ?

La feinte ne prend pas. La grand-mère a beau se montrer aussi attendrissante qu'un oisillon tremblotant au pied de son nid, la trop longue attente d'un café digne de ce nom a rongé la patience de Ventura. Il est à deux doigts de lui faire pleuvoir des claques dessus, à force qu'elle se foute de sa gueule, la mamie.

— Guillemette. Desmoulins. Un mètre soixante-trois. Trente-deux ans, énumère Ventura. En cavale depuis deux jours. Accompagnée d'un individu à la carrure imposante, suspecté d'être Raymond Truchaud, plus connu sous le sobriquet de « Roy », et soupçonné du meurtre de Xavier Desmoulins, mari de ladite Guillemette.

Berthe tressaille intérieurement. Elle n'a peut-être pas de talent pour le poker, mais elle maîtrisait autrefois le Scrabble, et lorsque l'heure se révélait grave, elle savait masquer son désarroi face à une mauvaise pioche. Les képis sont en train de remonter la trace de Roy et Guillemette, il en va donc de sa subtilité pour brouiller les pistes et tenter d'aider ses protégés.

— J'ai pas regardé la télé hier, c'était sur quelle chaîne ?

— Un routier les a vus au volant d'une Audi TT sur la départementale 906. Une Audi TT grise.

— J'vois pas l'rapport, j'ai une 4L bleue.

— Votre voisin, Maître de Gore, s'est fait voler son Audi TT, ce matin, alors que vous lui tiriez dessus pensant qu'il s'agissait de votre 4L, vous vous souvenez ?

— Et ?

Berthe joue l'innocente en piètre comédienne. Ventura sort de l'enveloppe apportée par Bernier un photomaton qu'il pousse du bout de son doigt épais sur la table cabossée. Ceux gondolés d'arthrose de Berthe s'en emparent et le hissent face à ses culs de bouteille faisant office de loupe pour ses yeux nacrés de cataracte. La photo montre un jeune homme, la trentaine, plutôt bel homme, barbe de trois jours, l'air narquois, peu sympathique.

— Jamais vu cette tête-là. Mais y m'inspire pas confiance.

— Ne vous en faites pas, il ne vous fera aucun tort, il a été retrouvé la tête dans une flaque, mâchoire fracassée, poumons perforés et le cœur éclaté. Un bulldozer lui serait passé dessus, il n'aurait pas fait plus de dégâts.

— Et qu'est-ce que j'ai à voir là-dedans, moi ?

— Cette photo est celle de Xavier Desmoulins. On l'a retrouvée sous le lit de votre chambre d'amis.

La gamine a dû la perdre pendant leurs ébats dignes de la « Chevauchée des Walkyries », pense Berthe en brûlant de sermonner cette tête de linotte de Guillemette. On est en cavale mais on ne va pas s'arrêter de s'aimer pour autant, alors on sème des preuves partout derrière soi. Ah, l'insouciance de la jeunesse…

— Je vous repose donc la question : Connaissez-vous Guillemette Desmoulins et Raymond Truchaud ?

— Vous savez, à mon âge, on a la mémoire qui flanche.

— Ces deux suspects sont recherchés pour meurtre. S'ils ont séjourné chez vous, vous êtes un témoin potentiel pour cette enquête. Si vous les couvrez, vous devenez complice. Mais s'ils vous ont obligée à les héberger, vous êtes victime. Vous comprenez la nuance ?

— Me parle pas comme à une idiote, j'pourrais être ton arrière-grand-mère.

— Berthe, la résolution pour vous peut prendre une tournure très différente selon la version des faits que vous allez me raconter. Alors je répète : connaissez-vous Guillemette Desmoulins et Raymond Truchaud ?

23 h 58

La veille. Vers la fin d'un mauvais polar à la télé, le sonotone de Berthe a expiré d'un larsen dans son tympan aux trois quarts sourd.

— Camelote.

Elle s'est levée à la recherche de piles de rechange quand son attention a été attirée par du mouvement à sa fenêtre. Dans les villages désertés d'Auvergne, du mouvement, il n'y en a pas souvent, surtout à cette heure indue.

— Qu'est-ce qui m'font, ces deux-là ?

Un grand gars, plus massif qu'un taureau de concours de l'Aubrac, crochetait sa 4L. La petite qui l'accompagnait, Berthe ne l'a tout d'abord pas remarquée. Elle était concentrée sur le bestiau en train de lui voler un vieux souvenir auquel elle tenait. Berthe a empoigné sa carabine, a vérifié la culasse, y a glissé deux cartouches et a ouvert la fenêtre.

— On bouge plus ! Fais pas le malin, marlou, c'est du calibre 22.

Après des explications pétaradantes sur son perron, Berthe a fait plus ample connaissance avec ses visiteurs du soir. La première impression avait joué contre eux, la seconde plaidait en leur faveur. Ses malfaiteurs s'avéraient être deux tourtereaux en fuite. Ils ne volaient pas sa voiture par malveillance, ils en avaient besoin pour ne pas se faire repérer par les flics et poursuivre leur cavale infernale. Berthe s'est immédiatement prise d'affection pour ces Bonnie and Clyde du Cantal. Elle qui avait un sens aigu de l'injustice leur a ouvert ses ailes protectrices ainsi que la porte de sa maison. Une planque inattendue mais bienvenue pour les deux fugitifs qui n'ont pas tari de gratitude. Berthe n'avait pas eu de visite depuis un quart de siècle, alors cette déferlante de générosité, elle n'allait pas lui claquer la porte au nez.

Merde, que ce garçon était laid, se disait Berthe en préparant la soupe, mais qu'est-ce qu'il dégageait ! On aurait dit un Minotaure.

Elle épluchait les carottes, aidée par la jolie jeune fille au sourire en forme de soleil. Ces deux mignons déversaient des torrents d'amour, elle devait s'accrocher à sa cuisinière pour ne pas être emportée. L'énergie qui liait ces deux-là, Berthe l'avait bien connue. Dans le temps. Les observer s'échanger des œillades au milieu de sa cuisine lui a rappelé ce qu'elle avait perdu, mais elle était heureuse pour eux. Ils avaient la chance de vivre un amour mythologique. Elle avait vécu le sien, elle goûtait le leur, même pour un soir, et cette sensation lui faisait du bien.

— Vous reprendrez bien un peu d'soupe.

Le marlou, avec son gabarit de tracteur, avait bon

appétit. Depuis des décennies que Berthe mangeait sa soupe seule à table, le voir se resservir la remplissait de joie. Elle se sentait utile. Elle se sentait même aimée. Ça aussi, ça faisait longtemps.

L'histoire de ces fugitifs l'a émue. Roy et Guillemette étaient tombés amoureux quelques jours auparavant. Follement. La Belle et la Bête, voilà l'image qu'ils renvoyaient. Leur amour à peine naissant, la Bête a dû protéger sa Belle. L'ex-mari avait retrouvé celle qui l'avait fui. Il n'acceptait pas le rejet, il n'acceptait pas le divorce, il a laissé la colère le dominer, et il s'en est pris à Guillemette. Alors la Bête s'est interposée. Ce Xavier que lui a décrit Guillemette était un sale type. Violent. Une ordure ordinaire. Berthe validait la finalité. Xavier s'est retrouvé la tête éclatée dans une flaque. Conséquence, Roy et Guillemette ont dû prendre la tangente. Tout les accusait. Les préjugés, les apparences, même les faits à vrai dire. Roy avait réglé le problème avec une certaine sauvagerie. Les raisons pour expliquer leur geste, les autorités ne les auraient pas entendues. Berthe, si.

Pourtant, elle n'était pas inquiète pour eux. Le mastodonte qui faisait un sort à son poulet rôti en torpillant sa réserve de calva les sortirait de là. Ce genre de bestiau était invulnérable. Il protégerait la petite jusqu'en enfer. Berthe le sentait, ça lui transpirait par tous les pores, au Minotaure.

Ce qui n'empêchait pas la grand-mère de leur filer un coup de main.

Le lendemain, en préparant le panier chargé de galettes et de pots de beurre, Berthe y a glissé trois liasses de gros billets qu'elle gardait sous son matelas. Son bas de laine ne ferait pas office de passeport pour le Mexique, mais il leur éviterait de perdre du temps à braquer des banques en chemin. Et qui sait ? Il leur permettrait peut-être de se payer une bicoque là où ils fuyaient. Quelque part loin des curieux. Mais c'était à eux d'écrire leur histoire maintenant. Berthe avait presque fini la sienne. Elle avait été riche et chargée en rebondissements. Berthe était un peu fatiguée maintenant.

Elle a tendu les clés de sa 4L à Roy, mais le marlou a rejeté son offre. Il faut dire qu'il n'avait pas tort, ils n'iraient pas loin avec sa chiotte. Quand il a parlé de crocheter l'Audi TT du voisin, Berthe a rigolé intérieurement en allant chercher sa pétoire. Le fils de Gore avait racheté la ferme du père Tavenel. Cet arrogant petit con était aussi imbuvable que son notaire de père. Braquer le fils de Gore la ferait marrer. Ça lui rappellerait des souvenirs.

En contemplant les deux tourtereaux dévorer la route au volant de l'Audi TT fraîchement crochetée, Berthe rayonnait, ragaillardie par cette dernière visite riche en amour. « Ils étaient bien mignons, ces deux-là. »

Lorsque le voisin a surgi de chez lui en proférant une rafale d'injures, Berthe a rétorqué avec des tirs de 22. Le fils du notaire s'est jeté dans la niche pour se mettre à l'abri de la pluie de chevrotines.

— Oh, de Gore, c'est vous ? Pardon, j'vous avais pas reconnu, dit-elle en rechargeant sa carabine. La vue qui baisse, vous savez c'que c'est ! J'ai plus quatre-vingt-dix ans !

Blam ! Blam !

10 h 02

— Ils étaient bien mignons, ces deux-là, dit Berthe à voix haute cette fois.

La vérité sur sa soirée de la veille, pour l'instant, elle la garde pour elle. Elle va devoir l'enrober de flou pour ne pas compromettre ses protégés.

— Donc vous avouez les faits ?

L'inspecteur cuisine la centenaire, espérant qu'elle se mettra à table avant que la piste des fuyards ne refroidisse.

— Qu'ils étaient mignons ? Oui, j'avoue. Ils l'étaient. Et sacrément encore. Ils avaient l'air très amoureux.

— Ils vous ont violentée ? Séquestrée ?

— J't'ai dit qu'ils étaient mignons. Si t'as besoin d'faire vérifier ton sonotone, j'ai un bon oto-rhino.

Lassitude de l'inspecteur. Craquement de vertèbres. Puis retour dans l'arène :

— Expliquez-moi comment les événements se sont produits, hier. Comment ils sont entrés chez vous ?

— Ben, j'les ai invités, qu'est-ce tu crois ? Ils se seraient pas permis, sinon.

— Vous les avez invités ?

— Ben oui. Ils étaient en train de crocheter ma 4L, ils avaient l'air d'avoir faim et…

— Ils étaient en train de voler votre voiture ? Il ne s'agissait donc pas de Gitans, comme vous nous le clamiez plus tôt.

Berthe se tait, empêtrée dans ses mensonges.

— Vous savez ce que vous risquez à nous mentir ? Et plus encore à couvrir des assassins ?

— Mon garçon, comprends bien qu'à mon âge, j'risque plus rien.

Ventura plonge dans les yeux de la centenaire qui le fixent sans sourciller, et reconnaît qu'elle a raison. Comment faire plier une grand-mère déjà tordue en huit ? Cette garde à vue s'annonce bien tortueuse.

— J'ai rien d'croustillant à t'raconter. Les tourtereaux, j'les ai hébergés une nuit. J'leur ai donné d'la soupe parce qu'd'mon temps on apprenait l'hospitalité, pas comme aujourd'hui où on ferme les frontières et où on construit des murs même entre les pays. Et c'matin, ils sont partis en disant merci, parce qu'ils sont p't'être fugitifs, comme t'as l'air d'les accuser, mais ils étaient polis, eux.

— C'est donc bien eux qui ont volé l'Audi TT de votre voisin, Maître de Gore ?

— P't'être bien que oui.

— Donc quand vous avez tiré sur de Gore, vous saviez qu'il ne s'agissait pas de Gitans ?

— P't'être bien que oui.

— Vous pouvez expliquer votre geste ?

— J'l'ai jamais aimé, lui.

— Ça ne justifie pas de lui tirer dessus.

— Qui m'empêche ?

— La loi, Berthe. La loi, dit l'inspecteur flegmatique.

— Dis donc, tu commences à m'casser les pieds, avec ta loi ! explose la grand-mère. On n'est donc plus libre de rien, dans c'pays ? J'croyais qu'y avait écrit « Liberté, Égalité, Fraternité » sous not' drapeau. J'vois pas d'liberté, là, j'vois des menottes, l'égalité, vous m'faites bien rigoler, en tant qu'femme depuis un siècle, j'ai bien vu qu'on nous roulait dans la farine, et la fraternité, viens pas m'chatouiller avec ça. J'ai pas gardé un Luger dans ma commode par hasard !

Silence dans le bureau. Berthe rougit. Elle sent qu'elle a dépassé les bornes. Non pas de la bienséance, mais de son alibi. Ventura s'empare de la perche tendue bien involontairement et la retourne contre l'assaillante pour la battre.

— Eh bien justement, puisque vous en parlez, mettons nos fugitifs de côté un instant et revenons à ce Luger.

— Quoi, qu'est-ce qu'il a, mon Luger ?

— Possession d'arme prohibée. Nazie de surcroît. C'est interdit par la loi. La loi, Berthe, encore elle.

— Me prends donc pas de haut. Les nazis, moi, j'les ai eus à ma porte, alors viens pas me parler d'prohibition. En temps d'guerre, t'as une arme, tu t'défends avec, point. Tu cherches pas à savoir si elle vient de Taïwan ou d'une usine franchouillarde. Le chauvinisme, tu t'le gardes pour quand t'as sauvé tes miches.

— Je comprends que la guerre a provoqué des situations qu'on pourrait qualifier d'atypiques, mais…

— Atypiques ?

Du rouge vient de s'inviter derrière la cataracte de Berthe. Une étincelle qui s'embrase aussi vite qu'un feu de broussailles.

— Fais attention à tes raccourcis, gamin. Atypique, pour décrire un drame de guerre, c'est pire qu'un euphémisme, c't'une insulte.

Ventura ravale son flegme. Des coups à la porte le tirent de ce dérapage non contrôlé.

— 'trez.

Pujol entre sur la pointe des pieds, apportant croissants à la suspecte et café chaud à l'inspecteur, qu'il a intérêt à boire vite d'ailleurs, s'il ne veut pas que le breuvage refroidisse, vu l'ambiance glaciale qui règne dans le bureau.

— Pardonnez-moi, Berthe. J'ai été maladroit, s'excuse Ventura (avec une certaine classe, reconnaît la vieille dame). Seulement, cette arme étant prohibée, vous auriez dû la retourner aux autorités après la guerre.

— Oui, ben j'savais pas. Qu'est-ce tu comptes y faire ? M'foutre en taule ?

Ventura secoue la tête. « Cette mamie, vraiment… »

— D'où tenez-vous cette arme, Berthe ?

— À ton avis, Columbo ?

— J'ai une vague idée mais j'aimerais connaître l'histoire dans le détail.

— T'aimes bien ça, le détail, hein ?

— Eh oui, Berthe, c'est mon métier. Donc expliquez-moi comment vous vous êtes procuré ce Luger ?

Sentant qu'elle n'a plus d'alternative, Berthe se replonge dans son passé. Un voile sombre se pose sur son visage. Un voile aux mailles opaques. Qui l'empêchent de respirer.

1942

Berthe était veuve depuis quelques années et l'angoisse de vivre seule dans un village occupé croissait un peu plus chaque nuit. On ne dira pas que la présence d'un homme l'aurait rassurée – qu'est-ce qu'un julot aurait changé face à la troupe de SS Panzers qui campait dans le champ d'à côté ? –, mais Berthe tremblait en fermant ses volets le soir, et le silence de sa chaumière lui semblait bien froid, comme ses draps. Elle n'aurait pas dit non à des bras réconfortants.

Depuis trois ans que la guerre avait débuté, Berthe en avait vu, des atrocités. Croyait-elle. Jusqu'au jour où le jeune Riton s'est fait abattre d'une balle dans la tête par un SS à qui il avait manqué de respect, notion toute relative en ce qui concerne la susceptibilité nazie.

La jeep du SS avait roulé sur la bicyclette du gamin. Déjà privé d'essence, Riton se retrouvait maintenant dépourvu de son moyen de locomotion le plus sommaire, et avait proféré une plainte. Même pas un juron. Un renfrognement peut-être. Ou était-ce un soupir ? De harassement. Personne ne se souvient précisément. Le

SS encore moins. Il ne parlait pas la langue et n'aurait pas cherché à percer le sens de ce que Riton a exprimé à la vue de son vélo tordu, et il a assis son autorité d'une balle de Luger dans la tête. Une balle vaut mieux que mille arguments. Théorie contestable mais qui a fait ses preuves.

Le cerveau de Riton a aspergé le visage de sa petite sœur, provoquant chez elle un hurlement inhumain et un traumatisme incurable. Le SS s'était bien fait comprendre. Sauf de Rose, la sœurette un peu larguée. Le SS, en pédagogue patient, a levé son arme et l'a braquée sur la gamine de six ans pour renouveler son argumentaire. Les spectateurs sur la place face à la droguerie étaient tétanisés. Seul continuait à résonner le cri de Rose lorsque l'attention du SS s'est retrouvée hypnotisée par l'épaisse tignasse bouclée de Berthe qui bondissait d'un mouvement cotonneux à chaque pas de course alors qu'elle surgissait de sa droguerie pour se précipiter sur la fillette en larmes.

La belle jeune femme s'est agenouillée face à l'enfant menacée, l'a prise dans ses bras et lui a chuchoté à l'oreille. Était-ce une comptine ? Une berceuse ? La petite a baissé son cri d'une octave. Avec un tablier, Berthe a essuyé son visage, maculé de la cervelle de son frère, sans jamais se rendre compte qu'elle avait un Luger braqué sur elle.

Les témoins, tiraillés entre l'horreur et la fascination, n'intervenaient pas. Le SS a retenu son doigt. Non pas qu'il ait été ému – faire éclater la tête de cette gamine et de sa sauveuse aurait été aussi naturel que de nettoyer ses bottes crottées –, mais la sensualité qui se dégageait de cette créature aux boucles sauvages et au tablier taché de sang provoquait un début d'excitation chez le militaire. Vraiment, ces nazis, des gens formidables.

Tout en chantonnant à l'oreille de Rose, Berthe a tourné ses yeux remplis d'un éclat noir vers le soldat. Le nazi en a été ébranlé. Un frisson a parcouru sa nuque. Berthe chantait de sa jolie voix apaisante, ses yeux noirs de mort plongés dans ceux du meurtrier. Les secondes coulaient sur cette valse immobile portée par le souffle retenu des témoins qui faisaient cercle et attendaient de voir ce que Berthe avait dans la tête. Au sens propre.

Puis l'impensable est arrivé : le SS a baissé le bras, il a rengainé son Luger et est reparti à son génocide en cours.

Comment de ce sauvetage Berthe avait-elle réussi à sortir encore plus conspuée qu'auparavant, sa réputation de catin enrichie de celle de sorcière ? Berthe n'allait pas chercher à comprendre. Elle a pris Rose dans ses bras et l'a portée à l'abri dans sa chaumière.

Berthe a fait couler un bain chaud. Avant de mourir, feu son mari Lucien avait pris la brillante initiative d'installer l'eau courante et une baignoire sabot que Berthe vénérait. L'eau du bain fumait. Encore hagarde, Rose tremblotait de tous ses membres. Berthe lui a enlevé sa robe blanche constellée de bouts de cervelle. Nue, son corps d'un blanc proche de l'émail qui l'entourait, et le visage vermillon du sang fraternel, Rose fixait l'eau du bain. Happée. Comme si ses yeux avaient été aveuglés par l'horreur de l'exécution à laquelle elle venait d'assister, et que, depuis, elle était bloquée à l'intérieur d'elle-même.

Berthe ne réfléchissait plus depuis qu'elle avait sauté le pas de son magasin pour se jeter face à Rose. Elle ne pouvait pas s'expliquer son geste, n'avait eu conscience de rien. Son cerveau s'était débranché, son corps avait pris le relais, il était devenu vital pour elle de calmer cette enfant et de lui laver le visage. Qu'importe le SS. Qu'importe le Luger. Rose avait besoin de se raccrocher à quelqu'un et Berthe s'était offerte.

Maintenant que l'adrénaline était retombée, Berthe se sentait mal à l'aise face à cette enfant ensanglantée. Mais elle irait jusqu'au bout de cette purification.

— Il est où, Riton ?

Premières paroles prononcées depuis le drame. Et Rose n'attaquait pas avec la question la plus facile.

— Il est parti, ma chérie.

— Non, il est pas parti. Il serait pas parti sans moi. J'ai vu, il était couché, il est pas parti.

La maturité enfantine à l'issue d'un bon traumatisme. Berthe se reconnaissait dans cette gamine.

— Son corps n'est pas parti, mais son esprit est plus là.

— Pourquoi il serait parti sans moi ? Riton, il partait jamais nulle part sans moi.

Berthe a dégluti une boule de clous avant de lui répondre :

— Ton frère ne t'a pas abandonnée. Surtout ne crois pas ça.

— Quand est-ce que je vais le revoir ?

— Le bain est chaud. Viens, il va te faire du bien.

Berthe a aidé Rose à enjamber la baignoire. Délicatement, utilisant sa main en réceptacle, elle a fait couler l'eau par petites poignées sur le visage ensanglanté de Rose. Ses traits ont réapparu dans toute leur pureté. L'eau du bain a viré au rouge.

— Quand est-ce que je vais le revoir?

Que celui qui a vu un enfant changer de sujet alors qu'il n'a pas eu de réponse à sa question lui jette la première grenade.

Deux options s'offraient à Berthe: lui mentir, et s'enliser dans un marécage d'incompréhension. Ou lui dire la vérité. La gamine aurait à encaisser le choc tôt ou tard, autant s'atteler au processus de guérison dès maintenant.

— Jamais.

Rose n'a rien dit. Elle regardait l'eau teintée de sang. Puis elle a relevé les yeux sur Berthe. Et dans ses billes vertes impassibles, Berthe a décrypté de la gratitude. «Merci pour ton honnêteté», semblait dire Rose, assommée, mais au clair. On avait répondu à sa question et c'est tout ce qui lui importait. Le reste était trop irréel. Elle verrait plus tard. Demain. Dans un an. Ou quand elle serait grande.

Son angoisse s'est calmée. Sa peau diaphane apparaissait par bribes sous l'eau empourprée. Et cette dame si gentille qui lui passait une éponge mousseuse dans le dos, qui était-elle? Rose n'en avait aucune idée. Elle avait besoin d'un pansement sur la plaie béante ouverte par l'Allemand et la tendresse de cette inconnue l'apaisait.

— Tu as faim ? a demandé Berthe après un long silence.

On ne peut pas dire que la conversation était très nourrie, peut-être valait-il mieux passer à l'estomac.

Rose a acquiescé. Berthe l'a sortie de son bain, l'a enroulée dans une serviette, l'a séchée, puis a été trouver de vieux vêtements qu'elle portait quand elle avait son âge.

Alors que Berthe l'habillait, aux pieds de Rose reposait la serviette blanche ensanglantée. « Encore un truc de bonnes femmes », aurait dit son crétin de mari.

Berthe s'est penchée pour porter Rose jusqu'à la cuisine. D'un geste naturel, elle l'a soulevée, puis, sans trop savoir pourquoi, elle l'a hissée plus haut pour la caler sur son épaule. Comme le faisait Nana autrefois. Le sac de pommes de terre, la position la plus rassurante du monde. Berthe en a eu une décharge de chaud dans le ventre. Rose se sentait bien là-haut. Ça a du bon, les trucs de grand-mère.

Berthe contemplait Rose qui mangeait la bonne soupe qu'elle venait de lui préparer lorsqu'on frappa à la porte. Tirée de sa rêverie, Berthe mit un temps à réagir. On frappa à nouveau. Berthe alla ouvrir. Face à elle, M. Thuillier, le très respectable expert-comptable, figure emblématique du village, et Madame. Ravagés. Décomposés. Furieux.

— Rose est chez vous ? a questionné Mme Thuillier, avec agressivité.

— Oui… je… je lui ai préparé une soupe. Elle avait faim… je crois…, a répondu Berthe, décontenancée.

— Il ne vous est pas venu à l'idée de nous prévenir ?

La mère a rejoint sa fille d'un pas tendu, lui a arraché la cuillère de la bouche et l'a prise dans ses bras sans ménagement. Autant dire que Rose a réagi comme il se devait, en gueulant.

— Tout va bien, ma chérie, maman est là, a dit la mère sans une once de tendresse.

— Elle était secouée… après… ce qui venait d'arriver. Je suis désolée, je pensais que…, a balbutié Berthe.

M. Thuillier a posé un pied autoritaire à l'intérieur de la maison. « Tiens, un mâle dominant. » Un bonhomme qui se sent chez les autres comme chez lui, ça avait tendance à irriter Berthe. Il devrait faire attention à ne pas la jouer trop confiant, l'invité surprise.

Berthe n'a pu s'empêcher de remarquer un Christ en ivoire qui pendait à son cou. Le fanfaron se targuait d'avoir fait la chasse à l'éléphant en Afrique et se vantait d'avoir taillé un crucifix dans une défense. Un bon chrétien, ce Thuillier.

— Merci de vous être occupée de Rose, madame Ramberot. Mais vous avez pris plus d'initiatives que vous n'auriez dû.

— Mademoiselle Gavignol, l'a corrigé Berthe.

— Pardon ?

— Mademoiselle Gavignol. Lucien étant décédé, j'ai décidé de reprendre mon nom de jeune fille.

On venait d'assassiner son fils, sa fille s'était baignée dans la cervelle de son frère, mais que Berthe veuille reprendre son nom de jeune fille dépassait l'entendement de M. Thuillier. Madame partageait l'offense.

Rose, elle, pleurait à s'en briser les cordes vocales et tendait les bras vers Berthe. Malaise au vitriol entre les trois adultes.

— Je suis désolée, j'ai pas pensé à vous prévenir pour Rose. J'étais sous le choc, elle aussi, je voulais l'éloigner avant tout et…, a tenté de se justifier Berthe.

— Merci, madame Ramber…

— Gavignol.

— Madame Gavignol, s'est corrigé M. Thuillier comme si on lui extirpait ce nom au tison chauffé à blanc. Merci, donc. Mais il s'agit de notre famille. Vous avez fait preuve d'aplomb et avez largement empiété…

— D'aplomb ? l'a interrompu Berthe qui reprenait contenance à mesure que le sang lui échauffait les tempes.

— D'aplomb, a confirmé M. Thuillier qui ne laisserait pas s'installer un rapport de force avec cette traînée.

— Sauver votre fille, vous appelez ça empiéter ?

— Vous vous emballez, mon petit.

« Ah putain, cette expression ! » a pensé Berthe en se retenant de lui tordre le cou.

— Vous avez préparé un repas à notre enfant. De là à parler de sauvetage, je ne sais dans quel monde imaginaire vous errez mais…

— Vous voulez dire que personne ne vous a dit ?

— Quoi donc ?

— Après la mort de Riton… Je suis intervenue pour…

— Ne salissez pas la mémoire de notre fils avec vos fariboles, madame Ramberot.

— Gavignol.

— Ramberot, a insisté M. Thuillier.

Et Rose qui hurlait de concert.

Berthe prenait l'invraisemblable injustice de la situation comme un coup de trique dans le bide. Elle était perçue comme une dévergondée, elle pourrait sauver tous les enfants du monde, les puritains d'un village entier continueraient à la cataloguer : Sale putain !

— Sortez de chez moi.

— Vous êtes incorrigible ! a rouspété M. Thuillier.

— Vous avez pas idée à quel point. Maintenant, sortez de chez moi.

— Nous n'en resterons pas là, madame.

— SORTEZ !

Berthe n'avait plus la patience d'argumenter, ni l'envie de respirer le même air que ces parents endeuillés, soit, mais ingrats à en suffoquer.

Les Thuillier ont contourné Berthe en la toisant. Bringuebalée dans cette ronde colérique, Rose tendait les bras vers son ange salvateur sans jamais l'atteindre. Sa mère jalouse tapait sur ses frêles menottes pour prévenir un quelconque contact avec cette voleuse d'enfants, incapable d'en donner à son mari qui l'avait abandonnée pour le compte. Ah, les légendes urbaines…

Berthe ne voulait pas envenimer la situation et a gardé les bras croisés alors qu'ils entraînaient Rose le plus loin possible d'elle. Mais nul besoin de mots, ni de gestes, Rose savait, elles étaient unies à jamais.

La porte a claqué derrière les cris de l'enfant et le mépris de ses parents. Berthe est restée figée un moment dans le vide de sa maison à nouveau calme.

— Nana…, a murmuré Berthe.

Sonnée, elle se sentait seule, terriblement, et elle aurait bien voulu sentir les bras de sa grand-mère autour de ses épaules plutôt que ses mains tremblotantes à elle.

On a de nouveau frappé à la porte. Berthe a roulé des yeux en poussant un grognement agacé.

— Oh, ils vont pas continuer à m'emmerder longtemps !

Cette fois, Berthe avait repris le semblant de force nécessaire pour expliquer aux Thuillier ce qu'elle pensait, et si ça signifiait leur décoller la tête, qu'à cela ne tienne, elle était bien dans l'énergie. Elle a ouvert la porte dans un élan de rage, du feu dans les yeux et des braises dans la gorge, prête à cracher sa colère, quand un blizzard a soufflé sur elle et a refroidi net ses ardeurs.

Un vent givré en uniforme SS soufflait sur son perron.

Et Berthe s'est figée, telle une statue de glace.

Les deux dernières années avaient été longues. Les bruits de bottes à la porte au hasard des nuits. Ce genre de mélopée vous tambourinait le crâne et vous marquait l'âme au fer rouge. Tous ceux qui ont connu la guerre ont gardé le souvenir de ce son au fond de leurs entrailles.

L'édredon tiré jusque sous le menton, les yeux écarquillés, à l'affût du moindre son, le couteau de boucher calé sous l'oreiller, Berthe passait ses nuits à guetter le bruit des bottes. Et à espérer qu'elles ne s'arrêtent pas à sa porte.

— *Guten Abend*[1].

« Putain, un Boche… »

— Bonsoir, a répondu Berthe, un trémolo dans la voix.

— *Es ist kühl für die Jahreszeit*[2], a-t-il poursuivi dans la langue de Goethe. Enfin dans celle de Hitler pour rester cohérent avec la continuité historique du moment.

— Je parle pas allemand… *Nicht deutsch.*

— *Sprechen Sie kein Deutsch ? Da warden Sie sich dran gewöhnen müssen. Ihr Land ist jetzt deutsch*[3] ! a-t-il dit sans se soucier que son interlocutrice ne comprenne pas un mot. Vieux réflexe de l'oppresseur capable d'éradiquer un peuple entier, les us et coutumes, il s'essuie les bottes dessus.

Berthe était livide. Le nazi face à elle n'avait pas dix-huit ans. Ou s'il les avait, sa puberté avait du retard. Pas un poil au menton, des yeux d'agneau et un air innocent, il ne porterait pas ce costume de mort, Berthe lui aurait donné le Bon Dieu sans confession. Reste qu'elle n'avait pas le saint-père sous la main, et que la croix sur le col du gars n'était pas estampillée Christ mais Wehrmacht, donc quoi qu'il arrive, elle était baisée.

Enfin, pas encore.

Parce que Berthe supputait les prochaines étapes sans

---

1. Bonsoir.

2. Il fait pas chaud pour la saison.

3. Vous ne parlez pas allemand ? Il va falloir vous y mettre. Votre pays, il est allemand, maintenant.

suspense. Le nazi face à elle n'était pas venu lui demander un petit pot de lait. Il était en territoire occupé. Il toquait en pleine nuit chez la sauvageonne à la réputation de catin. Elle avait brillé par sa bravoure face à un de ses camarades de génocide. Trop de hasards : l'intrus n'était pas là en touriste, il venait conquérir un peu plus de terrain et Berthe se doutait qu'il s'agissait de son arrière-train.

« Le couteau ! Merde ! Le couteau est sous l'oreiller ! »

Ce n'était pas un message codé de Radio Londres mais une pensée qui laminait la tête de Berthe lorsque le nazi s'est avancé. Il a posé sa main gantée sur la poignée pour ouvrir sans se soucier du consentement de son hôtesse. Il a fait un pas en avant. Le talon s'est planté dans le sol avec un bruit sourd. Un bruit de bottes.

Ces putains de bottes.

— *Kann ich reinkommen*[1] ?

Berthe n'a plus eu besoin de traducteur. Elle a acquiescé et a fait un pas en arrière.

L'Aryen souriait avec cet air d'adolescent candide tout droit sorti de son chalet alpin. Ses cheveux d'un blond solaire et sa coupe proprette parasitaient l'esprit de Berthe. Comment un être aussi blanc délavé pouvait représenter la promesse d'un tel bain de sang ?

Un bain de sang.

Le bain de Rose.

Les pensées de Berthe s'entrechoquaient au son du

---

1. Je peux entrer ?

métronome des talons du nazi qui se promenait dans sa cuisine. À l'affût. D'une présence ? D'un mari ? D'une arme dont elle pourrait se servir ? La décontraction de ces anges exterminateurs était renversante. Ils étaient chez eux partout. Berthe sentait que cet homme était capable des pires atrocités sans que son pouls ne tressaute.

Son regard passait du soldat aux ustensiles de la cuisine et elle repensa à Nana qui aimait tant son couteau de boucher qu'elle n'avait pas trouvé bon d'en acheter un autre. « Nana, merde… On était vraiment à quelques francs près ? J'vais crever parce qu'on est des radins d'Auvergnats… »

Des pensées comme un tourbillon qui aspirait Berthe vers la déraison. Et le nazi continuait à parler en schleu sans que Berthe cherche désormais à lui répondre. Cette langue était étrange, le garçon semblait cordial, il parlait posément, pourtant sa voix claquait comme un fouet.

S'agaçant du manque de réaction de son audience, le nazi a repris le dernier vers, cette fois dans la langue de Verlaine ou, de façon plus contemporaine, de Pétain :

— La chambre, elle est où ?

« Tiens, il veut faire ça confortablement ? » s'est étonnée Berthe.

Elle appréciait chaque seconde gagnée à ne pas se faire déchirer le vagin à même le carrelage tout en échafaudant une échappatoire. « Puisque le garçon montre un goût pour le confort, encourageons ce penchant et volons du temps précieux. » Berthe a désigné l'escalier qui montait à sa chambre. Le nazi a souri de plus belle avant d'acquiescer. Puis, fort galamment, il a invité Berthe à passer en premier. Qui a dit que les nazis n'avaient pas de manières ?

— *Aber*[1]...

Berthe avait peu de mots schleus dans son vocabulaire, mais celui-là a fait son effet. L'Allemand s'est arrêté.

— Vous voulez pas boire quelque chose avant ? *Trinken ?*

Berthe a illustré son invitation en faisant mine de boire cul sec. L'Allemand s'est illuminé.

— *Zu trinken ? Du hast Alkohol hier*[2] ?

— Oui. *Alkohol ? Da. Ich habe*[3].

Elle a désigné un placard en forme de demande de permission. Le nazi a acquiescé.

— *Warte*[4].

Berthe a stoppé net à ce qui ressemblait à un ordre. Le SS a sorti son arme de sa gaine. Un Luger. Il n'a pas prononcé un mot de plus. Si Berthe cachait autre chose que de la gnôle dans son placard, ce serait son cadavre qu'il violerait. Et malgré sa face d'ange, Berthe a visualisé la scène de façon très limpide.

Elle a acquiescé, « Compris », a marché au ralenti jusqu'au placard, a sorti deux verres, et la gnôle de Nana.

---

1. Mais…
2. Boire ? Tu as de l'alcool ici ?
3. Oui, j'en ai.
4. Attends.

— *Aaaaaaaach, Alkohol !*

« Ben, ouais, mon grand. T'es entré dans la bonne maison, ce soir. Tu vas voir, on va bien rigoler », pensait Berthe pour se donner du courage.

Ils se sont assis à table. Le nazi a ôté ses gants, un rictus gourmand aux lèvres, et a posé ses doigts, fort doux au demeurant, sur l'avant-bras de Berthe, hérissé de chair de poule. Son sang s'est glacé dans ses veines, son palpitant s'est arrêté, elle a entraperçu sa mort et a rejeté cette image en clouant la bouteille de gnôle sur la table.

— *Alkohol !* a-t-elle beuglé, pour les lier dans la complicité de l'instant.

Elle a servi deux verres. Le nazi attendait. Qu'est-ce qu'il attendait, ce con ?

Il a fait signe à Berthe de boire en premier. On était soudain moins dans la galanterie. Plutôt dans la suspicion. Le Boche ne voulait pas se faire empoisonner. Pourtant, si quelqu'un devait se sentir menacé dans cette maison, c'était plutôt la sauvageonne au décolleté ruisselant de peur.

Berthe a bu une rasade de la cuvée spéciale de Nana et s'est pris un coup de fouet bienvenu. Elle s'en est servi un autre, avalé aussi sec, et le feu lui a réchauffé les veines.

« Merci, Nana ! »

Le nazi a éclaté de rire, a bu à son tour et a craché ses boyaux en combustion spontanée.

« Ben alors, mon grand, trop costaud pour toi ? On envahit l'Europe mais on tient pas l'alcool ? »

Il a toussé, râlé, craché, les yeux débordant de larmes plantés dans ceux de Berthe.

— Un autre ? a demandé Berthe, par provocation plus que par politesse.

Elle s'est enfilé une nouvelle rasade sans attendre sa réponse.

Duel à soixante-cinq degrés.

« Allez, bois, mon grand. Tu vas pas te laisser impressionner par une femme, hein ? Bois, saleté de nazi. »

Amusé et excité, le nazillon ne s'est pas fait prier et a levé le coude une deuxième fois.

Au quatrième verre, attaqué par les degrés pas légaux de la recette de la grand-mère, le Boche s'est senti perdre le contrôle et l'excitation a fait place à l'agacement. Il a tapé du Luger sur la table.

— Assez !

Berthe a sursauté. Les quatre verres ne l'avaient pas grisée, elle. La peur transformait chimiquement la gnôle ingérée en adrénaline. La Grosse Frida l'avait galvanisée, Berthe était prête pour la contre-offensive. Reste qu'un nazi qui vous hurle dessus armé d'un Luger, ça fait sursauter.

— Où est la chambre ?! a demandé le nazi, avec un fort accent et moins d'edelweiss dans la voix.

Berthe a indiqué la chambre puis s'est emparée de la bouteille en une invitation tremblotante.

— *Alkohol ?*

« Dis pas non, bonhomme. Dis pas non ! »

Le nazi a explosé de rire à nouveau. Il aimait bien cette sauvageonne, elle faisait preuve d'un véritable sens de l'hospitalité pour le viol. Voilà qui ravissait le SS qui a donc confirmé, de plus en plus poète :

— *Alkohol !!*

Au niveau du verbe, la scène était assez pauvre. Par contre, pour les non-dits, ça dézinguait en mode DCA.

Berthe a déroulé son plan qu'elle espérait machiavélique, ou tout du moins efficace : elle a lâché la bouteille qui a éclaté au sol en mille morceaux.

— *Scheisse*[1] *!* a gueulé l'Allemand en changeant de couleur. Du blanc délavé aryen, il a viré au rouge sanguinaire.

Et Berthe s'est pris sa première baffe. Le nazi a continué à jurer et à lui gueuler dessus alors que Berthe essayait de l'entraîner vers la suite de son plan.

— *Ich habe ! Ich habe !* Dans la cave ! *Ich habe alkohol !*

Deuxième baffe. Le Boche n'en avait plus rien à foutre de sa gnôle, lui aussi voulait passer à l'étape suivante. Il a défait sa ceinture en cuir, a déboutonné son pantalon et l'a laissé glisser sur ses talons, il a sorti son braquemart nazi – peuple conquérant, cette superbe érection en était un autre bel exemple – et a agrippé Berthe par les cheveux.

Berthe n'a pas eu le temps de hurler qu'elle s'est retrouvée face contre table. Le SS a relevé sa jupe et lui a arraché sa culotte. Tout allait trop vite, l'alcool avait fini par lui embuer l'esprit, les jurons allemands lui faisaient perdre ses repères, Berthe avait une idée en tête avant

---

1. Merde !

de se retrouver avec des doigts étrangers dans son vagin mais elle ne se souvenait plus laquelle.

Un râle animal est sorti de sa bouche. De la bave a coulé sur sa robe. Ses pieds tentaient de s'extirper de l'emprise du violeur et se lacéraient sur le verre brisé du carrelage. Ses yeux se sont posés sur le Luger à dix centimètres de sa main sur la table. Le SS s'était libéré de son arme pour empoigner l'autre qu'il cachait dans son slip et qu'il tentait à présent de fourrer dans le sexe de Berthe. Mais sa précipitation s'était heurtée à un mur qu'il fallait abattre, tout nazi qu'il était : la sécheresse de la sauvageonne qui, elle, n'était pas excitée pour un sou. Donc pas accueillante.

L'heure n'était pas à l'explication des vertus des préliminaires. Le garçon expérimentait visiblement son premier viol, ses gestes étaient incertains et maladroits, son sexe dur cognait contre les cuisses et le gras de la fesse de Berthe – soixante-cinq degrés, faut pas croire, ça brouille la vue – et Berthe, elle, un œil fermé, faisait le point sur le Luger. Sa main s'est approchée de l'arme alors que l'Allemand la secouait en tous sens de son viol inefficace, puis s'est écrasée douloureusement contre le bois de la table, compressée par celle du nazi qui l'a chopée au vol.

— *Nein !*

L'Allemand lui a tordu le poignet. Berthe a hurlé et s'est pris un poing dans la mâchoire. Elle s'est retrouvée au sol, la bouche ensanglantée, les mains et les pieds lacérés par le verre pilé et le cœur battant à s'en expulser de sa cage thoracique. Et l'autre furieux continuait à lui hurler dessus en boche.

Berthe rampait, à la recherche d'une échappatoire, consciente qu'il n'y en avait pas. C'est alors qu'elle a vu les bottes du soldat recouvertes par son pantalon. Le puceau surexcité n'avait pas pris le temps de se déchausser et lui courait après avec son uniforme entortillé aux pieds qui entravait ses mouvements.

Décharge d'adrénaline. Berthe a posé les mains au sol, se coupant sans plus le sentir, a pris son élan pour glisser sur le côté, se redresser et courir vers la cave. Le nazillon bourré a mis un temps à comprendre, puis s'est jeté à sa poursuite. Mais, abruti par l'alcool, il n'a pas eu le réflexe de remonter son pantalon, il a donc couru à cloche-pied comme un con, s'est cassé la gueule, a tenté de se rhabiller, mais, empêtré dans son ébriété, n'a pas réussi, a donc repris sa course, son falzar dans la main, moins superbe mais toujours aussi conquérant.

Il a claudiqué sur deux mètres, a relevé la tête en entendant Berthe le rejoindre dans un hurlement de furie et n'a plus jamais eu de pensées après ça. Berthe lui a ouvert le crâne d'un coup de pelle. Il s'est écroulé dans les débris de verre, son cul glabre à l'air, et sa cervelle de nazillon éparpillée au sol.

Berthe ne se revoit pas descendre à la cave en quête de la pelle. Les doigts du nazi se frayaient un chemin en elle un hurlement plus tôt, et là il gisait sur le carrelage de sa cuisine, le crâne béant. C'est vrai qu'elle décapait, cette gnôle !

Puis, se disant que ça pourrait lui servir un jour, Berthe s'est emparée du Luger.

Le corps du nazi a dévalé l'escalier et s'est écrasé contre l'alambic dans un choc spongieux. La cervelle l'a amorti tout en éclaboussant la mécanique de la Grosse Frida. Berthe n'avait pas pris la peine de relever le pantalon du garçon avant de le pousser dans l'escalier. Elle aimait voir son agresseur dans cette position dégradante, son uniforme SS tordu sur son derrière juvénile offert à la risée de sa victime. Le garçon était plié en quatre, la tronche écrasée contre la Grosse Frida. Vague souvenir de domination, un reste d'érection pendait mollement entre ses jambes.

Berthe le toisait de l'entrée de la cave, sa pelle dans la main encore dégoulinante de cervelle fraîche. Une harpie victorieuse d'un nazi.

Elle a pris son temps pour le rejoindre. Arrivée à son niveau, elle n'a pas pu s'en empêcher, l'offrande était trop belle, elle a armé son bras au-dessus de ses épaules, et bien que n'ayant jamais joué au golf, elle a effectué un swing digne des Olympiques. La pelle a claqué l'arrière-train dressé du nazillon, sa bourse qui pendait là s'est écrasée sous le choc, ses deux testicules ont éclaté et sa tête a émis un nouveau *BONG* spongieux en cognant contre Frida.

— Et toi, mon cochon, ça te plaît quand on visite ton cul sans invitation ?

Nouveau swing. Les fesses du nazi ont rougi en même temps que les pommettes de Berthe qui reprenait des couleurs après sa frayeur.

— Non ?

Splash ! Nouvelle fessée.

— Pourtant ça te posait pas de problème, tout à l'heure, avec moi !

Floartch ! Les fesses du nazi ressemblaient à du bœuf bourguignon. Faute de goût, vu qu'il était en Auvergne.

— J't'apprendrai à envahir mes fesses !

Chploutch ! Des morceaux de chair éclatée ont aspergé Frida.

— Et vive la France !

La sauvageonne n'était pas patriote mais n'aimait pas les envahisseurs. Sous n'importe quelle forme.

Puis elle a commencé à creuser.

11 h 15

Ventura, Pujol et Bernier, débarqué au milieu de l'histoire de la tueuse de nazis, sont bouche bée. Ventura a du métier, il en a vu des affaires, des fous, des tueurs, des menteurs, des présumés innocents, des avérés coupables, mais cette centenaire qui finit de lui décrire une scène de meurtre d'une rare violence sans sourciller vient de le sécher.

— Vous avez un nazi enterré dans votre cave ?

— C'est bien, tu m'as écoutée.

— Que vous avez assassiné donc, s'assure Ventura, au cas où ce serait la sénilité qui a fait délirer la vieille.

— Ah, non, en fait t'as pas bien écouté. T'as raté la partie viol.

— Oui, en effet, il y a eu tentative de viol, rectifie l'inspecteur.

— Tentative ? J'ai pas été assez claire sur les descriptions ? s'indigne Berthe.

— Si, vous avez été suffisamment précise. Vous pouvez parler de légitime défense, mais il s'agit quand même d'un homicide.

— Moi, j'appelle ça un crime de guerre. Ou plutôt un crime légitimé par la guerre. Et l'mien l'est bien plus qu'la plupart d'ceux qu'ont imbibé les champs du sang d'nos braves soldats.

La vieille ratatinée sur une chaise aussi déglinguée que sa carcasse désarçonne son assistance par l'acuité de ses raisonnements.

Ventura rassemble ses esprits ainsi que ses pièces à conviction :

— Reprenons le cours des événements, si vous le voulez bien. Vous venez d'héberger deux fugitifs suspectés de meurtre, vous avez passé la matinée à canarder mes troupes, vous avez tiré sur votre voisin, le blessant gravement par deux fois, vous êtes en possession d'une arme prohibée et vous m'avouez à présent que vous avez tué un homme. Un nazi, certes, un violeur, j'entends, mais tout de même, avouez que la mule commence à être chargée.

— Mon pauvre ami, t'as pas idée. À mon âge, la mule, elle est pas chargée, elle est écrasée sous trois tonnes de gravats. N'empêche, ce sale nazi, il hante toutes mes nuits depuis. Tu vois, j'suis p't'être sénile, mais y a des souvenirs qui laissent des marques, et elles s'comptent en nuits blanches. Maintenant, si tu veux m'inculper pour meurtre de nazi, fais-toi plaisir. Y a des résistants qu'ont été décorés pour les mêmes actes, mais pour eux on parlait d'bravoure. Enfin j'vais pas l'prendre personnellement. Fais c'que tu veux avec ta bonne conscience, moi, j'dors plus depuis des décennies.

Ventura se frotte les yeux. La vieille est attendrissante,

mais aussi sacrément casse-couilles. Il en a assez de se faire tirer les oreilles, et devant un public qui plus est.

— Berthe, il faut que vous m'aidiez. Les charges qui pèsent contre vous s'alourdissent. J'aimerais me montrer clément, mais plus vous parlez, plus vous semblez avoir de choses à vous reprocher.

— À me reprocher ? se scandalise la vieille. Dis-moi, Lino, tu m'as fait une bonne impression au début, mais là tu vas m'fâcher. J'viens d'te dire qu'le type, en plus d'être un nazi, m'a violée et m'aurait tuée si j'l'avais laissé faire, et tu m'parles de choses à m'reprocher ?

— Laissez-moi finir…

— Non, toi, tu vas me laisser finir ! tempête Berthe.

Ventura sent l'orage gronder juste au-dessus de sa tête. Il la rentre donc dans ses épaules par un réflexe qu'il regrette aussitôt quant au maintien du rapport de force.

— Ça fait plus d'un siècle que j'me bats pour survivre et que j'entends des phrases culpabilisantes comme celles qu'arrêtent pas d'sortir de vos clapets depuis qu'j'croupis sur cette chaise. On est en 2016, j'te parle d'une tentative de viol mais t'insinues quand même que j'ai quelque chose à m'reprocher ?

— Madame Gavignol…, tente de tempérer l'inspecteur.

— Ah tiens, t'y remets les formes ? ironise Berthe d'un jet de vitriol.

— Berthe, se reprend Ventura. Je me fous de votre nazi. Les circonstances exceptionnelles de l'événement jouent en votre faveur…

— Décidément, plus tu parles, plus t'es insultant.

— Mais je dois quand même ouvrir un dossier pour homicide, se justifie l'inspecteur.

— Mais puisque j'te dis qu'c'était d'la légitime défense !

— C'est la procédure.

L'Administration et ses rouages déshumanisés. Berthe pourrait se défendre, mais à quoi bon ? Elle préfère se rabattre sur son croissant, plus alléchant que la suite de l'interrogatoire qui l'attend.

— Bernier, à part le Luger et le photomaton, t'as rien trouvé durant la perquisition ? demande l'inspecteur.

— Non, chef.

— Bon, ben tu y retournes et tu me passes la baraque au peigne fin. Puisque notre invitée cache des cadavres nazis, on ne sait pas quelles autres surprises elle nous réserve. Tu envoies une équipe creuser dans la cave pour corroborer les faits et…

— NON !

La bouche pleine de croissant, Berthe a hurlé sans s'en rendre compte et aurait donné son bas de laine pour rattraper son cri échappé en même temps que son croissant échoué sur ses genoux.

— Vous avez quelque chose d'autre à nous déclarer, Berthe ?

— Non.

Berthe se cache derrière sa mauvaise foi et la reprise du grignotage de son croissant.

— Non, quoi ? interroge l'inspecteur, de plus en plus suspicieux.

— Non… J'ai rien… à déclarer…

— Pourquoi vous ne voulez pas qu'on creuse dans votre cave ?

Silence de mort.

— Berthe ? insiste Ventura, car oui, il sent qu'il va falloir creuser. Et pas qu'un peu.

Berthe repose son croissant et rumine, menton contre la poitrine. Elle se flagelle intérieurement. La fatigue et la pression des flics l'ont poussée à trop en dire.

— Bernier, lance les fouilles, ordonne l'inspecteur.

Berthe relève le nez. Elle pourrait tenter de les empêcher, mais ils ne l'écouteront pas, elle le sait. Alors elle laisse faire et baisse à nouveau la tête.

Bernier sort de la pièce, claque des doigts en direction de deux autres flics pour les entraîner dans les fouilles avec lui.

— Pujol, vous nous laissez un moment, impose l'inspecteur plus qu'il ne le demande.

— Bien, chef, obéit l'agent. Vous voulez que je menotte le suspect, chef ?

— Avoir une tête pleine d'eau t'empêche pas d'utiliser l'bon sexe, morveux. On dit « la » suspecte, grommelle Berthe.

Elle a beau ruminer, la mamie ne perd pas de son mordant. Probablement le fait de ressasser son passé qui la met dans l'humeur.

— Pujol, claque Ventura d'une voix lourde de remontrance.

— Oui, chef ?

— Dehors !

Pujol s'envole, emporté par le cri.

Reste l'inspecteur face à sa suspecte muette.

— Vous êtes une femme pas banale, Berthe. Vous avez vécu des événements durs, à l'évidence, mais le temps nous manque et pendant qu'on joue aux devinettes, mes suspects sont toujours en cavale. Permettez-moi d'être brutal mais honnête : vous êtes en fin de vie, ce n'est un secret pour personne, alors si vous avez des choses sur la conscience, c'est le moment de vous soulager.

Est-ce un problème de culpabilité trop longtemps enfouie ? Ou au contraire le besoin de révéler la vérité au grand jour ? Se laver de toute accusation ? Et des condamnations tacites ? Ou explicites ? L'inspecteur a peut-être raison. Le moment est venu de libérer son cœur. Enfin ! Berthe se trouve face à un tribunal. Eh bien, faites entrer les accusés ! Parce que la coupable n'est pas celle que l'on croit. Et elle voudrait qu'on le sache :

— Tout ça, c'est la faute de Lucien.

— De qui ?

— Lucien Ramberot. Mon premier mari.

1933

Ramberot Lucien. Quarante-deux ans. Homme élégant et distingué, suffisamment pour être accepté dans certains salons parisiens – omettant de spécifier que les maisons où ils se trouvaient étaient closes – et imposer par conséquent le respect dans le village où son commerce prospérait. Lucien tenait la droguerie qui fournissait toute la région et les affaires florissaient. Il portait une belle moustache fournie, un haut-de-forme qui lui donnait fière allure et il arborait une expression sévère. On ne rigolait pas tous les jours chez Ramberot, ça se voyait sur l'enseigne de sa tronche.

Berthe connaissait l'homme depuis sa naissance. Nana et sa mère venaient s'y réapprovisionner en outils, lessive et épingles à nourrice pour la nouvelle-née. Berthe avait à présent dix-neuf ans et, même si Lucien en avait plus du double, le respectable commerçant avait jeté son dévolu sur la jeune voleuse. En effet, Berthe chapardait une bêtise à chaque course chez lui. Lucien avait vu grandir cette gamine, et connaissait sa situation : orpheline de père, élevée par deux femmes, dont l'une n'a pas hésité à vendre ses services pour nourrir sa progéniture. Lucien avait l'air sévère mais, au fond de lui, il avait de la compassion et laissait la petite le voler. Elle ne le faisait pas de façon malveillante. Elle avait peu d'argent, achetait le nécessaire et dérobait le superflu : un ruban en soie, un miroir de poche en argent, une boîte de calissons. Berthe aimait se faire plaisir et Lucien aimait la voir heureuse. Donc il fermait les yeux et, de temps à autre, lui glissait même des chocolats dans la poche. Il ne l'encourageait pas mais entretenait avec elle ce qu'il espérait être de la complicité.

Berthe savait que Lucien l'avait démasquée depuis longtemps et alimentait sa kleptomanie avec des appâts qu'il semait dans ses poches. Et elle savait aussi pourquoi : il en voulait à sa culotte. Berthe n'allait pas tomber des nues telle une vierge effarouchée qu'elle n'était plus quand elle le découvrirait. Mais en attendant qu'il fasse ouvertement sa déclaration, elle comptait bien continuer à profiter de sa gentillesse intéressée en lui chapardant des friandises de-ci de-là.

Lucien avait connu Berthe innocente, des rubans dans sa tignasse qui lui servait de couette, puis paradant, son premier rouge étalé maladroitement sur ses lèvres charnues qu'il contemplait comme celles d'une demoiselle et non plus d'une enfant. Malgré le maquillage débordant des contours, Lucien éprouvait du désir pour cette bouche et échafaudait l'envie de faire de Berthe sa femme.

Lucien allait choisir le moment le plus incongru pour

déclarer sa flamme. Il venait de surprendre Berthe sur le toit de sa maison, des clous entre les dents, et un marteau à la main, alors qu'elle retapait la charpente de sa toiture qui montrait des signes d'usure et des soucis d'étanchéité.

— Ben pourquoi vous me reluquez comme ça ? On dirait que vous avez vu la Sainte Vierge accoucher, lui a sifflé Berthe, sans desserrer les dents de ses clous.

Berthe avait son franc-parler. Elle était connue pour sa verve fleurie et avait été interdite de séjour dans plus d'une chapelle. Elle jurait, blasphémait, il lui arrivait même de cracher par terre. Ses traits étaient aussi féminins que ses manières étaient rustres. Mais Lucien ne lui en tenait pas rigueur. Est-ce qu'il était trop envoûté par l'harmonie de ses formes affriolantes qu'elle laissait deviner sans pudeur ? Car oui, Berthe était une belle plante, sauvage même, qu'on n'approchait pas si facilement, mais qui ne mettait pour autant aucun tabou à dévoiler la richesse de sa flore. Les chemisiers de Berthe, quand elle en portait, avaient souvent un bouton en moins ou une bretelle décousue. Laisser-aller ? Pauvreté ? Provocation ? Qu'importait la raison, Lucien la désirait sans la juger dévergondée.

Ce jour-là, donc, Berthe clouait de lourdes tuiles sur son toit poreux. Ses longs cheveux frisés n'avaient pas voulu rester prisonniers de sa maigre barrette, et volaient sur son front moite, sa nuque en sueur et son épaule nue. Et Lucien avait beau se trouver à l'entrée de la cour, plusieurs mètres plus bas, il voyait bien que la petite ne portait pas de soutien-gorge. À l'évidence, cette famille n'avait pas assez d'argent pour subvenir aux besoins de cette demoiselle, l'obligeant à se livrer à des travaux manuels difficiles sans la tenue adéquate, ses seins jeunes et lourds sautillant à chaque coup de marteau. Lucien la plaignait en essuyant son front ruisselant à cause du cagnard, un peu, et de l'excitation niée, beaucoup, alors qu'il sentait son sexe se gonfler dans son pantalon et qu'il effectuait un mouvement de bassin pour que sa gêne ne se voie pas.

« Pauvre enfant », se disait-il en se donnant pour mission de lui offrir des vêtements neufs et appropriés pour une jeune fille de bonne société, s'imaginant sauveur de la veuve et l'orpheline, et ne voulant pas s'avouer que c'étaient ses haillons mêmes qui lui donnaient envie d'explorer ses jupons. Lucien s'affirmait clairement à lui-même qu'il voulait habiller cette fille pour l'épouser et non pas l'épouser pour la déshabiller.

— Berthe, faites attention avec ces clous, j'ai peur que vous ne les avaliez, a-t-il dit en se rapprochant du bas de l'échelle.

— Vous en faites pas, j'ai la dent dure et les lèvres adroites, j'les avalerai pas, a rétorqué Berthe avec une verve imagée.

Lucien tentait de garder contenance, la main dans la poche pour arranger la répartition de son territoire génital. Berthe avait bien conscience du caractère sexuel de la situation. Après ses pratiques intensives pour découvrir son corps et celui de Myrtille, une camarade de classe aventurière dans le domaine sensuel, elle avait parfait son éducation avec des garçons mûrs des environs. Berthe n'était pas très forte en arithmétique, mais l'équation poitrine plantureuse moins un soutien-gorge avait pour résultat un rougeoiement des joues du garçon, une dérive de son reluquage vers ledit décolleté, suivie d'une paralysie de son attention intellectuelle.

De soutien-gorge, Berthe n'en portait jamais. Lucien n'était pas dans le faux, elle trouvait la lingerie bien trop onéreuse mais aussi superflue. Elle aimait sentir ses formes libres de leurs mouvements, la douceur de ses chemisiers sur ses tétons et n'avoir qu'à tirer un bouton pour en offrir le moelleux à dévorer à ceux qu'elle faisait rougir.

Berthe était très émancipée, elle en jouissait avec discrétion. Nana l'avait prévenue, elle devait manier avec prudence cet effet qu'elle provoquait sur les hommes, donc sur leurs femmes, donc sur la société en général. Toutes ces complexités du monde adulte lui paraissaient bien alambiquées, mais elle avait appris à écouter les conseils de sa grand-mère :

— Ma chérie. T'es belle, t'as des formes voluptueuses et fermes comme une pomme bien mûre, lui avait dit un jour Nana en pétrissant la pâte pour son gâteau de pommes de terre.

— Qu'est-ce que tu racontes, Nana ? lui avait répondu Berthe avec une fausse naïveté.

— Je t'explique avec des termes bibliques que t'es désirable.

— Des termes bibliques ?

— Oui, la pomme. C'est dans la Bible, quoi. Et dans

la Bible, ça dit bien c'que ça dit. La pomme, c'est le désir mais c'est aussi le début des emmerdes, a renchéri Nana en pétrissant plus fort sa pâte tout en s'emmêlant les ustensiles.

— Nana, tu peux me dire les choses comme elles sont, j'suis grande maintenant.

— T'as raison, j'm'empêtre.

Nana s'est armée de son large couteau de boucher qu'elle utilisait aussi bien pour couper l'ail que pour tailler une pièce de bœuf. Pourquoi multiplier les instruments s'ils font tous la même musique ? disait-elle en aiguisant son couteau après avoir fait ses comptes qui l'amenaient au résultat qu'elle n'avait pas de sous pour en acheter un nouveau.

Clac clac clac ! Nana a coupé les patates, puis, dans une rhétorique plus explicite :

— T'es belle comme le printemps qui bourgeonne, t'as des seins généreux qui disent bonjour au soleil, t'as un cul haut et ferme, on pourrait y poser un godet et t'as des lèvres plus dodues qu'les fesses de Cupidon. En gros, t'es un aimant à amour ou à emmerdes, c'est selon l'utilisation que t'en fais. Avec les petits boutonneux que je vois passer par la grange de Tavenel, j'ai bien vu que tu savais te servir de ton artillerie. Tu t'es bien rendu compte que tu peux faire du dégât, alors t'en profites et t'as bien raison.

— Nana, t'es sûre que tu t'es pas trompée dans tes proportions de gnôle ? J'comprends rien à c'que tu me dis.

Nana s'agaçait, son explication n'était certes pas

limpide mais il fallait que le message passe. Elle a jeté les patates dans l'eau en ébullition, s'est brûlée avec l'éclaboussure, a lâché un « Ah merde ! » qui valait aussi réponse à Berthe.

— Fais pas la maligne et écoute-moi bien. T'as un corps qui rendra fou tous les hommes. Tu le sais parce que t'as déjà pratiqué et tu vois bien le pouvoir qu't'as sur eux. Et moi, j'le sais parce que je vois ton p'tit air mutin quand tu rentres avec du foin dans les cheveux…

— C'est pas moi…

— T'excuse pas, j'te reproche rien. Au contraire, tu profites de la vie et c'est suffisamment une chienne pour apprécier les rares plaisirs qu'elle donne. C'que j'cherche à te dire c'est que je sais tout ça, parce que j'avais le même corps que toi à ton âge. Eh ouais, pas besoin de me regarder avec tes yeux ronds de merlan : ta mère, ses cinq frères et la guerre ont laissé des séquelles mais crois-moi, y a quarante-cinq ans, j'avais des formes à faire bander un curé. Et j'te le dis en connaissance, parce que j'en ai trois qu'ont voulu me prendre les fesses à quelques années d'intervalle, et quand j'me suis refusée à eux, c'est moi qu'on a traitée de catin avant d'aller bouffer l'hostie de ces gros pervers, bien au chaud dans leur église miséricordieuse. En un mot, ma chérie, tes formes, c'est une invitation au plaisir, ils en auront tous envie mais ils te le feront tous payer. Ça s'appelle la culpabilité. D'où la pomme.

Berthe observait sa grand-mère s'énerver sans mot dire. Elle voyait bien que le sujet était douloureux. Elle entendait aussi la mise en garde et le danger, mais comme pour tout enfant qui n'a pas encore ressenti la brûlure, l'interdiction de s'approcher du feu lui semblait arbitraire.

— Nana, les pommes de terre vont être trop cuites.

— Et merde !

Nana a égoutté les patates gorgées d'eau en maugréant.

— Saleté de féculents !

— J'ai l'impression que tu cherches à me dire autre chose.

Nana a posé sa casserole brûlante sur le bois massif du plan de travail, elle s'est rapprochée de sa petite-fille et lui a posé ses grosses mains calleuses sur ses joues nacrées.

— Ton plaisir, tu l'as toujours pris et donné de façon consentante ?

— Oui, Nana. Ils prennent jamais rien si je leur donne pas.

— C'est bien, ma petite. C'est bien.

Les yeux de Nana se sont embrumés de larmes qu'elle a aussitôt balayées d'un geste sec.

— Et toi, Nana ?

— C'est pas moi, le sujet.

— Ben si. C'est un sujet de filles. Et c'que tu m'dis pour moi, tu m'le dis parce que t'as vécu des choses que tu veux pas qu'je vive. Alors dis-moi ? Toi, ça t'est arrivé ?

« Merde, que cette gamine est vive », a pensé Nana avec un mélange d'admiration et d'inquiétude pour elle.

— Si un de ces porcs veut prendre ce que tu veux pas lui donner, t'argumentes pas ! Tu réponds avec ça !

Nana a secoué l'énorme couteau sous le nez de Berthe avant de le planter dans le jambonneau qui séchait au-dessus de la fenêtre.

— Comme ça !

Nana est restée immobile. Sa main n'a pas lâché le couteau. Ses vieilles veines bleues se gonflaient sous sa peau ridée. Sa bouche serrée ne laissait plus filtrer d'air. Tout passait par le nez, qui inspirait et expirait avec force pression.

— Quand ils sont excités, les mots, ils comprennent plus.

La menotte délicate de Berthe est venue la chercher par-delà sa colère. La main droite de Berthe s'est glissée en une caresse sur son épaule fatiguée, alors que sa main gauche a desserré la prise de Nana sur son couteau, pour finir sa chorégraphie dans un enlacement.

— J'ai compris, Nana, je ferai attention, lui a glissé Berthe dans l'oreille.

— Oui, il le faut, ma chérie. Je serai pas toujours là.

Nana se sentait responsable de l'orpheline depuis que sa mère avait choisi de disparaître cette année-là. Elle n'avait pas pris de valise, juste un léger sac en cuir qui avait disparu de la penderie, ainsi que deux chemisiers, une jupe et quelques culottes, avait inventorié Nana. La mère n'avait pas laissé de mots ; lorsqu'elle était là, elle en était déjà avare.

Berthe espérait que sa mère trouverait un apaisement dans son voyage, quel qu'il soit. Déboussolée par sa dépression, probablement avait-elle fui sans destination. Juste un besoin de reconstruction. Dans un lieu où personne ne saurait qui elle était. Où elle pourrait l'oublier elle-même. Et renaître, qui sait ? En tout cas, c'est la littérature que Berthe s'écrivait quand elle visualisait sa mère avec son sac en cuir, embarquant dans un train pour ailleurs ou pour nulle part. Et si des résurgences de réalisme lui évoquaient par flashs une vagabonde en haillons errant dans des rues sales avec un air hagard, Berthe aimait imaginer sa mère à l'aube d'une nouvelle vie.

Nana avait suivi la chrysalide de sa petite-fille. Il lui fallait à présent lâcher prise. Et accepter que Berthe se défende seule.

Berthe repensait au couteau de boucher planté dans le jambonneau alors que Lucien se tenait au pied de l'échelle qui menait au toit sur lequel elle était perchée.

— Qu'est-ce que je peux faire pour vous, monsieur Ramberot ? J'imagine que vous êtes pas venu m'admirer planter des clous. C'est pas c'qu'y a de plus passionnant, comme spectacle.

Fausse ingénue, Berthe savait manier l'innocence comme le marteau.

— Détrompez-vous, Berthe. Le spectacle que vous offrez est… fascinant !

« Ben voyons, mon cochon. J'la vois d'ici, la bosse qui déforme ton pantalon. Mais t'as raison, c'est mes talents de charpentier qui te mettent en joie », pensait Berthe au milieu de sa valse mammaire.

— C'est gentil, c'que vous dites là, monsieur Ramberot, mais j'suis qu'une fille de ferme qui répare des tuiles. J'vois pas c'que vous trouvez de fascinant là-dedans.

— Berthe, une femme aussi charmante que vous, se livrer à un travail d'homme, aussi manuel et physique de surcroît…

Déglutition appuyée sur le mot « physique ».

— De qui ? l'a interrompu Berthe en jouant les écervelées qu'elle n'était pas.

— De surcroît, a expliqué Lucien, le torse bombé du pygmalion qui pense appâter sa proie avec son savoir devenu soudain indispensable. Disons « en addition ».

— Ah vous aimez bien ça, les chiffres, vous. Normal, vous êtes commerçant.

« Et que je te balade et que t'y vois que du feu. »

— Oui, hum, les chiffres, absolument, s'est embourbé Lucien, un peu paumé par le jeu de la Mistinguett. Je disais donc que vous voir pratiquer un travail d'homme était fascinant.

— Vous savez, dans cette maison, y a que des femmes, alors le travail d'homme c'est pas une nuance qu'on se permet. Y a du travail, et faut le faire, c'est tout.

Et Berthe a ponctué son raisonnement philosophique d'un coup de marteau sec sur un clou récalcitrant, faisant bondir un bout de sein hors de son corsage. Son mamelon rose est apparu brièvement, le temps pour Lucien de s'empourprer comme une tomate un jour de canicule. Berthe, d'un geste désinvolte, s'est rhabillée en s'excusant avec la même légèreté que le vêtement qui la couvrait à peine.

— Oh, pardon. Je suis gauche. Faut dire, j'ai pas l'habitude du labeur face à des spectateurs.

— Mais, euh, ne vous excusez pas, c'est moi qui… ne me suis pas… annoncé… et…

La locomotive en surchauffe déraillait et il n'y avait plus de conducteur à bord. Berthe s'amusait des tentatives de Lucien pour garder le cap alors que sa machine fumait de partout.

— Au contraire, ça m'fait plaisir d'avoir de la visite, monsieur Ramberot.

Bam ! Nouveau coup de marteau. Cette fois, Berthe avait gardé sa main sur sa poitrine, pour l'empêcher de s'envoler au vu et au su de tous. Non pas qu'elle soit devenue prude mais elle savait qu'elle rendrait Lucien encore plus fou. Maintenant qu'il avait eu un goût d'interdit, savoir le mamelon si proche et prêt à bondir était un véritable supplice.

« T'es venu mater la souillon sur son toit, mon beau, ben j'vais t'en donner pour ton argent », s'amusait Berthe. Car si Lucien, du haut de sa supériorité masculine, espérait mener la danse, il se fourvoyait. Berthe, en plus d'être plus maligne que lui, avait la tête bien plus froide. Le mâle n'était pas indispensable à son épanouissement, bien au contraire, elle en avait fait suffisamment l'expérience. Mais un bon parti, pouvant prodiguer un toit hermétique, un plat chaud et un salaire mensuel, lui reposerait les lombaires. Car Berthe avait beau être une fille émancipée, elle en avait marre de planter des clous et de porter des seaux dans sa maison dépourvue d'eau courante. Et à cette époque, pour des raisons que

Darwin n'a pas tenté d'expliquer, ce sont les hommes qui faisaient fortune. Donc aux femmes d'en profiter, sans se faire dominer, quand elles le pouvaient, ce qui n'était pas un équilibre facile à trouver. Mais Berthe, armée de son marteau et de son décolleté, ne s'en sortait pas si mal.

— Je vous en prie, appelez-moi Lucien, l'a-t-il invitée entre deux déglutitions laborieuses.

À l'heure qu'il était, Berthe l'aurait appelé Mirza qu'il aurait été quand même content.

— Et qu'est-ce que je peux faire pour vous, Lucien, par cette belle journée ensoleillée ?

— Eh bien… Eh bien…

Lucien avait entrepris de gravir l'échelle mais s'était arrêté au troisième échelon. Pour se rapprocher d'elle ? Pour se mettre dans une position encore plus inconfortable que celle dans laquelle il se débattait depuis plusieurs répliques ? Pour se donner une attitude romantique ? Berthe n'en avait aucune idée. Le gus se tenait trois échelons au-dessus du sol, mais toujours à cinq mètres d'elle. Voilà un homme qui montrait un manque total de détermination. S'il ballottait déjà sur une échelle sans aller franchement dans une direction, ça promettait.

— Oui, Lucien ? Eh bien quoi ?

— Eh bien…

Ses membres inférieurs se sont mis à trembler, l'échelle à branler, et le garçon à perdre l'intégrité de la similiprestance qui lui restait.

— Je ne vous entends pas. Rejoignez-moi là-haut. Vous verrez, on a une vue imprenable sur le clocher de l'église.

— C’est que…

Et l’échelle de branler de plus belle. Et Lucien de s’y accrocher plus désespérément. Et son reste de superbe de s’écrouler définitivement aux yeux déjà dubitatifs de Berthe.

— C’est que j’ai le vertige, s’est justifié Lucien sans s’apercevoir que son excuse renvoyait une image encore plus minable de lui.

— Vous êtes sur le troisième échelon, Lucien.

Le grimpeur a redressé la tête vers Berthe qui se tenait debout, pieds nus sur les tuiles, cinq mètres au-dessus de lui, telle une amazone. Tout d’abord chiffonné par la condescendance avec laquelle Berthe avait commenté sa situation, il s’est senti piteux de ne pouvoir rejoindre sa sauvageonne, si ce n’est sur le toit du monde, au moins celui de sa maison.

Prenant son courage et l’échelle à bras-le-corps, Lucien s’est remis à gravir les marches du paradis, se promettant que rien ne l’arrêterait. Berthe s’amusait de voir ce col blanc se débattre pour venir lui renifler le jupon.

— Ne vous embêtez pas, Lucien, je peux vous rejoindre.

— N’y pensez pas, Berthe, c’est à moi de venir à vous.

La voix plus affirmée que le geste, Lucien gravissait les échelons un à un. Berthe se sentait le lot de la foire. Arrivé au dernier échelon, Lucien s’est arrimé. La chemise trempée par son anxiété, le souffle court, Roméo au bord de l’infarctus a enfin pu délivrer son laïus. Berthe attendait patiemment en jouant avec les boucles de ses cheveux, portant de temps à autre le bout d'une mèche dans sa bouche ingénue. La routine n'avait pas échappé à Lucien, mais il préférait focaliser son attention sur son équilibre. Chaque chose en son temps.

— Oui, je vous disais donc, chère Berthe, cela fait longtemps que je vous connais. Votre mère et surtout votre grand-mère sont des clientes régulières. Je vous ai vue grandir. D'enfant joyeuse, vous êtes devenue femme… femme…

Lucien cherchait un qualificatif en déshabillant du regard Berthe qui dégageait une féminité à vous faire péter la braguette, et aucun qui soit autorisé par la bienséance ne lui est venu.

— Femme ? a répété Berthe, mâchonnant toujours une boucle de ses cheveux, pour l'inciter à finir sa phrase.

— Femme, a conclu Lucien d'un point final.

Pour la grande littérature, elle repasserait, mais l'idée était là.

— Femme vous êtes, et femme je veux vous faire devenir.

Lucien se cassait la gueule dans ses vers.

— Pardon, Lucien, je ne vous suis pas.

— Ma femme. Vous faire devenir ma femme. Je veux dire, voulez-vous le devenir ?

— Quoi donc ? a répliqué Berthe, faisant semblant de ne pas comprendre.

— Ma femme ! s'est impatienté Lucien alors que son échelle se remettait à branler.

— Devenir votre femme ? Moi ? s'est exclamée Berthe, avec une joie teintée de fausse surprise.

Car oui, le garçon n'était pas de première qualité intellectuelle, il montrait des signes de virilité contestable, mais il restait un bon parti. Le meilleur de la région. Et comme Berthe ne connaissait pas le monde – elle ne s'était jamais aventurée à plus de quatre-vingts kilomètres de son village – elle voyait en Lucien un socle solide pour bâtir son avenir. Elle aurait un toit, un commerce, des vêtements neufs et du poulet-haricots dans son assiette plus souvent que de la soupe aux navets. Nana fatiguait, elle marchait avec une canne, quand elle parvenait à se lever de son lit ce qui arrivait de plus en plus rarement, Berthe avait donc besoin de stabilité, de confort et d'argent, ce dont Lucien ne manquait pas.

Berthe n'avait aucune autre attente quant au mariage. En ces sombres années, le prince charmant n'était pas une valeur cotée en Bourse. Quand on dormait au chaud et l'estomac plein, on estimait déjà qu'on avait la belle vie. Pour ce qui est de l'amour et du plaisir, l'histoire restait encore à écrire.

Berthe n'aurait pas dû prendre ces détails à la légère mais pour l'instant elle avait une problématique plus vitale à résoudre : se mettre à l'abri du besoin. Et pour ça, elle avait jeté son dévolu sur Lucien. Car si l'idiot pensait qu'il venait déclarer sa flamme, il n'avait pas noté que Berthe travaillait à l'allumer depuis quelques mois déjà. Cette flamme arrivée à maturité, il n'y avait plus qu'à la cueillir.

Berthe a bondi de joie :

— Mais oui, Lucien ! Oui, je veux être votre femme !

Son bond, tout en inadvertance calculée, a soulevé sa jupe et confirmé que cette enfant était bien sans le sou, puisque sans lingerie.

La révélation a failli être fatale à Lucien qui en a perdu l'équilibre et deux côtes dans la chute qui a suivi. Lucien gisait au sol, un mal de chien dans le thorax, la dignité dans le purin mais les yeux encore tout éblouis.

L'entreprise avait porté ses fruits, elle avait dit oui.

Depuis la disparition de la mère, les filles n'étaient plus que deux dans leur chaumière, Lucien avait senti qu'il était temps d'y proposer une présence essentielle, celle d'un homme. Ce qu'il fit en se vautrant de son échelle. Pour la stabilité, il n'avait pas été très convaincant, par contre pour la présence, il n'était pas passé inaperçu.

Bien sûr, Berthe avait sollicité l'avis de Nana avant de donner son accord à Lucien.

— Je suis pas assez sénile pour te demander si tu l'aimes, mais est-ce que tu t'imagines te coucher, te lever et manger aux côtés de cet homme tous les jours ?

— Ben c'est pas très dur à imaginer.

— Mais est-ce que tu te vois heureuse avec lui ?

— Heureuse ?

— Oui, heureuse, ma p'tite. C'est pas un gros mot, tu sais.

— Ben, heureuse, j'sais pas trop. Depuis que j'suis petite j'ai pas eu que des moments lumineux, donc heureuse, c'est pas dans mes préoccupations. En vérité j'sais même pas si j'y ai droit.

— Berthe, c'est pas parce que t'as eu ta portion de

malheurs que tu vas te faire souffrir toute ta vie à pas la vivre.

— Mais je la vis, ma vie, Nana.

— Quand je te parle de ton Lucien, tu ressens du chaud dans le bas du ventre ? T'as un soleil dans le plexus ? T'as un sourire idiot au visage que t'arrives pas à cacher ?

— Ben non. Tu vois bien que j'souris pas.

— Oui, j'le vois bien. D'où ma question : est-ce que tu penses qu'il te fera sourire quand il se lèvera à tes côtés, avec sa moustache de travers et son haleine pas fraîche.

— Vu comme ça…

— C'est pas une vue de l'esprit, ma chérie. C'est comme ça que ce sera.

Berthe s'est tue un instant. Elle a pris un air plus grave. Elle était mature, Nana le savait et voulait que sa petite-fille ne fasse pas de conneries.

— Oui… je le sais.

— Mais tu veux quand même l'épouser ?

— Est-ce que j'ai seulement le choix ?

— On a toujours le choix, ma chérie.

— Comme mon père ? Comme maman ?

— Fais pas comme si tu comprenais rien. T'es libre.

— Libre ? Moi ? Grâce à notre argent ? Où tu veux que j'aille pour devenir quelqu'un ? Lucien, lui, il peut m'aider.

— C'est tout le contraire, ma chérie. Lucien, c'est des chaînes que tu t'fous aux pieds.

— Il a un commerce. Grâce à lui, on va pouvoir payer tes soins. On pourra même te payer un fauteuil roulant.

— Tu vas pas gâcher ta vie pour rendre plus confortable ce qui reste de la mienne.

— Au contraire, c'est nos deux vies que je vais rendre plus confortables.

« Si elle savait », se disait Nana.

Pourtant, Berthe savait. Le sacrifice. L'abnégation. Mais elle vivait au jour le jour. Elle avait besoin de moyens pour s'occuper de Nana et ne voulait pas réfléchir plus loin que ça.

Le 12 mai 1934, Berthe devenait Ramberot. Le mariage à l'église fut cérémonieux et sans émotions. Tout le village s'y était rendu, curieux de voir le commerçant prospère marier la souillon. Berthe n'avait pas bonne réputation, cette union ferait office de rédemption, se convainquait-elle. Lucien était vêtu d'un costume de soie du plus bel effet. Berthe portait une robe perlée d'ivoire dont le bas était déjà tout crotté.

— C'est quand même pas pratique, c'est blanc immaculé et ça traîne par terre. Comment j'fais pour pas m'salir, moi ? Y a de la bouse jusque sur le perron, j'vais quand même pas nettoyer toute ma cour pour me marier, avait pesté Berthe alors qu'elle s'apprêtait à se rendre à l'église.

Lucien fut choqué des souillures de la mariée mais n'en montra rien. Une sauvagerie qui la caractérisait si bien irradiait de Berthe. Malgré des heures de travail, le coiffeur n'avait pas réussi à dompter sa tignasse bouclée. « Souillon elle était, souillon elle resterait, même en épousant la bourgeoisie », c'est ce qui se disait dans le village. Et pas nécessairement dans son dos.

Mais Berthe s'en foutait bien. Sa nuit de noces, elle allait la passer dans une literie neuve. Pour la première fois et aussi loin qu'elle puisse remonter dans ses souvenirs, elle ne sentirait pas les vieux ressorts rouillés lui percer les reins. Pas vraiment une princesse au petit pois, son matelas jusque-là n'avait été qu'un amas de crin reposant sur une mer de ressorts affûtés. Son lit serait douillet et, en vue de cette panacée, elle était prête à s'agenouiller devant un prêtre ivrogne et à promettre une fidélité toute relative.

Prostrée sur son banc toute la cérémonie, Nana profitait de son statut de grabataire pour ne pas se lever et célébrer cette union qu'elle ne cautionnait pas. Elle ne s'en cachait pas, elle n'avait plus l'âge de faire des manières, et quand bien même, elle n'en avait jamais eu.

Suite à un court-circuit électrique, un incendie avait rasé la demeure de Lucien. Plutôt que de bâtir une nouvelle maison, il avait été décidé qu'il emménage dans celle des Gavignol qui avait une grande valeur sentimentale pour sa future épouse et plus encore pour sa grand-mère. Lucien n'appréciait guère l'aïeule, mais lui s'en cachait. Il voulait respecter les convenances. Cependant, sa moue contenue derrière sa moustache austère ne trompait pas. Il épousait Berthe, et se coltinait la grand-mère avec le lot, mais en cas d'insuffisance respiratoire de la vieille, il prendrait son temps avant d'appeler les secours. Parano, Nana ? Un peu. Clairvoyante, plus sûrement.

La cohabitation promettait un arrière-goût de navet dans la soupe.

La nuit de noces était fort attendue des deux partis. Lucien, malgré ses bonnes manières et ses pensées pieuses, ne s'était pas débarrassé de l'impact de la toison que Berthe lui avait offerte en soulevant sa jupe et il espérait s'y jeter à queue perdue.

Quant à Berthe, elle avait été très studieuse, avait exécuté ses travaux pratiques avec plusieurs garçons qui savaient s'y prendre, donc maintenant qu'elle avait un spécimen à la maison, elle comptait se pâmer dans des cascades de volupté.

La déconvenue fut partagée mais pas pour les mêmes raisons. Berthe avait retrouvé chez Lucien une réminiscence du pathétique de son dépucelage. Lucien, sous ses airs gorgés d'assurance masculine, n'avait que peu d'expérience, une excitation trop pressante qui l'a catapulté direct dans la catégorie éjaculateur précoce, et se souciait du plaisir de sa femme comme de la recette du poulet aux morilles.

Deux minutes après s'être déshabillée, Berthe s'est retrouvée plus ballottée que sur un char à bœufs entre les bras de son nouveau mari qui ne la regardait pas, ne l'embrassait pas, puis a poussé un râle primitif au travers de sa moustache qui lui bavait dans l'oreille.

Rejetant ça sur le compte de la précipitation, Berthe s'est dit qu'elle mettrait ses connaissances à profit pour relancer la machine de Lucien, et faire l'amour correctement. Elle avait l'impression d'avoir préparé un festin et que son mari s'était coupé l'appétit en se bourrant de cacahuètes. Elle lui a donc montré ses talents, et c'est à cet instant que Lucien s'est écrasé contre le mur de ses contradictions : il voulait épouser une femme respectable mais était excité par ses atours qu'il aurait pu qualifier, si son autocensure ne l'aveuglait pas tant, de pute. Et maintenant qu'il était au lit avec cette femme experte, offrande à mille plaisirs partagés, il lui reprochait ce pour quoi même il l'avait épousée. « Comment pouvait-elle savoir tout cela et surtout comment osait-elle attendre de lui qu'il se livre à une telle débauche ? » On parle d'un type qui venait de jouir dans sa femme sans lui dire ni bonjour, ni merci, mais s'offusquait de ses valeurs morales.

Plus Berthe expérimentait la complexité masculine, plus elle était dubitative, déçue, voire franchement irritée. Certes, le lit était confortable, mais le partager avec ce primate n'avait rien de la promesse attendue.

Une phrase lui tambourinait la tête comme une sale migraine : est-ce que tu penses qu'il te fera sourire quand il se lèvera à tes côtés, avec sa moustache de travers et son haleine pas fraîche ?

« Nana, j'aurais dû t'écouter. Comme toujours, t'avais raison. »

Et Nana dans son lit douillet, lui aussi – Lucien n'avait pas été pingre concernant la réhabilitation du mobilier –, ressentait l'angoisse de sa petite-fille dans la chambre voisine. Elle avait entendu le râle de Lucien deux minutes après qu'ils eurent fermé la porte. Puis l'engueulade. La cloison était fine, Nana était aux premières loges. Un homme avait pénétré leur foyer, ce qui n'était pas arrivé depuis la naissance de la petite. Et le mot catin avait été prononcé – hurlé, pour être exact – pour la première fois.

Mais pas pour la dernière.

Berthe est descendue dans la cuisine au milieu de la nuit, en quête d'un verre d'eau et de solitude. « Merde, dans quoi j'me suis fourrée ? » Une question dont elle connaissait la réponse mais qu'elle ne voulait pas admettre. L'avenir lui semblait soudain bien triste.

En tout cas, tant que Lucien en ferait partie…

Berthe caressait le manche du couteau de boucher posé sur le plan de travail, sans se rendre compte de son geste. Sa main avait été attirée par l'ustensile, et s'y cramponnait. Avec une détermination inconsciente.

Quand Berthe avait répondu oui à la question : « Jusqu'à ce que la mort vous sépare ? », elle était sincère, elle attendrait que la mort les sépare.

Allongé dans le lit nuptial, Lucien trouvait le temps long. Berthe était descendue chercher un verre d'eau depuis une bonne demi-heure. Il allait falloir lui apprendre les bonnes manières. Ce qui commençait par le respect de son mari. Et le respect d'elle-même. Lucien prenait la mesure du chantier qui l'attendait. Cette maison s'écroulait sur ses fondations. La charpente était bouffée par les termites, il allait devoir mettre ses ouvriers sur le coup. Quant aux filles, elles étaient bouffées par le vice. Et cette tâche-là lui incombait. Cette petite dévergondée de Berthe ! Il aurait dû s'en douter, à la voir parader, tous ses attributs au vent, prêts à bondir à la vue de n'importe quel passant. La femme qu'il venait d'épouser était légère et de petite vertu. Elle était dangereuse. Pour elle. Mais surtout pour lui. Et pour sa réputation.

Et alors que Lucien échafaudait des plans pour dresser sa chienne de femme, elle montait l'escalier, d'un pas lent. Le cœur de Berthe palpitait dans sa poitrine plus qu'à l'accoutumée. Elle savait que derrière cette porte se trouvait l'inéluctable.

Elle l'a ouverte et s'est tenue raide un instant. Son pouls a cessé de battre l'ombre d'une hésitation. Lucien l'a réprimandée avec agacement.

— Eh bien, tu as mis le temps !

Berthe tenait quelque chose dans la main que Lucien ne parvenait pas à discerner dans l'obscurité. Elle ne bougeait pas et le fixait d'un œil froid, presque mort.

— Que fais-tu, mon petit ? dit Lucien avec paternalisme. Viens donc rejoindre ton mari et arrête tes enfantillages.

Mais Berthe ne bougeait pas. Elle retenait son souffle.

— Qu'est-ce que tu tiens ainsi dans le noir ?

Berthe s'est décidée à faire un pas en avant, sachant que cet élan l'entraînerait dans une nouvelle vie qui la terrifiait.

— Rien. Un verre d'eau, a-t-elle répondu en tendant ledit verre à son mari. Pour toi.

Puis elle a refermé la porte derrière elle, tournant le dos à sa liberté et se jetant dans le vide de sa vie maritale.

Les années de mariage avec Lucien passaient sans passion. Il avait bâti un mur de silence qui le séparait de sa femme. Au début, Berthe subissait, non pas qu'elle fût docile, simplement elle pensait qu'une épouse devait s'adapter au moule confectionné par son mari. Même s'il se révélait être un carcan.

Un jour, Berthe a trouvé un cadeau dans sa chambre. Sur le lit reposaient des dessous. Non pas de la lingerie fine qu'une épouse était en droit d'espérer de son coquin de mari cherchant à s'encanailler. Non, des dessous pratiques, avec pour seule fonction de soutenir les débordements mammaires et postérieurs. En privant les autres des affriolantes formes de Berthe, Lucien allait se frustrer lui-même, mais la voir si belle et désirable lui était devenu insupportable.

— Mais c'est pour toi, que je suis désirable ! Pourquoi tu veux m'habiller comme une grand-mère ? avait rétorqué Berthe face à ce cadeau en forme de punition.

— Je n'ai pas épousé une catin. Je ferai de toi une femme respectable.

— Qu'est-ce que tu trouves pas respectable, chez moi ?

— Ça ! avait-il répondu en la désignant tout entière. Toi ! Tout !

Berthe ne se serait pas sentie plus salie si son mari lui avait vomi dessus.

— Alors pourquoi t'as voulu me marier, si je te répugne tant que ça ?

Bâillonné par son hypocrisie, Lucien n'a rien répondu.

— Tu les as bien aimées, mes formes, quand j'étais sur le toit, non ? Tu les as trouvées suffisamment à ton goût pour me demander en mariage, non ? Alors pourquoi tu veux les cacher, maintenant ? C'est moi qui te fais honte ou c'est ce que tu ressens quand tu me vois ?

Berthe avait un raisonnement moderne qui savait ébranler son époque. En tout cas, son interlocuteur. Mais plutôt que d'articuler une antithèse convaincante, Lucien a choisi un argument plus percutant : il lui a collé une tarte. Moyen ancestral de remettre la femme à sa place sans trop avoir à se justifier de son manque d'intelligence. L'homme s'en était toujours tiré ainsi, alors pourquoi changer ?

Pour garder un œil sur sa femme, Lucien l'a installée derrière le comptoir de son commerce. Il ne le lui a pas proposé, il le lui a imposé. Berthe ressassait la raison pour laquelle elle avait accepté de l'épouser : la stabilité et le confort. Engoncée dans sa lingerie rigide au tissu râpeux, elle servait des clientes aux mines dédaigneuses à longueur de journée. On jasait dans le village, Berthe ne connaissait pas la teneur des ragots mais les rictus ne trompaient pas.

Lucien la percevait comme une catin et, à force, l'idée s'était répandue, bien malgré Berthe qui restait une épouse fidèle, parce que le prêtre le lui avait ordonné, et elle n'avait donc plus eu de plaisir sexuel depuis qu'elle avait fait la connerie de dire oui devant l'autel. Condamnée à l'abstinence. Son mari ne la touchait pas. Il préférait la mépriser. Pourtant sa mécanique fonctionnait. Berthe l'avait surpris un jour dans la salle de bains à s'astiquer devant une revue cochonne. Situation embarrassante pour les deux, mais c'est Berthe qui a pris une rouste pour ne pas avoir respecté l'intimité de son mari. Pourtant aux yeux de ses clients, c'était elle la catin.

La peau tannée par les raclées devenues régulières, Berthe s'assombrissait au fil des années. Nana assistait impuissante à la lente déliquescence de sa petite-fille. Les muscles fondus, les articulations rouillées, la respiration obstruée, Nana attendait la mort clouée au lit toute la sainte journée, mais avant, elle espérait revoir sa petite-fille sourire.

Nana ne s'entendait pas avec Lucien et le lui faisait savoir :

— Lucien, permettez-moi de vous dire que vous êtes un con.

— Mais non, je ne vous permets pas, Georgette.

— Eh bien, je vous le dis quand même : vous êtes un con.

— Votre vieil âge ne vous donne pas le droit de…

— C'est pas mon âge qui me donne le droit, c'est l'étendue de votre connerie. J'vais pas me laisser dicter c'que je dois penser par un morveux dans votre genre.

— Georgette, la situation nous oblige à partager le même toit, mais je vous somme de changer d'attitude, sans quoi…

— Sans quoi ? Vous allez me frapper ? Une vieille décrépite en train de clamser dans son lit ? Ça se saurait, ce serait pas bon pour les affaires.

— Mais enfin, comment pouvez-vous penser que je puisse lever la main sur vous ?

— C'est pas ce que vous faites avec la petite un soir sur deux ?

— Ce que je fais avec ma femme ne vous concerne pas.

— Tout ce qui concerne Berthe me concerne.

Nana avait raison de se méfier de la violence de son gendre. Bien entendu, il rêvait toutes les nuits que la vieille y passe. Il s'imaginait même donner un coup de main à la Faucheuse. Une vieille qui ne veut pas mourir peut vous pourrir la vie pendant des années. Lucien rongeait son frein.

Berthe assistait aux querelles quotidiennes de son mari et de sa grand-mère mourante, tiraillée par la culpabilité d'avoir invité ce tortionnaire dans leur chaumière qui respirait autrefois la sérénité. Nana la rassurait de son aura bienveillante, mais ça ne suffisait pas. Au fond des tripes de Berthe, quelque chose grossissait. Une sensation brûlante. De la colère.

Une colère de plus en plus difficile à contenir.

Un soir plus triste qu'un autre, Nana est morte.

Berthe avait installé sa grand-mère mourante dans la pièce à vivre pour l'avoir sous les yeux, au cas où. Car Nana ne se réveillait plus que quelques minutes par jour et avait besoin de soins constants.

Lucien n'en pouvait plus de voir Berthe nettoyer la grand-mère souillée avant, après, parfois même pendant les repas. Mais il est des choses que même un homme cruel n'a d'autre choix que de respecter : les aînés.

Bien sûr, il avait tenté de placer Nana dans une maison pour les vieux. Un inconfortable mouroir parfait pour le but recherché. Mais devant l'éclat noir dans l'œil de Berthe, il avait ravalé sa proposition. Lucien avait la main lourde et Berthe subissait en bonne femme soumise, pourtant cet éclat n'apparaissait que lorsqu'ils abordaient le sujet de Nana.

Ce soir-là, Lucien lisait son journal, perturbé par le souffle rauque de la vieille qui semblait s'asphyxier à chaque inspiration.

— Lire dans ces conditions devient infernal !

— Nana est mourante, Lucien, dit Berthe, outrée de tant d'insensibilité.

— Ce ne sont pas des nouvelles très fraîches que tu me donnes là, mon petit. Pauvre femme, il serait souhaitable pour elle qu'elle cesse d'agoniser, dit Lucien avec un cynisme qu'il ne cherchait même plus à masquer.

Berthe a soupiré, comme elle le faisait quotidiennement, préférant subir les sarcasmes qu'un coup de ceinture. Attristée par la souffrance de sa grand-mère, elle était plus renfermée encore qu'à l'accoutumée. Mais Lucien n'en faisait pas état. Probablement un truc de bonne femme. Il la ferait dormir dans le canapé ces prochains jours, comme il le faisait chaque fois que ses menstruations s'invitaient pour salir le lit conjugal. Berthe aimait avoir ses règles, une parenthèse pour elle hors du joug marital et l'occasion de se rapprocher de sa grand-mère, le canapé jouxtant le lit de l'aïeule.

L'excuse toute trouvée, Berthe dormait donc aux côtés de Nana lorsqu'une voix a percé le silence. Une voix que Berthe n'entendait plus que rarement. Celle d'une vieille qui retenait son dernier souffle pour qu'il porte de sages paroles.

— Berthe…

— Nana ? Tu dors pas ?

— Rapproche-toi, ma chérie.

Inquiète, Berthe s'est levée de son canapé et s'est penchée sur le lit de sa grand-mère, qu'elle ne supportait plus de voir souffrir ainsi.

— Berthe… ma douce… mon adorée…

Une larme a échoué dans une ride de Nana.

— Nana, ne parle pas, tu vas te fatiguer.

— Toi, parle.

— Quoi ?

— Arrête… de te taire.

— Tu sais bien qu'il écoute pas. Ça sert à rien.

— Pas à lui. Parle-toi à toi ! Et écoute-toi…

Berthe s'est tue. Elle a pris ce conseil comme un poteau en pleine face, quand on marche les yeux dans le vague, et que l'obstacle nous rappelle douloureusement qu'on ferait mieux de faire attention où on va.

— On a vécu des moments durs, avec ta mère… Avec toi… Mais ça, lui, jamais… ! Je voulais pas… Je voulais te protéger… J'ai pas pu…

Chacune de ses phrases était espacée d'une inspiration douloureuse.

— C'est pas à toi de me protéger. Plus maintenant.

— Justement… Réagis !

— Mais Nana… C'était pour qu'on soit au chaud. Toi et moi. Qu'on soit bien… et…

— T'étais pas au chaud avant qu'il arrive ?

— Ben… si.

— On fait des erreurs dans la vie… C'est pas grave… Si on s'en rend compte…

— Qu'est-ce que je peux faire ? Divorcer ? Qu'est-ce que les gens diraient ?

— Tu te soucies du qu'en-dira-t-on, maintenant… ? La vie est courte, ma chérie… On se fout… des règles… Il faut vivre… Écoute-toi !

— Nana…

— Maintenant prends-moi dans tes bras, je vais essayer de partir.

Une larme a coulé en silence le long de la joue de Berthe.

— Nana, je…

— S'il te plaît… Je veux sentir tes cheveux.

Berthe a pris sa grand-mère dans ses bras. Nana a ressenti la volupté des boucles de sa petite-fille sur son visage épuisé, elle a humé son parfum sucré et a commencé à lâcher.

— Merci… Berthe…

— Non, Nana, c'est moi qui te remercie. Tu as… Tu as…

— Chhhhhhhhhu…

Dans ce chut s'est échappé le dernier souffle trop longtemps retenu de Nana. Le cœur de Berthe s'est desserré avec le relâchement de sa grand-mère. L'apaisement a aussitôt pris le relais de la tristesse. Elle aurait pu éclater en sanglots, mais non, elle a respiré. Reconnaissante. D'avoir eu sa grand-mère. Cette femme exceptionnelle qui lui a tout appris.

Berthe souriait. Nana ne souffrait plus. Elle sentait sa présence légère autour d'elle. Un poids s'était levé. Ce poids qui depuis des années l'empêchait de respirer. Et de voir l'évidence.

Berthe a marché vers la cuisine et a fait couler un verre d'eau. Elle a bu d'un trait. Elle a senti l'eau la parcourir et nettoyer l'amertume accumulée.

Derrière elle, les pas de Lucien ont fait craquer le parquet. Il se levait régulièrement la nuit, prétextant des problèmes de vessie. Berthe savait que son mari affectionnait en réalité se palucher dans le calme d'une maison endormie.

— Tu ne dors pas ? a-t-il dit en découvrant Berthe dans la cuisine.

— Nana vient de mourir.

— Ah…

Il n'y avait pas d'émotion dans ce « Ah », juste une constatation froide. Lucien avait reçu l'information et dissimulait la joie qu'elle lui prodiguait. Il n'a pas pu s'empêcher d'ajouter :

— Enfin.

Le tact de ce garçon…

— J'appellerai le croque-mort demain pour…

— Pas la peine, l'a interrompu Berthe.

— Que veux-tu dire, « pas la peine » ?

— Je m'en occuperai moi-même.

— Mais enfin, tu délires totalement, mon petit. Tu ne vas pas…

La lame du couteau lui a coupé le sifflet en même temps que l'aorte. Lucien écarquillait les yeux. Stupéfaction et douleur opaque se sont mêlées alors que sa chemise de nuit s'imbibait de son sang. Berthe a extirpé la lame d'entre les côtes de son époux, lui permettant une ultime prise d'air et un dernier mot affectueux :

— Catin.

Berthe a enfoncé le couteau de boucher une deuxième fois dans sa cage thoracique, puis une troisième dans son ventre. À la quatrième, elle laissait virevolter la lame où bon lui semblait. Elle ne réfléchissait plus.

« Comme tu dis, mon cher Lucien : Enfin ! »

Berthe a ouvert la porte de la cave. Le grincement a résonné dans la maison sans vie. Ou plutôt avec deux de moins. La poussière humide émanant du sous-sol est parvenue à ses narines. Poussant de tout son poids, Berthe a fait rouler Lucien dans l'obscurité. Le cadavre a dévalé les marches pour s'écraser lourdement sur le sol terreux. La tête de feu son mari a choqué contre l'alambic dans un « Bong », ponctuation lugubre, quoique comique.

Berthe a descendu l'escalier, laissant rebondir à chaque marche la pelle qu'elle traînait derrière elle.

Elle a étudié l'alambic poussiéreux, hors d'activité depuis des années. Nana lui avait montré comment il fonctionnait, mais les affaires de Lucien prospéraient donc Berthe n'y avait pas eu recours. Et son bon commerçant de mari n'avait pas manqué de faire savoir ce qu'il pensait de l'alcool de contrebande. Probablement moins agacé par l'aspect illégal de la gnôle que par sa qualité bien supérieure à celle de la piquette qu'il fourguait entre deux stands de détergents. Car Lucien n'était pas seulement droguiste, il vendait aussi de l'alcool et pas que pour les premiers soins. Il faut faire feu de tout bois dans le commerce.

Mais la spécialité de Lucien restait l'outillage, ce que Berthe ne manquait pas de trouver ironique alors qu'elle crachait dans ses mains pour mieux agripper le manche d'une pelle issue du magasin de son mari pour creuser la tombe de ce dernier.

Berthe a creusé une bonne partie de la nuit. Elle s'est

vite retrouvée en nage, ses gestes gênés par ses dessous rigides. Au bout d'une heure, n'en pouvant plus, elle a déboutonné sa chemise et a dégrafé son soutien-gorge.

— Ah ! Enfin libre ! a-t-elle lâché dans un râle de soulagement.

Berthe a repris son labeur, creusant de plus belle, le buste nu, la sueur perlant entre ses seins qui ballottaient au gré de son fossoyage. Comment un moment qui aurait pu paraître macabre pouvait devenir si excitant ?

« Ben voilà, à force de foutre des roustes à ta femme au lieu de lui donner la tendresse qu'elle mérite, elle jubile en creusant ta tombe. Si avec ça tu comprends pas qu't'avais tout faux côté conjugal. »

On pouvait faire plus élogieux, comme épitaphe, mais ça venait du cœur.

Une fois le trou creusé, Berthe s'est posée sur une chaise au pied cassé, en équilibre contre le mur, essoufflée. Sa peau était ruisselante. Elle a roulé sa chemise en boule et se l'est passée derrière la nuque, sous les bras, entre les seins. Elle se sentait légère, connectée à son corps, plus femme que jamais.

Elle a alors laissé échapper un rire. De bien-être. Berthe n'avait pas ri depuis… Combien… ? Des années ? Merde. Elle le réalisait seulement.

Berthe, à moitié nue, le cadavre de son mari à ses pieds, riait à gorge déployée dans la cave de sa maisonnée au milieu de la nuit. Et se sentait bien. Pour la première fois depuis qu'elle avait dit « Oui ».

Son fou rire passé, Berthe a essuyé ses larmes et s'est redressée.

— Eh ben, t'es bien plus drôle mort que vivant, mon « petit ».

Réunissant ses dernières forces pour le faire rouler dans le trou, Berthe s'est collée au macchabée, calant accidentellement le visage ensanglanté de Lucien entre ses seins.

— Oh excuse-moi, a-t-elle dit avec candeur. J'ai des nichons, je voulais pas te choquer, pardon.

Comme pour se venger des années d'humiliation, elle a frotté ses seins sur le visage impassible du mort.

— Pardon, je suis désolée, je suis vraiment un monstre, pardon.

D'un violent coup de pied, elle a poussé Lucien dans le trou et lui a craché dessus.

— Ici, t'auras tout le loisir de te palucher tranquille.

Elle a balancé une pelletée de terre. Puis une autre. Et une autre. Jusqu'à ce que Lucien ait définitivement disparu et qu'il ne reste plus que son mauvais souvenir. Et le silence.

Berthe est restée immobile au milieu de sa cave, debout sur son tas de terre. Les fondations ainsi assainies, elle allait pouvoir reconstruire.

Elle a alors noté, derrière l'alambic, une caisse cachée qu'elle n'avait pas vue jusque-là. La gnôle de Nana. Déluge d'émotions. Berthe a ouvert une bouteille et l'a portée à ses narines. Les souvenirs l'ont submergée avec l'odeur qui s'en échappait. Celle de Nana qui remontait de sa cave en titubant, et la prenait sur son épaule, comme un sac de patates, pour l'entraîner dans la cuisine lui préparer sa soupe.

Berthe s'est servi un grand verre.

— À ta santé, Nana !

Gorgée de nostalgie, elle a bu cul sec. Et s'est étouffée dans le même élan. Elle a toussé, râlé, puis a repris ses esprits.

— Ouf, c'est costaud ! Ça réveillerait un mort !

Elle a jeté un œil au tas de terre sous lequel reposait Lucien.

— Ouais ben te fais pas d'idées, toi, tu restes là !

Elle s'est resservi un verre. Celui-là est passé tout seul. La brûlure de la première salve avait réchauffé son gosier, la seconde déflagration avait la volupté d'une caresse.

Demain, il faudrait appeler le service funéraire, a pensé Berthe en se resservant un coup de gnôle. Nana méritait un bel enterrement, elle.

Berthe a fait tinter son verre contre un tuyau de l'alambic.

— À nous, Nana !

Enveloppée dans la lumière chaude d'une lampe à pétrole, à moitié nue et maculée de terre, Berthe s'est collé une mémorable gueule de bois.

12 h 13

— Berthe ?

— Oui ?

— Vous venez d'avouer un meurtre, là.

— Et ?

— Et c'était pas un nazi, celui-là.

— Donc ?

— Eh bien, c'est grave.

— Pourquoi ?

— C'est puni par la loi, Berthe. Encore la loi.

Ventura brandit l'étendard de l'évidence avec une indéfectibilité remarquable.

— Oh, c'est bon, y a prescription, non ?

Le boomerang du droit pénal revient en pleine gueule de l'inspecteur.

— Dans ce cas précis, effectivement. Seulement je vous rappelle que vous avez tiré sur votre voisin ce matin, en plus de mes troupes. Même s'il est encore vivant celui-là, les magistrats pourraient qualifier votre comportement de dangereux pour la société, vous en conviendrez. Surtout si de Gore succombe à ses blessures.

— Et je risque quoi ? s'intéresse la grand-mère sans l'ombre d'une accélération de pacemaker.

— Eh bien, perpète.

L'inspecteur prononce la sentence sans pitié, espérant que le couperet la sorte de l'illusion que ses actes n'ont rien d'irréprochable.

— T'es en train de me dire que je risque la prison à vie ? J'ai cent deux ans, Columbo. T'en déduis quoi ?

Il faut croire que la lame du glaive de la justice est plus émoussée que celle du couteau de boucher de la vieille tueuse.

— Vous ne montrez aucun état d'âme, c'est assez déstabilisant.

— Crois pas ça. J'en ai eu. Le lendemain de son « enterrement », si j'puis dire, j'ai sombré. J'me sentais sale… Criminelle…

— Ah, quand même !

Ce mea culpa rassure l'inspecteur sur la santé mentale de sa coupable.

— J'arrivais pas à croire c'que j'avais fait. J'me lavais les mains toute la journée. J'y voyais son sang, et j'arrivais pas à l'enlever.

Berthe racle la bile dans sa gorge :

— Oui, c'était violent. Et oui, c'était horrible. Mais tu sais l'sentiment qu'était plus fort que les autres ?

— Non. Dites-moi.

— C'était libérateur.

Ventura voit alors pour la première fois la survivante face à lui.

— Et c'est c'qui fait qu'j'me suis relevée d'l'horreur

d'cette nuit-là. Et qu'j'ai pu continuer à m'regarder dans la glace… Alors oui, j'en ai eu la nausée. Mais non, j'ai pas regretté. J'étais vivante !

Ventura prend note sur son calepin. Cette déclaration plaidera pour la meurtrière dans son dossier psychiatrique.

La mélopée du clavier comble le vide du silence. Le temps que Pujol finisse de taper à deux doigts, l'inspecteur s'enfonce dans son dossier en imitation cuir :

— Bon, votre Lucien, il est toujours dans sa cave avec le nazi ?

— À moins qu'tu croies aux fantômes, y a pas de raison qu'il ait bougé.

— Je ne crois pas aux fantômes, non. Mais jusqu'à ce matin, je ne croyais pas non plus qu'une vieille dame puisse tuer et enterrer deux hommes dans sa cave.

Après avoir délocké son téléphone, Ventura parcourt ses favoris et appelle :

— Oui, Bernier… ?

— J'peux avoir un verre d'eau ? quémande ladite vieille.

Ventura claque des doigts en direction de Pujol pour qu'il s'en occupe tout en poursuivant sa conversation avec son adjoint :

— Oui, Mme Gavignol vient d'avouer un deuxième meurtre… Dans la cave, lui aussi… Vous en êtes où… ? Ah, seulement… ? Bon, ben accélérez le mouvement. Mets-moi plus de monde sur le chantier et retourne-moi cette baraque.

— C'est qu'y fait chaud dans c'commissariat. Z'avez

donc pas d'ventilo, se plaint Berthe en s'emparant du verre d'eau tendu par Pujol.

— Vous devriez pas trop vous habituer au confort, madame. La prison, c'est pire, se permet l'agent, d'un ton inquisiteur.

Ventura frappe sur la table :

— Pujol ! De quoi je me mêle ?

— Pardon, chef, s'écrase l'agent.

Et la grand-mère de continuer dans le remontage de bretelles :

— Viens pas m'parler d'confort, maton. J'ai vécu des hivers chauffés à la cuisinière et lavée dans l'seau du puits. J't'autorise à m'parler de prison, j't'autorise pas à m'manquer d'respect.

— Mme Gavignol a raison, Pujol.

Minable, l'agent reprend le poste qu'il regrette d'avoir quitté, au coin derrière son ordinateur où l'a renvoyé la mamie.

— J'attends, dit Berthe en croisant les bras.

— Qu'est-ce que vous attendez ? demande Ventura.

— Eh bien… des excuses, articule lentement la vieille en se tournant vers l'agent, lui faisant savoir qu'elle ne se laissera pas démonter.

Pujol, scandalisé, espère le soutien de son supérieur.

— Vous avez entendu Mme Gavignol, Pujol.

— Euh, oui, mais je…

— On attend, Pujol, le presse l'inspecteur.

— Je… Pardon, madame. Je voulais pas vous manquer de respect, recrache Pujol comme s'il avait un morceau de viande avariée dans la bouche qu'il n'arrivait pas à avaler.

— Bon p'tit gars.

Approbation de la grand-mère. L'interrogatoire peut reprendre, ce que fait l'inspecteur.

— Maintenant que les codes de civilité ont été rétablis, j'aimerais qu'on revienne à vos deux gars assassinés, parce que, dans le registre des civilités, ça se pose un peu là.

— J'suis bien d'accord avec toi, Lino.

— André, la reprend Ventura. Et appelez-moi plutôt inspecteur.

— Comme tu préfères, Columbo.

Soupir. Ventura regarde sa montre.

— Bon, l'heure du déjeuner approche, alors Berthe, dites-moi, vous avez d'autres surprises à me révéler ?

— Ça dépend de c'que t'entends par surprise. Des histoires, j'ai de quoi t'en raconter sur des décennies. Ça dure combien de temps, ta garde à vue ?

— Bien d'habitude, vingt-quatre heures, mais avec vous je sens qu'on va devoir prolonger.

— J'ai tout mon temps. Et puis, ça m'fait d'la compagnie d'être là. J't'aime bien, Columbo.

— Bon, dites-moi, votre Lucien, comment vous avez gommé sa trace ? Et comment vous vous êtes sortie de cette situation sans inculpation ? Ça m'intrigue.

— La guerre, mon grand.

— Quoi, la guerre ?

— La guerre, c't'une horreur. Mais ça donne aussi plein d'opportunités d'tordre le cou au destin.

1939

L'enterrement de Nana avait été sobre et sommaire. Peu de gens s'étaient déplacés pour saluer la mère Gavignol, famille guère appréciée dans le village. Les filles avaient perdu leurs maris, de maladie ou à la guerre, et en portaient le blâme. Il ne faisait pas bon être une femme sans homme en cette période, ça donnait mauvaise réputation.

Dans le cas de Berthe, c'était légitime, mais personne ne se doutait à quel point. Son époux servait de quatre-heures aux vers de son sous-sol. Afin de justifier son absence, Berthe avait prétexté un voyage d'affaires à la capitale. Un voyage qui s'éternisait depuis que Berthe avait repris le commerce quelques mois auparavant et qu'elle perdait sa clientèle. Les jalouses n'avaient jamais apprécié la dévergondée et les œillades concupiscentes qu'elle suscitait chez leurs maris. De plus, il était de notoriété publique que l'union avec Lucien n'était pas harmonieuse. Ce brave homme, avec cette traînée, il avait bien du mérite d'essayer de la dresser.

« Médisez, les cocottes. Mon mari, j'lui ai appris

le respect, moi. Et avec des arguments tranchants. J'pourrais vous montrer, j'en ai reçu un nouvel arrivage, pour la paix dans les ménages, dernier rayon à côté des pelles, des bons gros couteaux de boucher. Le fusil à aiguiser, c'est cadeau de la maison », pensait Berthe en servant ses clientes aux mines hautaines qui lui achetaient du détergent sans la saluer. Et c'était Berthe qui avait de mauvaises manières. Elle te leur aurait bien expliqué sa façon de penser, mais elle n'avait pas assez de place dans sa cave pour y enterrer toutes les pimbêches qui venaient la toiser à longueur de journée.

Conséquence de ce mépris collégial, les funérailles de Nana avaient été bien tristes. Le curé avait fait une oraison sans le minimum catholique de compassion. Même le clergé punissait les filles pour leur célibat forcé. Berthe n'était pas surprise d'être jugée sale par une religion qui sacralise une mère virginale. « Sales hypocrites ! » maugréait-elle en subissant ce service funéraire sans âme.

Quant au cas de Lucien, Berthe avait un problème de taille sur les bras : comment officialiser un décès lorsqu'il n'y a pas de corps ? Ou quand ledit corps est transpercé de vingt-huit coups de couteau. Berthe n'était pas experte mais se doutait que le cas ne rentrait pas dans les cases « Mort naturelle » ou même « Accidentelle ». On parlait de meurtre, pur et simple, quoique bien mérité, mais puni par cette conne de loi qui ne prenait pas en compte tous les aspects des déconvenues maritales avant de condamner une pauvre épouse laissée sans le sou.

Pourtant, il faudrait bien confirmer la mort de son

mari pour avoir accès à l'héritage et, plus important, à sa liberté. Pour l'instant, Berthe profitait de ce que la droguerie marchait suffisamment pour subvenir à ses besoins. Combien de temps cela durerait-il avant que la situation ne devienne franchement louche ?

La réponse ne se fit pas attendre. Quelques mois plus tard, survint un miracle. 1939. La guerre. Et avec elle, un chaos que Berthe pourrait exploiter. Miracle, quand on parle de la guerre, c'est un terme glissant. Berthe a fait les frais de l'horreur comme tout le monde, elle avait déjà donné son père à la première. Tant qu'à faire, elle profiterait donc de la deuxième pour officialiser la perte de son mari. La perte au sens propre. Elle ne savait plus où il était, vous comprenez, lieutenant ?

Lorsqu'elle a reçu la convocation de l'armée au nom de Lucien Ramberot à rejoindre les troupes pour aller mourir au front avec ses camarades patriotes, Berthe y a décelé la clé de ses problèmes : aux yeux de l'armée, Lucien serait un déserteur. Et aux oreilles du village, Berthe ferait courir le bruit que Lucien était porté disparu sur le front alsacien.

Après cinq ans de guerre, le temps est venu d'officialiser la mort de Lucien dans les méandres administratifs de notre beau pays résistant. L'armée, trop occupée à décompter son propre carnage, n'était plus à un disparu près. Le corps de Lucien n'avait pas été retrouvé, tout comme des millions d'autres, et même si les services militaires ne l'avaient jamais enregistré, pour l'administration du village dépassée par les événements, entre le génocide juif, les traîtrises pétainistes et l'occupation nazie, le cas Ramberot a fini naturellement sur la triste pile « Mort au combat ». Notaire et banquier n'ont pas exigé de papiers supplémentaires pour accorder à Berthe l'usufruit des biens de feu son mari et passer au dossier suivant. Et c'est grâce à cette joyeuse confusion que Berthe s'en est tirée. La guerre était une connerie d'hommes. Il fallait bien l'ingéniosité d'une femme pour la détourner au bénéfice de son émancipation.

L'atrocité de cette guerre a permis à Berthe d'être à nouveau une femme libre, aisée, et innocentée de toute présomption de meurtres.

Avec Lucien, elle avait enterré Berthe Ramberot. Elle n'allait pas lui manquer, celle-là. Il était temps pour Berthe Gavignol de faire son retour.

Berthe avait retrouvé un teint frais. Dans sa crinière aux boucles revigorées, on pouvait sentir le printemps. Alors ça faisait jaser : pourquoi la veuve de guerre semblait-elle si épanouie alors que l'ambiance prêtait à la morosité ? Et pourquoi portait-elle des couleurs chatoyantes si peu propices au deuil ? Veuve et noire ? Berthe ne voulait pas orienter l'imaginaire de ses clientes. Même inconsciemment.

Déjà qu'elle avait du mal à réprimer un sourire chaque fois qu'elle vendait une pelle.

12 h 34

Ventura jette un œil à sa montre alors que son ventre gargouille pour la troisième fois. Son petit déjeuner lui semble loin, très loin. Il remonte à l'ère où cette grand-mère armée d'une pelle ne l'avait pas encore propulsé dans une nébuleuse de révélations dignes d'un conte de Perrault.

— Ça t'intéresse plus, c'que j'te raconte ? s'offusquerait presque Berthe.

— Détrompez-vous, ça me passionne. Mais j'ai faim, et j'ai l'impression que votre récit n'est pas fini. On va faire une pause et on reprendra tranquillement après le déjeuner. Qu'en pensez-vous ?

— Y a quoi à la cantine ?

L'aplomb de la vieille sèche Ventura. Une fois de plus.

— Euh… je ne sais pas. Pujol ? s'enquiert Ventura.

— Poisson pané, coquillettes, répond l'agent.

— Vous voulez ma peau, ou quoi ? commente Berthe, peu alléchée.

— C'est pas le Ritz, ici. Et vous êtes en garde à vue.

Ventura tente de la remettre à sa place, sachant l'entreprise vaine par avance.

— Les coquillettes, c'est l'plat l'plus désolant d'la chaîne alimentaire. Pourquoi tu m'menaces de c'te torture, alors qu'j'ai déjà tout avoué ?

— Allez, venez, dit l'inspecteur en se levant, vous vous expliquerez avec le cuistot.

Ventura s'empare des deux plateaux, Berthe étant incapable de porter le sien. L'inspecteur sent qu'il va quand même falloir la ménager s'il veut qu'elle finisse la journée, ou au moins l'interrogatoire. Il sert les deux assiettes de poisson-coquillettes peu ragoûtant. « Elle a raison, la grand-mère, les coquillettes, il n'y a pas grand-chose de plus déprimant », se dit Ventura en la rejoignant sous le regard médusé des autres képis, qui ne comprennent pas bien ce que la suspecte fait parmi eux. Avant de s'asseoir, Ventura parcourt la salle d'un menton dressé, autoritaire.

— Oui ? Des questions ?

Les képis retournent à leur menu sans saveur et sans demander leur reste.

Ventura s'assoit face à Berthe et lui sert un ballon de rouge.

— Qu'est-ce qui dit d'tout ça, ton proctologue ? J'ai l'droit de manger de ce côté de la loi ?

— Il dirait que ce n'est pas très orthodoxe, mais rien ne l'est vraiment aujourd'hui. Et mon flair suppute que vous n'allez pas partir en courant, je me trompe ?

Berthe, ratatinée sur sa chaise en métal froid, boit

une gorgée de ce rouge plutôt pas mauvais, et tapote la main de l'inspecteur.

— J't'aime bien, Columbo. T'as beau être un képi, t'as du cœur.

Ventura va devoir redoubler de vigilance, les attaques répétées de la grand-mère vont finir par l'émouvoir et il ne perd pas de vue qu'il s'agit tout de même d'une coupable de double meurtre.

— Vous avez une dent contre les hommes, vous.

— Non, pas tous, tente d'articuler Berthe dans la bouillie de coquillettes qu'elle est en train de mâcher. T'as déjà été amoureux, Lino ?

Une touche de nostalgie grippée s'est invitée dans la voix de Berthe. Ventura le remarque. Il sent que le moment est à la délicatesse, alors il pose ses couverts dans son assiette de toute façon immangeable, et se rince la bouche avec une gorgée de rouge. Des visages de femmes se superposent dans son esprit, créant des vagues de chaud puis de froid dans son abdomen.

— Adolescent, beaucoup, répond-il. Quand on s'enthousiasme encore d'un rien. Pour mon premier mariage, aussi. Au début. Et puis la routine… vous savez ce que c'est.

— M'en parle pas, dit Berthe en triturant son couteau, ce qui n'échappe pas à l'inspecteur. Premier mariage, tu dis ? Y en a eu combien ?

— J'en suis au troisième.

— Et ? Heureux ? demande la veuve en se doutant de la réponse.

Ventura soupire. Comme à son habitude.

— Dis-en pas plus, Lino. J'connais.

— Et vous, Berthe, vous avez été amoureuse ?

— Oui.

Stupéfaction de l'inspecteur. La veuve meurtrière l'inonde de soleil sous les néons du réfectoire. Pourtant plus fanée qu'un pot-pourri, la grand-mère pète soudain de couleurs estivales. Un vrai champ de coquelicots en plein mois d'août.

— Immensément !

1945

Berthe a célébré la nouvelle de la fin de la guerre, non pas en sabrant le champagne, qui restait une denrée rare, mais en s'entraînant au tir de Luger dans la forêt. Le son des coups de feu de l'arme chèrement gagnée valait toutes les explosions de bouchons de mousseux.

Berthe n'avait personne avec qui fêter le débarquement, elle commençait à avoir du monde dans le dortoir de sa cave, et se disait que des sessions d'entraînement au Luger pourraient se montrer utiles. On lui avait déjà fait le coup de la der des ders et elle trouvait rassurant le cadeau laissé par son dernier visiteur.

Blam ! Blam ! Blam !! Putain, que cette arme était puissante ! Les détonations résonnaient dans toute la forêt. Chaque tir lui envoyait un choc dans l'épaule. Berthe devait tenir fermement le Luger à deux mains pour qu'il ne lui arrache pas le bras. Douleur et excitation se mêlaient. Berthe commençait à comprendre le sentiment de puissance que cet engin phallique exacerbait chez les hommes.

Blam ! Blam ! Une branche arrachée. Une barrique

éclatée. Le tir de Berthe devenait plus sûr à mesure qu'elle s'entraînait. L'avantage de tenir une droguerie, elle avait des munitions en réserve pour devenir une véritable Calamity Jane.

Blam ! Berthe a fauché un lapin dans son élan. Il faut croire qu'elle avait un don pour le tir. Elle avait de l'affection pour les animaux, mais Berthe n'avait pas mangé de viande depuis le début de la guerre. Ce soir, elle allait se régaler. Dommage qu'elle n'ait personne avec qui le partager.

— *That's quite a gun you got here*[1].

Blam ! Berthe a fait volte-face en tirant dans un même élan. Le GI qui venait de parler a à peine eu le temps de se jeter sur le côté pour esquiver. Son entraînement lui avait donné de bons réflexes, mais il n'était pas sur ses gardes en s'approchant de cette frêle demoiselle aux cheveux sauvages.

« Ben, ouais, mais mon gars, faut pas me faire des frayeurs pareilles ! Faut s'annoncer ! On t'a jamais dit qu'on doit pas prendre une femme par surprise ? Et encore moins par-derrière. Surtout pas une tueuse de nazi. Et armée d'un Luger qui plus est ! » pensait Berthe en pointant l'arme sur le GI tapi dans les feuilles mortes.

Le soldat tentait de reprendre contenance et lui souriait de ses belles dents blanches qui ressortaient particulièrement en contraste avec sa peau d'un noir intense.

Berthe le dévisageait. Un Noir. Elle n'en avait jamais

---

1. Sacré flingue que vous avez là.

vu. Un GI non plus. Et de l'américain, elle n'en avait jamais entendu. Ça faisait beaucoup de nouveautés pour ce gars qui lui braquait quand même son M1 Garand sous le nez, réflexe du soldat armé qui vient de se faire tirer dessus par une inconnue aux yeux de folle.

— *Drop the gun, now*[1] !

Berthe ne comprenait pas plus le ricain que le schleu, mais les hommes armés ont un langage universel. Berthe a jeté le Luger loin devant elle comme si l'arme lui brûlait soudain les doigts.

« Pas de malentendu, j'visais le lapin, j'ai rien contre toi », avait-elle envie de dire. Mais pensant que ses excuses en français n'éclaireraient pas ses intentions, Berthe a opté pour un autre code universel et a levé les mains en l'air. Des années d'occupation allemande vous apprennent une certaine discipline. Un fusil semi-automatique sous le menton de cette jolie Française que le GI venait sauver après avoir traversé un océan et une pluie de bombes lors du débarquement, on ne frôlait pas le malentendu, on le percutait. Terrassé par le regard ardent de Berthe, le cœur du soldat venait de se prendre une décharge qu'il n'avait pas connue depuis son parachutage au-dessus des côtes normandes mais pas pour les mêmes raisons.

— *Sorry, I didn't mean to scare you*[2], s'est-il excusé en baissant son arme.

« T'escrime pas, mon gars, j'comprends toujours

---

1. Lâche le pistolet ! Tout de suite !
2. Désolé, je voulais pas vous effrayer.

rien. » Les pensées de Berthe résonnaient avec sarcasme mais le reste de son corps envoyait un tout autre signal. La bouche entrouverte, Berthe avançait vers le GI pour le scruter de plus près, happée par le charisme de l'homme en uniforme.

— C'est pas à moi, le Luger, c'est au nazi.

— Quel nazi ? a interrogé le GI avec un drôle d'accent.

Berthe s'est arrêtée net. Ben merde, le GI ricain noir parlait français.

— Vous parlez français ? lui a demandé Berthe en paraphrasant l'évidence.

— Oui, a répondu le GI sans plus d'explications.

Le GI s'est relevé lentement pour rejoindre Berthe perdue dans ses pensées. Arrivé à son niveau, il a calé son arme en bandoulière dans le dos et lui a tendu la main.

— Je m'appelle Luther.

— Berthe.

La menotte frêle mais ferme de Berthe s'est retrouvée dans la large paume noire de Luther. Une déferlante de chaleur lui est remontée le long de l'épiderme. « Ouh, que c'est bon ! » Y a des effets qui ne s'expliquent pas, ils se vivent. Le GI en face de Berthe venait de lui mettre tous les sens en feu. Mieux, il avait déclenché une éruption en chaîne dans toutes ses zones érogènes. Berthe venait de passer la guerre au froid dans ses draps et son seul émoi sexuel se résumait aux doigts du nazi violeur. Donc certes, elle était en appétit, et l'homme face à elle dégageait une énergie mâle électrisante, mais ce sont les yeux de Luther qui l'ont véritablement renversée. Pour la première fois, un homme posait un regard sur elle qui n'était ni du mépris, ni de la concupiscence graveleuse.

Luther trouvait Berthe désirable à s'arroser de kérosène et à se jeter nu dans un cerceau de feu, pourtant il lui témoignait du respect, notion totalement étrangère à l'univers de Berthe en ce qui concernait les hommes. Et la sensation de protection dégagée par son uniforme de l'armée à qui on devait quand même la libération était bonne à prendre, elle aussi.

Peu de mots échangés durant cette poignée de main, mais un bon lot d'émotions qu'il fallait encaisser. Berthe a pris le temps, elle n'était pas pressée. Luther non plus, il avait une permission pour la journée.

Un air printanier soufflait dans la forêt. Quelques oiseaux sifflotaient. Des sauterelles vibrionnaient. Berthe et Luther se souriaient, conscients que le temps s'écoulait mais que l'instant était délectable. Berthe n'en a pas connu beaucoup pendant la guerre. Elle n'en a pas connu beaucoup pendant sa vie tout court. Alors elle en profitait.

Réalisant qu'ils se serraient la main depuis plus longtemps que l'usage ne l'exigeait, ils ont esquissé un rictus de gêne et ont desserré leur poignée précipitamment. Chacun a cherché dans les fourrés une phrase qui pourrait les sortir de l'embarras. Ils n'ont pas trouvé, alors ils ont éclaté d'un même rire nerveux et déjà complice.

— Berthe, donc, a confirmé le GI.

— Oui, Berthe. Et toi, Luther ?

— Oui.

— Eh bien… enchantée, Luther.

— C'est moi qui suis enchanté, Berthe.

La tension entre eux aurait pu foutre le feu à la forêt plus sûrement qu'une attaque au napalm.

Berthe aux fourneaux préparait le civet, passant de sa planche à découper les légumes à sa cocotte où marinait le bouillon, en se demandant comment elle en était arrivée là. Un GI venait dîner chez elle. Américain. Noir. Mais avant tout un homme. Et pas destiné à finir dans sa cave mais dans ses draps, espérait-elle en éventrant le lapin fraîchement abattu pour mieux lui vider les entrailles.

On frappa à la porte. Berthe s'est coupée en sursautant. Elle a porté son doigt ensanglanté à la bouche avant d'aller ouvrir. Luther se tenait droit comme un drapeau, caché derrière un bouquet de fleurs coloré, en tenue de civil, un sourire mal à l'aise face à Berthe qui le lorgnait en suçant son pouce de sa bouche tachée de sang, les cheveux en bataille et le tablier dégueulasse.

— Il est déjà 8 heures ? a demandé Berthe, déboussolée.

— 8 h 00. Déformation militaire.

— C'est que… je suis pas prête… du tout.

— Vous préférez que je repasse plus tard ?

— Non ! a crié Berthe dans une urgence mal contrôlée. Euh, non. Restez. Je vais… vous servir un verre. En attendant que je sois… que je… enfin en attendant.

Ils étaient repassés au vouvoiement, l'avaient tous deux remarqué mais préféraient l'ignorer dans l'attente de retrouver la fébrilité partagée dans la forêt.

Luther a avancé de son lourd pas viril. Berthe a reculé, aérienne et pieds nus, puis a refermé la porte derrière son invité, espérant que personne ne les avait vus. Berthe scrutait Luther en silence, fascinée et toujours incrédule. « Merde, mais qu'est-ce que ce GI fout dans mon salon ? »

Luther se tenait immobile en attente d'une invitation. À boire, à s'asseoir, à se casser, mais à faire quelque chose.

— *Shall I?* a-t-il tenté en désignant une chaise, perdant son français de malaise.

— Hein ?

Plus Berthe se montrait brute de décoffrage, plus Luther était charmé.

— Puis-je ? a-t-il traduit.

— Euh, oui, bien sûr. Asseyez-vous. Pardon. Je… J'ai pas l'habitude de recevoir. Depuis… depuis… Depuis !

Point d'exclamation pour ne pas rentrer dans les explications. Berthe se sentait encerclée de chausse-trappes.

— Vous vivez seule ici ?

— Oui. Maintenant oui, a-t-elle répondu, un œil sur la porte de la cave.

— Maintenant ?

— Oui, mon… euh… ma grand-mère est morte.

— Je suis confus…

— Oh, faut pas. C'est pas vous qui l'avez tuée !

Berthe a ponctué d'une tape sur l'épaule du soldat et d'un rire maladroit. Elle était en roue libre, déstabilisée par la présence de l'homme à l'épaule incroyablement massive – elle venait de s'en rendre compte en s'y attardant malgré elle – et aurait voulu se jeter dans le puits tant elle se trouvait con depuis l'arrivée de Luther.

— Je vous sers un verre ? Fabrication maison. De ma grand-mère. Justement.

— Ah, alors ça ne se refuse pas.

Sitôt accepté, sitôt servi. Luther, qui n'avait pas été averti, a bu cul sec et a craché ses tripes comme il se doit. Berthe, quant à elle, n'a pas sourcillé en ingurgitant le tord-boyaux familier. Luther n'en revenait pas. Il avait l'habitude de se torpiller les papilles avec des alcools puissants mais jamais il n'avait encaissé un tel bombardement. Et la sauvageonne aux pieds nus le provoquait en buvant ça comme du petit-lait. Fin du malaise. Reprise de la sensualité. Berthe pouvait respirer et reprendre la préparation du civet.

Coup de hachoir. Les pattes du lapin ont sauté dans la poubelle et la bête a atterri dans la marmite.

« Jesus, this woman can handle a knife[1] *! »*

Luther, médusé, s'est resservi de l'élixir de la grand-mère alors que la conversation battait son plein.

— Où est-ce que t'as appris à parler français ?

Le tutoiement était revenu dans la conversation avec la tension de mise.

— Ma mère était cajun, mon père haïtien, et j'ai grandi à La Nouvelle-Orléans.

---

1. Mon Dieu, cette femme sait manier le couteau !

Berthe s'est sentie inculte et n'a pas osé dire qu'elle ne connaissait aucun des lieux cités.

— Tu connais La Nouvelle-Orléans ?

— Euh… non… C'est à côté de la vieille ville ? J'connais pas, j'ai jamais été dans le Loiret. En fait, j'ai jamais quitté le Cantal.

Luther a explosé de rire. Berthe l'a pris pour elle et s'est froissée. Il l'a remarqué et, en gentleman, s'est aussitôt excusé.

— Pardonne-moi, je me moquais pas.

— T'avais tout l'air pourtant.

— Non, je riais pas de toi. J'ai trouvé ça très… adorable.

— Adorable ?

— Oui.

— Je suis inculte et ça te fait marrer ?

Le hachoir s'est planté d'un coup sec dans la planche. Fallait pas trop la secouer, Berthe, elle pouvait vite passer du frémissement à l'ébullition. Luther l'avait bien enregistré. Alors il s'est levé pour contenir le feu et le répartir plus harmonieusement. Berthe a reculé, sur ses gardes.

— La Nouvelle-Orléans, c'est dans le sud des États-Unis. En Louisiane.

— Ah…, a commenté Berthe qui n'écoutait que d'une oreille mais le contemplait de ses deux yeux.

Luther a glissé sa main sur la naissance de son cou pour mieux enrober sa nuque.

— Elle a été fondée par des colons français. D'où la langue.

— Ah…

Berthe était de moins en moins loquace alors que Luther se penchait pour lui parler au creux de l'oreille.

— C'est là qu'est né le jazz. Le dixieland, tu connais ?

— Non… je…

Berthe avait bien eu du vocabulaire autrefois mais elle n'en retrouvait plus la trace. Luther a posé ses lèvres molletonnées sur sa bouche avec une délicatesse insoupçonnée. Envoûtée, Berthe s'est laissée choir dans un nuage de volupté, le sol s'est dérobé sous ses pieds et l'odeur de brûlé lui est parvenue aux narines.

— Merde ! Mon lapin !

Elle s'est dégagée de l'étreinte pour se jeter sur sa cuisinière et baisser le feu. Tous les thermostats de la maison étaient passés au rouge. Berthe a balancé un grand verre d'eau dans la marmite et a touillé le lapin qui, comme elle, avait eu chaud au cul.

Luther, quoiqu'un rien frustré, n'a pas voulu s'imposer.

— Je… Faut que je…

Berthe se flagellait intérieurement de ne plus trouver un mot intelligent à dire à son invité.

— Il faut que j'aille me débarbouiller, improvisa-t-elle en montrant son tablier sale.

Luther n'a rien répondu et a acquiescé en s'asseyant sagement. Berthe a minaudé, suffisamment bêtement pour traduire sa gêne. Puis elle est montée dans la salle de bains en râlant contre elle-même. Luther a écouté la mélodie de l'eau couler à l'étage, imaginant le corps nu de Berthe sous la douche. Il s'est levé de sa chaise, a éteint le feu sous le lapin, puis a monté l'escalier.

Berthe se savonnait compulsivement le visage pour se redonner contenance quand elle a entendu la porte de la salle de bains s'ouvrir. L'eau brûlante malaxait sa peau et soulevait de la vapeur à travers laquelle perçait la silhouette du GI. La main de Luther a tiré le rideau. Nue, les épaules savonneuses, les cheveux épousant les courbes de son dos et de ses seins, Berthe ne bougeait pas, elle respirait à peine ; elle n'a pas caché son corps, au contraire, après quelques courtes inspirations fébriles, elle s'est tournée vers son intrus.

Luther a enjambé la baignoire. Sa chemise aussitôt imbibée s'est collée à son torse puissant, révélant l'ébène de sa peau sous le blanc du coton mouillé. Il avait ôté ses souliers dans la cuisine, mais c'est tout habillé qu'il a enlacé Berthe. Ses larges mains ont saisi son dos et son cul. Berthe s'est sentie amarrée, manipulée avec la délicatesse requise pour ne pas chercher une arme tranchante et avec la fermeté adéquate pour qu'elle cède à l'urgence de s'empaler sur la superbe érection moulée sous le tissu mouillé de son pantalon.

Berthe a arraché la chemise de Luther et a planté ses ongles dans ses pectoraux. Le mâle. Physique. Après une longue guerre et un mariage tout aussi interminable, un vrai mâle était exactement la médecine dont Berthe avait besoin. Elle a mordu les lèvres charnues de Luther et lui a grimpé dessus. Le GI pensait maîtriser le combat au corps à corps, c'était bien la première fois qu'il se faisait renverser par l'ennemi. Il a valsé par-dessus le rebord de la baignoire, a réussi à amortir le choc en bon soldat et n'a pas eu le temps de reprendre position que Berthe avait déjà plongé sa main dans sa braguette.

Luther était entré dans la salle de bains avec une certaine assurance. À présent qu'il gisait au sol arrosé par la douche que le rideau ne contenait plus et le sexe malmené par la voracité de Berthe, il se sentait moins maître de la situation. L'homme était puissant, quatre-vingt-quinze kilos de masse musculaire surentraînée, mais il a suffi à Berthe de poser ses doigts sur ses épaules pour le renverser.

Elle poussait de petits halètements, ses yeux incandescents perçaient à travers les boucles mouillées de ses cheveux, Berthe voulait que Luther la prenne et ne lui demandait pas ce qu'il en pensait. Elle a enfourné sa queue gonflée à en éclater dans la chaleur de son vagin gorgé d'envie. Luther en a lâché un râle de plaisir, baissant la garde face à son assaillante. Il a agrippé la croupe de Berthe, a planté ses doigts dans sa chair et donné des salves de coups de reins, stimulant toutes ses zones érogènes. Berthe est partie en geyser d'orgasmes, lacérant les cuisses de Luther, lui striant les abdominaux et lui mordant l'épaule jusqu'au sang. Acculé sous les griffes de Berthe, Luther s'est raccroché au pied du meuble au-dessus de lui et l'a arraché. Le lavabo s'est écroulé à quelques centimètres de leurs têtes alors que les amants jouissaient en chœur. Berthe frappait la poitrine du GI, ses pieds tapaient contre le mur, elle voulait l'abattre, détruire la pièce, faire s'écrouler la maison. Ils étaient un séisme. Les cheveux mouillés de la sauvageonne dans sa bouche grande ouverte, Luther fixait le plafond alors que Berthe continuait à faire trembler la terre. Ils étaient en train de faire péter tous les sismographes de la région.

À ce rythme-là, les forces alliées allaient devoir envoyer des renforts aériens.

Dire que Berthe craignait que les voisins ne jasent en voyant Luther et son bouquet de fleurs entrer chez elle.

Les notes du saxo soprano de Sidney Bechet rebondissaient sur les chaos du sillon cabossé. Le gramophone crachait une envoûtante mélodie qui enrobait Berthe et Luther dans la salle à manger.

Summertime.

Luther dévorait le lapin trop cuit. Après la partie de jambes en l'air sismique, il aurait bouffé un sanglier cru. Berthe buvait son vin en se perdant dans les yeux de son amant exotique. Elle avait du mal à croire à la réalité de cet instant, mais l'appréciait à sa très juste valeur.

— C'est joli, cette musique.

— *I just love Bechet*[1].

— Quoi ?

— Pardon, j'oubliais. C'est à cause du disque. Des fois, je crois que je suis en Louisiane. Mais oui, quand je te vois, tu es pas américaine. Maintenant je me rappelle.

— Ouais, je sais, j'ai rien d'une Américaine.

Berthe n'avait pas pu s'empêcher de se vexer. Luther, qui en plus d'être charmant, n'était pas la moitié d'un con, l'a remarqué.

---

1. J'adore Bechet.

— C'était un compliment.

— Ah bon ? À quel moment ?

— Toi, t'es insaisissable. T'es sensuelle, incroyablement, *I mean fucking sexy*[1] mais t'as quelque chose de plus. Une grâce…

Ses mots allaient droit au but. Les joues de Berthe se sont empourprées et sa vexation est retombée.

— Et t'es libre.

— Euh… libre, c'est tout récent. Et d'ailleurs c'est grâce à vous, les Américains, justement.

— Non. Même quand les nazis occupaient ton pays, t'étais libre.

— Qu'est-ce qui te fait dire ça ?

— Je le vois. Dans tes yeux. Et dans ton *body language*.

Berthe ne comprenait pas tout, mais ça lui pétaradait dans le cœur. Ce n'était pas souvent qu'on la mitraillait de gentillesses.

— Dans mon quoi ?

— Ton *body language*. Le langage de ton corps. Ce qu'il dit, quoi.

Ah c'est sûr, le langage du corps de Berthe avait toujours été très libre. D'ailleurs elle allait reprendre un peu de lapin brûlé, sinon elle allait lui ressauter dessus, au gentil GI.

— Les États-Unis, c'est le pays de la liberté, non ? Les Américaines, elles dégagent pas toutes ça ?

---

1. Je veux dire sacrément sexy.

— Certaines. Mais pas comme toi. Je saurais pas expliquer. Toi, tu as un goût, une couleur.

Luther avait des réminiscences d'accent américain lorsqu'il ponctuait ses phrases, ce qui rendait le moment encore plus irréel. Berthe a repris un verre de rouge pour garder l'ivresse et entretenir le rêve.

— T'es comme le saxo de Bechet.

— Qui ?

— Sidney Bechet.

Luther s'est levé de table pour remettre le diamant au début du microsillon, diffusant *Summertime* autour d'eux pour la sixième fois.

— Quand il joue, y a un mélange de lumière et de mélancolie qui t'inonde le plexus. Il te donne envie de pleurer mais il te rend amoureux aussi.

Un homme qui exprimait des sentiments. Berthe n'aurait jamais cru. Il avait fallu un gars débarqué de Louisiane, survivant aux bombes allemandes, noir de surcroît. Luther était en train de lui redonner foi en l'homme. À trente et un ans, c'était inattendu. Mais toute révélation était bonne à prendre, surtout quand elle était large, robuste, et que ses bras vous enrobaient aussi fermement que ceux de Luther. Elle était très bonne à prendre.

— Et tu le trimballes toujours partout avec toi, ton disque ?

— Oui. C'est ce que j'ai de plus précieux.

Merde, il s'exprimait joliment, son beau GI. Il parlait de son bout de vinyle comme aucun homme n'avait jamais parlé d'elle.

— Dans mon *package*, quand je suis parti de *New Orleans*, j'ai pris que ça. Mes vêtements aussi, bien sûr. Mais sinon, juste *Summertime. I just love this song.*

— Tu dois l'aimer drôlement, cette chanson.

— *Dam' right.* Je l'ai toujours sur moi.

— Même pendant le débarquement ?

— Toujours.

— T'avais pas peur de le casser ?

— Quand tu risques ta vie sous les tirs ennemis, prendre soin d'une chanson que t'aimes, c'est comme prendre soin de tes enfants. Tu deviens protecteur, alors tu te sens plus fort. Presque invulnérable.

— Mais c'est juste un disque.

— *No, it's not just a record, it's* Summertime[1]. Je pensais, si je casse le disque, c'est comme si je mourais. Comme je voulais pas mourir, j'ai pas cassé le disque. Durant la guerre, on s'accroche à ce qu'on peut.

— Oui. Je sais.

Luther s'en est voulu. Il était parti pour la guerre depuis quelques mois seulement. Qui était-il pour en parler en connaisseur à cette femme qui en avait subi deux mondiales sur le pas de sa porte ? Il a bifurqué :

— Une chance que tu aies un gramophone.

— Mon mari était droguiste. Il collectionnait des objets qu'il utilisait pas. Il avait l'instinct de propriété.

— Ton mari ?

Luther a jeté un œil par-dessus son épaule, soudain sur ses gardes. Pour la première fois depuis qu'il avait

---

1. Non, c'est pas juste un disque, c'est *Summertime*.

mis les boots dans cette maison, il prenait conscience qu'il pourrait y avoir un autre homme dans le coin. Ce qui faisait de lui un amant, donc un homme à abattre. Berthe lui avait tellement affolé les sens qu'il n'avait pas pensé à cette évidence.

Berthe, elle, n'a pas suivi le même raisonnement. Son regard a glissé vers la porte de la cave tandis qu'elle se demandait quelle excuse elle allait bien pouvoir inventer.

— Il est mort. À la guerre.

— Oh… Mes condoléances, a dit Luther avec sincérité.

« Ouais, tu disais pas ça quand tu me cassais en deux tout à l'heure dans la salle de bains. Mais y a pas de mal. Y a que du bien », a pensé Berthe alors qu'une moue coquine lui échappait. Luther était un peu perdu. Le *body language* de Berthe envoyait des signaux contradictoires.

— Ton mari était soldat ?

— Non, c'était un connard.

— *What ?*

— C'est une longue histoire. Enfin non, pas si longue, elle m'amusait pas alors j'y ai mis un terme plus tôt que prévu.

— Je… je ne comprends pas. Tu as mis un terme comment ?

— Non, enfin pas moi. La guerre.

— *Oh, of course*. Je suis désolé.

— Arrête d'être désolé. Mon mari était un sale type, et qu'il soit plus là a été une plus grande libération pour moi que vos chars dans Paris.

Luther a considéré Berthe, d'abord intrigué puis admiratif.

— Il t'a fait souffrir ?

— Comme je t'ai dit, le problème est réglé.

Berthe a chopé le couteau de boucher avec dextérité pour découper une cuisse de lapin et resservir son amant. Luther a tendu son assiette sans se faire prier. *Summertime* s'est arrêté. Sans lassitude, Luther a remis la chanson. Jamais depuis qu'il avait quitté le pays, ce morceau n'avait aussi bien accompagné un moment.

— *Wanna dance*[1] ?

Luther a glissé une main dans le dos de Berthe, caressant ses côtes, effleurant la naissance de ses seins et provoquant en elle une vague de frissons. De l'autre, il l'a entraînée dans une ronde syncopée au son de Sidney.

Déjà grisée par l'alcool, Berthe s'est abandonnée dans la perte de repères. Les yeux fermés, elle promenait le bout de ses doigts le long du cou massif de son amant. Elle le goûtait. Combien de temps cette danse avait duré ? Une chanson ? Une nuit ? Une année ? Berthe n'aurait pas pu dire.

« Tu vois, Lucien ? Prends-en de la graine. C'est de cette façon qu'on doit traiter une femme », pensait Berthe en dansant devant la porte de la cave.

---

1. Tu veux danser ?

Berthe et Luther marchaient dans la forêt. Leur étreinte ne se desserrait plus depuis qu'ils s'étaient retrouvés. La veille, après la danse grisante, Luther avait dû rejoindre son bataillon. Il était en faction dans le village et avait des comptes à rendre à son lieutenant. D'ailleurs Luther repartirait sur les routes de France l'après-midi même. Il venait d'en avertir Berthe qui, si elle n'a pas été surprise, s'est éteinte de tristesse.

— Reste.

— On vient seulement de se rencontrer.

— Je sais.

Berthe ne se faisait pas d'illusions mais laissait parler ses sentiments. Elle aimait la présence de Luther, elle aimait ses étreintes et son odeur. Et dans ses bras, elle se sentait aimée en retour. Pas protégée, elle n'en avait pas besoin. Pour ça, elle avait sa pelle et son Luger. Mais elle y oubliait sa solitude. Tous les dix mètres, Berthe se lovait contre Luther. Elle s'en remplissait en prévision du moment où il ne serait plus là.

— Pardon, je suis ridicule.

Berthe se ressaisissait, honteuse, reprenait sa marche en lorgnant Luther par en dessous, sans parvenir à réprimer ses caresses. Ses mains avides se cramponnaient à sa peau et à l'espoir illusoire que cet instant ne soit pas éphémère.

— T'es pas ridicule. Moi aussi, je suis triste de partir.

— Alors reste.

— Je peux pas. Tu le sais.

— Tu seras déserteur ? Et quoi ? Je te cacherai ! Ils te retrouveront pas. C'est la guerre, il faut profiter de la confusion. Comme j'ai fait avec mon mari.

Luther a froncé les sourcils. Berthe s'est corrigée :

— Je veux dire, y a plein de portés disparus. Pourquoi pas toi ? Je te cacherai. Bon, ça fera causer au début au village mais on avisera et…

La détresse d'une femme qui avait enfin trouvé un homme bienveillant, qu'elle n'avait pas envie d'enterrer dans sa cave, mais qui allait l'abandonner à son tour.

— Berthe… Même si je voulais je ne pourrais pas.

— Même si tu voulais ?

Luther a hésité un instant, puis a tiré deux photos de sa poche. Il a rangé l'une d'elles et lui a tendu l'autre. Sur la photo, une jeune fille en uniforme d'écolière, de beaux cheveux crépus tirés en chignon, les yeux vifs et brillants, prenait la pose face à l'objectif.

Les mains de Berthe se sont mises à trembler.

— Elle s'appelle Nina. Elle a huit ans.

— Ta fille ?

— Oui.

Berthe a posé des yeux tristes sur son amant merveilleux mais honteux de ne pas avoir révélé sa situation plus tôt. Et un rien coupable d'avoir succombé à la tentation.

— Et l'autre photo ? C'est…

— Oui.

Coup du lapin. Propre. Sec. Mais ça n'a pas empêché la bête de souffrir. Le choc a eu le mérite de la reconnecter à la réalité. Berthe a baissé la tête.

— Je comprends.

— Notre rencontre, toi, c'était… *fuckin' intense*… mais…

— Tais-toi.

Berthe a parlé sans agressivité. Pas besoin d'explications. Ils avaient ressenti la même chose. Sans se le déclarer, ils l'ont su. Dans un regard abandonné. Dans un souffle. Qu'importait le monde autour d'eux. L'un dans l'autre, ils avaient été complets. Submergés par une émotion qui les dépassait. Et pourtant, Luther aimait sa femme. Il était évidemment tiraillé. L'amour qu'il ressentait pour Berthe était authentique, mais il s'agissait d'une parenthèse. Dans sa guerre, dans sa vie, mais une parenthèse. Berthe préférait ne pas s'empêtrer dans des explications, au risque de rompre le charme. Ils ont repris leur marche silencieuse, lourde de frustration. Berthe ne parvenait plus à profiter. Elle était dans la projection du retour à sa solitude.

— *Fuck*[1].

— Quoi ?

Au-dessus d'eux, un homme pendait à un arbre au bout d'une corde.

Berthe n'a pas crié. Elle n'a même pas été choquée. La guerre finit par vous anesthésier. Elle a dit sans émotion :

---

1. Merde.

— M. Martignol.

— Tu le connais ?

— Le boucher. Un sale collabo.

— Collabo ?

— Il était connu pour traiter avec les Allemands.

— Oh.

— Si on se met à pendre tous ceux qu'ont quelque chose sur la conscience, on va voir des arbres fleurir partout en France.

— *Strange Fruits.*

La voix de Luther a pris un ton grave. Son expression s'est durcie. Pour la première fois Berthe voyait sur ses traits un homme qui avait connu la douleur.

— Qu'est-ce que ça veut dire ?

— Les fruits étranges. C'est comme ça qu'on les appelle chez nous.

— Vous avez des collabos, chez vous ?

— Non. On a des *niggers*.

L'amertume qu'il y avait dans la voix de Luther…

— C'est quoi, *niggers* ?

— Des Nègres. Des gens comme moi.

Berthe a relevé la tête vers M. Martignol pendu à son arbre et ses yeux se sont emplis de larmes.

— Ils font ça, chez toi ?

— *Uh huh.*

L'acquiescement a résonné dans sa gorge enrouée de fiel. Luther fixait M. Martignol mais il ne se trouvait plus dans une forêt du Cantal, il était chez lui, perdu dans les bayous de Louisiane, sous un fruit étrange. « L'un des siens ? Un proche peut-être ? Un parent, même ? » se demandait Berthe face à son amant mutique au regard perdu à mille kilomètres.

Du bout des doigts, elle a tenté de le ramener à elle. Elle a caressé sa nuque dans un geste déjà habituel. Luther a senti la douceur de Berthe. Sa nuque s'est détendue. Ses mâchoires se sont desserrées. Et il s'est tourné vers elle.

« Dam', those eyes[1]*... »*

Il est revenu au moment présent. Le silence les a enrobés un instant. Perçait seulement le grincement de la corde de M. Martignol qui tanguait au-dessus d'eux.

— La dernière image que j'ai de ma grand-mère, c'est celle-là, a-t-il expliqué.

Berthe a imaginé Nana pendue au bout d'une corde. La violence de cette vision lui a écrasé l'âme, elle en aurait vomi, mais c'est les larmes qui sont sorties en premier. Berthe, qui n'avait pas eu d'épaule contre laquelle pleurer sa grand-mère, a imbibé l'uniforme de Luther qui venait d'évoquer la sienne.

Luther se disait bien que ces larmes étaient destinées à d'autres douleurs. Il l'a enrobée de ses bras, a penché son visage dans ses boucles brunes et lui a susurré dans sa langue des mots magnifiques qu'elle ne comprenait pas.

Berthe ne connaissait pas cet homme. Elle ne savait rien de lui. Mais elle l'aimait. Elle ne savait pas où elle serait demain. Mais là, maintenant, à cet instant précis, elle était à lui.

---

1. Ces yeux !

Luther manipulait le Luger, décortiquant sa finition, jaugeant le poids, vérifiant la visée.

— Mécanisme impressionnant. J'en ai eu quelques-uns braqués sur moi mais j'en avais jamais tenu. Une arme redoutable.

Luther a posé le pistolet sur la table. Le métal a résonné contre le bois.

— Tu m'expliques pourquoi t'as un Luger chez toi ?

— Un quoi ?

— Un Luger.

Les longs doigts noirs tapotaient l'arme.

— C'est joli, comme nom, Luger. J'aime bien.

« Ça ferait un beau sobriquet », a pensé Berthe. C'était aussi une façon de créer une diversion. Elle n'avait aucune envie de déterrer le souvenir du nazi. Il était très bien dans sa cave.

— Tu veux pas me répondre ?

— C'est rien. Un souvenir de guerre.

Luther ne se contentait pas de cette réponse évasive, donc Berthe a enchaîné, espérant s'arrêter là.

— Un de ces sales nazis qui s'est cru chez moi chez lui.

— *What ?*

— Quoi, *what* ? Ça veut dire quoi ? Tu parles beaucoup ricain pour quelqu'un qui parle français.

Le ton montait à mesure que le départ de Luther approchait.

— Je ne comprends pas « chez moi chez lui ».

— Faut que je te l'explique en quelle langue, vu que je parle pas la tienne ? Un nazi qui débarque chez une Française avec un gros pistolet, à ton avis, il vient chercher quoi ?

Luther était tellement fasciné par l'arme qu'il en avait oublié d'avoir du tact. Ou était-ce leur séparation imminente qui le rendait con ?

— Je te demande pardon…

Il a posé sa main chaude sur celle de Berthe et la tension est retombée aussi vite qu'elle était montée. Berthe, habituée à avoir le sang qui bout dès qu'un homme lui adresse la parole, était partie dans le rouge en oubliant qu'elle avait face à elle le premier qui lui avait montré qu'il tenait à elle.

— Non, c'est moi. Excuse-moi.

— Est-ce qu'il t'a… ?

— Qu'est-ce que ça change ?

Le doigt de Luther s'est refermé par réflexe sur la gâchette du Luger.

— *This motherfucker*[1].

Comprenant bien que Luther s'énervait tout seul, Berthe a désamorcé son GI.

---

1. Ce salopard.

— Calme-toi. Il a eu le temps de rien.

Le doigt de Luther a relâché la pression.

— Comment tu t'en es tirée ?

Berthe a jeté un œil sur la porte de sa cave et s'est demandé s'il fallait l'ouvrir et tout raconter. Est-ce que ça la déchargerait d'un poids ? Peut-être. Mais elle vivait là leurs dernières minutes avant le départ de Luther et ne voulait pas lui laisser le souvenir d'une tueuse sanguinaire.

Alors elle a préféré mettre un point final à la conversation. Elle s'est levée de sa chaise, a ôté sa culotte, sa nudité couverte par sa jupe fleurie, s'est assise sur son amant, lui a ouvert la braguette et a récupéré toute son attention. Il est entré en elle et ils ont été un pour la dernière fois.

— Tu vas arrêter de me parler de ce foutu Luger et tu vas t'occuper de moi.

Cette fois, ils n'ont pas détruit la salle de bains. Ils ne se sont pas fait péter les sens. Ils n'ont joui ni l'un ni l'autre. Ils sont restés ainsi, immobiles, enlacés. L'un en l'autre.

Berthe a versé une larme. Discrètement, elle l'a essuyée de sa manche, s'est relevée en prenant garde à ne plus se tourner vers Luther et s'est éloignée vers le couloir.

Elle a parlé sans se retourner.

— *Goodbye,* mon GI.

— *Goodbye, my sweet Berthe.*

Puis elle a disparu dans l'escalier.

Luther a mis quelques minutes à réagir. Il s'est

imprégné une dernière fois de l'atmosphère de ce salon où il a vécu une histoire d'amour aussi intense que brève. Il ne pensait pas à sa femme. Il voulait être à Berthe encore tout entier, pour quelques secondes, pour quelques pulsations étriquées.

Il s'est levé, s'est rebraguetté, puis s'est dirigé vers le gramophone. Il a retiré le diamant et *Summertime* s'est interrompu au milieu du chorus, déchirant le cœur de Berthe à l'étage.

Luther est sorti, a refermé la porte et a laissé un vide immense derrière lui.

13 h 29

Berthe n'a plus touché à son assiette depuis une bonne heure qu'elle raconte sa fulgurante histoire d'amour. Des brigadiers ont laissé traîner l'oreille aux tables d'à côté. Il faut dire que l'histoire de Berthe est divertissante, surtout pour un petit commissariat de province. Et qu'elle la narre avec une sensibilité tirée d'un puits de larmes asséchées par le temps.

Ventura scrute Berthe depuis un moment déjà. Il cherche à comprendre comment une femme si humaine a pu tuer deux hommes de sang-froid. Le cas du nazi, il le comprend. Une agression sexuelle d'une rare violence, l'adrénaline et l'instinct de survie ont parlé. Mais le mari… Certes, c'était un connard. Mais vingt-huit coups de couteau ! Quand même ! Elle avait du tempérament, la demoiselle, mais ça ne justifiait pas un tel carnage, non ?

À la fin de son histoire avec Luther, Ventura doutait. La faute au geyser d'émotions dont la grand-mère venait de l'asperger. Il repense à ses trois mariages. Triste bilan. Il ne se souvient pas d'avoir vibré comme les deux jours que vient de lui décrire Berthe. Il l'envie. Et la jalouse. Il pense à sa vie conjugale et il la trouve soudain bien terne. La digestion accapare l'énergie côté estomac et délaisse le cœur qui en profite pour verser dans la mélancolie. Ventura aurait besoin d'un café serré et d'une Gauloise sans filtre pour lui redonner un coup de boost. La pécheresse amoureuse face à lui, Ventura lui donnerait volontiers l'absolution, pourtant il a encore des confessions à lui soutirer. Son ulcère ne l'a jamais trompé, lui.

Et pour valider son alarme gastrique, son portable se met à sonner en chœur.

— Allô ! éructe Ventura comme il dirait « Casse-toi », parce que le moment est délicat et qu'il éprouve une certaine frustration à le voir ainsi gâché.

— Bernier, répond la voix métallique à l'autre bout des ondes téléphoniques.

— Je t'écoute.

— T'es assis ?

— Occupe-toi de tes fesses plutôt que des miennes et va au fait.

Berthe redresse un sourcil, surprise par l'agressivité de son inspecteur habituellement d'un flegme exemplaire.

— Y a pas que deux corps ici, dit Bernier.

— Qu'est-ce que tu me racontes ? Y en a combien ?

Berthe n'entend qu'une partie de la conversation mais comprend que le pot aux roses vient d'être découvert. Il fallait s'y attendre, ce qui ne l'empêche pas d'avoir une petite baisse de tension. Elle reprend un verre d'eau, parce qu'elle sent qu'elle n'a pas fini de la raconter, sa vie.

— Au moins trois, et on continue à creuser, détaille Bernier. Y a aussi des squelettes d'animaux. C'est un vrai cimetière, ici, j'ai jamais vu ça.

Ventura n'en croit pas ses oreilles, pas plus que ses yeux qui fixent une centenaire maigrelette qu'on jurerait incapable de faire du mal à une mouche et qui n'a pourtant rien à envier à Mesrine.

Berthe soutient son regard. Ils n'ont pas besoin de se parler. Ils savent tous deux que ce n'est que le début.

— OK, continue à creuser. Et rappelle-moi quand t'as le compte exact.

Ventura raccroche. La grand-mère se cache derrière la moue d'une enfant qui sait qu'elle va se faire gronder.

— Paraît qu'il y a du cadavre à la pelle dans votre cave.

— Ah, monsieur fait d'l'esprit, tente Berthe pour esquiver le savon.

— Berthe, on va arrêter les plaisanteries.

— C'est toi qu'as commencé.

— C'est quoi, ce carnage ? Faut que vous m'expliquiez, là.

Ventura se masse le front plissé d'incompréhension.

— C'est mes chats.

— Quoi, vos chats ?

— J'ai eu huit chats. Et un chien. Enfin il était pas à moi, celui-là. Y sentait pas bon, pis il était con.

— Je ne vous parle pas de vos animaux. On a

retrouvé au moins un autre crâne humain. Et mon ulcère me dit que c'est pas fini.

— J'peux avoir mon café, maintenant?

— C'est moi qui donne les ordres.

— C'était pas un ordre, c'était une requête. Tu veux qu'j'te cause, Columbo, alors j'voudrais un café. Crois-moi, l'après-midi va être long.

Ventura ne le sait que trop bien et soupire.

— On va le prendre dans mon bureau.

Ventura se lève, bien décidé à lui tirer les vers du nez une bonne fois pour toutes, et ouvre la marche d'un pas déterminé.

— On va faire un détour par la machine à café. Vous le prenez long ou serré? demande l'inspecteur en trifouillant sa monnaie dans sa poche.

Le bruit de ses talons pour seule réponse, Ventura se retourne:

— Oh, je vous parle!

Il stoppe. Berthe est partie du même élan, mais pour l'instant, elle en est rendue à se tenir debout, appuyée sur la table, à dix mètres de lui.

«Merde, elle est vraiment mal en point…», réalise l'inspecteur, oubliant régulièrement l'état de santé canonique de sa suspecte. Il s'en veut. Et en a marre de s'en vouloir. C'est quand même une meurtrière.

«Métier de con.»

— Berthe, vous êtes sûre que vous ne voulez pas un avocat?

— Tu t'inquiètes pour moi, Columbo?

— Oui. J'avoue.

— C'est pas à moi, d'avouer ?

Berthe vide sa boîte de Tic Tac roses dans son café et le boit goulûment. Le breuvage lui laisse une trace rosée marronnasse entre les crevasses de ses lèvres.

— J'préfère qu'tout ça reste entre nous, dit-elle.

— Vous savez que je vais faire un rapport et que vous aurez ensuite à voir un juge d'instruction qui…

— M'embrouille donc pas avec ta compta. On s'parle tous les deux, et c'est très bien comme ça. C'est intime.

— Bon…

Ventura prend une gorgée de son café lavasse, imité par la centenaire. Il craint la réponse, pour une raison qu'il ignore, mais pose la question :

— Le troisième corps, c'est Luther ?

— Qu'est-ce qu'tu dis là ?

L'effarement face à cette accusation a rendu la voix de Berthe glaçante. Pujol en a été parcouru de sueurs froides. Ventura, lui, a serré les fesses. Pourtant, il va au bout de sa piste :

— Lui aussi, vous l'avez assassiné ?

— Salis pas la mémoire de Luther, gamin, sinon on va finir cette conversation à la sulfateuse !

— Bon, Berthe, vous allez changer de ton maintenant ! Je vous rappelle que je suis inspecteur de police, que vous êtes dans un commissariat, inculpée de meurtres multiples, donc vous arrêtez de proférer des menaces, et vous allez répondre à mes questions ! recadre Ventura.

Pourtant, il se sent coupable. Il sait qu'il hausse la

voix pour pallier son manque de tact. La mémoire d'un être aimé, c'est sacré. Ventura se sent tiraillé par sa schizophrénie de bon flic, mauvais flic. Il cherche à élucider ce qui semble le cas le plus spectaculaire de sa carrière, mais se verrait aussi bien border cette grand-mère vulnérable au chaud sous sa couette et lui tenir la main le temps qu'elle s'endorme à jamais.

— Qu'est-ce qu'il est devenu, ce Luther ?

— C'est pas lui dans la cave, c'est tout c'qui t'intéresse.

— Alors qui ?

Berthe a des aigreurs qui lui remontent en même temps que ses souvenirs.

— T'as des enfants, Lino ?

— Trois.

— Alors tu peux pas comprendre.

1945

Après la guerre, Berthe, qui n'était pas femme à se laisser abattre, chercha un nouveau mari. Elle n'aurait pas dit non à un soupçon de tendresse masculine – n'ayons pas peur de rêver, elle l'avait éprouvée avec Luther, la foudre pouvait frapper deux fois au même endroit – mais elle cherchait avant tout un géniteur. Car les années passaient et son horloge biologique tournait. Berthe avait de l'amour à revendre. Côté bonhomme, le marché n'était pas très demandeur, mais un bébé en serait comblé.

Qui dit géniteur, dit étalon. Et qui mieux que Luigi Fizzarino remplissait ce cahier des charges ? Luigi tenait un restaurant italien à Saint-Flour, à quelques kilomètres de là. Lucien y avait emmené Berthe un soir où il avait eu besoin d'un bol d'air loin de sa belle-mère agonisante.

Berthe n'avait pas été passionnée par les pâtes *alla carbonara* du Rital, par contre son charme italien bourré d'assurance ne l'avait pas laissée indifférente. Avec Lucien pour échelle de comparaison, Luigi semblait tout droit sorti d'un film de Rudolph Valentino.

À ce souvenir, Berthe enfourcha son vélo et prit la route pour Saint-Flour, bien décidée à en revenir avec le père de ses enfants. La quête manquait peut-être de romantisme, néanmoins le temps n'était plus à la tergiversation mais à l'efficacité.

Berthe, pour qui Saint-Flour paraissait aussi lointain que les Amériques, a eu l'impression de passer la frontière d'un autre monde en pénétrant dans le restaurant Amore.

— *Ciao.*

Luigi a surjoué direct le roulement des mécaniques dont les Italiens ont la maestria.

« T'escrime pas trop, mon beau, j'viens de me faire mettre la tête à l'envers par un demi-dieu, tes effets de sourcils me laissent aussi froide que ta *carbonara*. » On ne pouvait pas dire que Berthe était dans les meilleures dispositions pour accueillir l'amour. Le souvenir de Luther la parasitait, mais qu'importe, elle était là pour la procréation.

— Vous êtes seule pour dîner ce soir ? a enchaîné le séducteur avec un accent à couper au couteau à pizza.

— Hélas, oui. Je suis seule pour dîner tous les soirs.

Berthe sentait sa comédie un rien outrancière, mais elle ne comptait pas attendre l'acte V pour conclure. Autant sortir les gros sabots et sauter à pieds joints dans le plat de bolognaises.

— *Ma*, ce que vous dites là, ça m'attriste beaucoup.

« Oui, j'ai comme un doute, là. Mon statut de veuve, j'suis pas bien sûre qu'il t'émeuve. T'as plutôt envie de visiter mes jupons, j'le vois dans tes yeux pétillants.

C'est plutôt une bonne nouvelle, c'est pour ça qu'j'suis venue. »

— Merci, votre compassion me touche beaucoup, a-t-elle répondu plus sobrement.

— Je vais m'occuper de vous. Un verre de Montepulciano pour commencer, une bougie, asseyez-vous à cette table, c'est la meilleure, et laissez-moi vous prodiguer le réconfort de la gastronomie italienne.

Le jeu de l'Italien était finalement plutôt touchant, car honnête. Oui, le garçon en faisait des caisses, oui, ça se voyait, mais comme il l'avait annoncé, le *prosciutto* était réconfortant et l'assiette de pâtes servie quelques minutes plus tard avait un fumet divin.

— *Pasta al pomodoro*. Basique, *ma buonissima*. Un peu d'huile d'olive, quelques tomates et *basta*.

Berthe a goûté les pâtes et mille saveurs se sont répandues dans son palais. Sa proie savait cuisiner, ce qui faisait d'ores et déjà de lui un homme hors de l'ordinaire. Si les hormones mâles qu'il dégageait se montraient à la hauteur de la promesse, peut-être Luigi s'avérerait-il être un bon parti pour construire la suite de sa vie.

— C'est les *pasta della Mamma*. Les meilleures du monde !

L'évocation de la *Mamma* a fait tiquer Berthe. Comme si on avait invité une troisième personne dans leur ménage. Elle a porté le blâme sur son fond paranoïaque et a dévoré les *pasta della Bella Mamma*.

Il n'a pas fallu longtemps à Berthe pour piéger Luigi dans ses filets. L'Italien était séduisant mais pas vif. Il a passé la soirée assis à sa table, perdu dans ses yeux étoilés. Il y voyait l'effet de son charme, celui-là même qu'il faisait sur toutes ses conquêtes. En réalité, Berthe commençait à être pompette, et si quelques constellations pouvaient être décelées dans ses yeux, c'étaient les rémanences du passage de Luther.

Depuis son départ, Berthe avait l'étrange impression de ne plus être dans le présent. Une part d'elle était restée entre les bras de son amant alors qu'elle s'apprêtait à plonger dans ceux du père de sa progéniture future. Tiraillée par ce paradoxe, Berthe a mis à sec la bouteille de montepulciano. Le nero d'Avola n'a pas montré plus de résistance. Au limoncello, ils étaient tous les deux plus imbibés que des cerises à l'eau-de-vie.

Luigi s'apprêtait à lancer la dernière offensive quand Berthe l'a pris de court :

— Maintenant, bel étalon, tu vas m'entraîner chez toi et me faire l'amour. Et mets-y de la délicatesse, j'aime pas qu'on me brusque, sauf si je le demande.

En bon macho méditerranéen, Luigi n'avait pas l'habitude qu'*una donna* prenne les initiatives, encore moins qu'elle lui dicte comment s'y prendre. Mais une part de lui a aimé la poigne de Berthe. Cette femme avait du caractère.

Elle plairait à la *Mamma*.

Leur première nuit a été plutôt satisfaisante. Berthe n'allait pas la comparer à celle, explosive, passée avec Luther, mais Luigi se révélait bon amant. Cunnilingus en entrée, missionnaire *al dente* en plat de résistance, relevé d'un pétrissage épicé de la fesse, levrette fondante en dessert, caresses post-coït pour le digestif, l'étalon savait y faire. Suffisamment pour procurer du plaisir, et avec le soupçon d'attention requis pour se sentir femme et non vulgaire objet sexuel. Entre la froideur de Lucien et la passion torride de Luther, Luigi était un bon compromis. Berthe saurait s'en contenter. En plus, il cuisinait bien. Alors, que demander de plus ?

Luigi répondait au syndrome de Casanova. Il avait cueilli plus de femmes que de *pomodori* pour ses pâtes. Mais il voulait aussi faire plaisir à la *Mamma* et lui donner des petits *bambini*. La lignée des Fizzarino devait perdurer et s'il collectionnait les conquêtes, aucune n'avait été assez déraisonnable pour s'imaginer fonder une famille avec ce séducteur compulsif. Il avait donc dit *« Si »* à la proposition de mariage de Berthe, qui décidément ne faisait rien comme les autres, et lui coupait gentiment l'herbe sous les *testicoli* au passage.

Mais il n'en dirait rien à la *Mamma*.

Le mariage a eu lieu en Sicile, le 18 mai 1946. Berthe a pris le train puis le bateau pour la première fois. Elle qui n'avait jamais quitté le Massif central se retrouvait face à la mer, prête à embarquer vers une île inconnue. Une autre langue. Une autre civilisation.

Et la *Mamma*.

Berthe avait passé tout le trajet pour traverser le pays, ballottée par le roulis du train et saoulée par le bla-bla de Luigi qui ressassait son inquiétude de la présenter à la *Mamma*. Ce nom revenait sans cesse dans la bouche de son fiancé. Berthe n'arrivait plus à se concentrer sur l'émerveillement de sa découverte de la France tant Luigi lui polluait la tête. Il faisait moins viril, d'un coup, le Rital qui tremblait au jugement de sa maman.

Berthe a mis les pieds dans le port de Marseille et l'abrutissement du trajet s'est aussitôt évaporé. La mer. À perte de vue. Mouvante. Impériale. Luigi pestait sur les valises trop lourdes et le train en retard. Berthe ne l'entendait plus. La mer venait de l'emporter. Loin des volcans d'Auvergne. Loin de la petitesse de son village. Loin de l'étroitesse de sa vie.

La main de Luigi l'a attrapée avec autorité et l'a sortie de sa rêverie.

— *Ma cosa fai*[1] *?* Prends ta valise, le bateau va partir.

— Quoi ? Hein ?

Berthe était empêtrée d'émerveillement. Sourcils froncés, Luigi lui a saisi les épaules et l'a secouée plus fort.

— Oh, Berthe ! Réveille-toi ! *Fai presto !* On va rater le bateau !

— Oh, eh, mollo !

Berthe a frappé la poitrine de Luigi à pleines mains, le repoussant deux pas en arrière. Elle n'aimait pas qu'on la violente et avait la poigne pour le faire savoir. Luigi a à peine eu le temps de tiquer que le sifflet du bateau l'a ramené à l'urgence du moment.

— *Santa Maria !* Le bateau va partir sans nous ! Si on le rate, la *Mamma*, elle va me tuer !

Berthe bouillonnait alors que Luigi se décomposait comme un petit garçon qui allait se faire botter les fesses par sa maman.

« Ah ben, il a fière allure, mon étalon ! »

Berthe a soulevé sa valise et s'est dirigée vers le bateau sans une autre parole. En arrivant sur le ponton, d'un port de tête fier, Berthe a toisé l'équipage italien foudroyé.

— *Oh, la bella donna !*

— *Mi lasci aiutarla*[2] *!*

---

1. Mais qu'est-ce que tu fais ?
2. Laissez-moi vous aider.

Les moussaillons se grimpaient dessus pour se rendre serviables. « Ah, le charme méditerranéen ! » Berthe, avec sa prestance de déesse, les a tous mis à ses pieds.

Luigi a suivi le manège, une pointe de jalousie au fond de l'ego, et lui a emboîté le pas.

Le bateau a quitté le port. Sur le pont, Berthe se régénérait à cette vue. Une révélation. Puis elle a aperçu un ponton plus loin. Quelques nageurs s'amusaient à se jeter à la mer. Certains, raides comme des flèches, pénétraient dans l'eau sans éclaboussures. D'autres, plus disgracieux, plongeaient dans des postures clownesques en aspergeant tout le monde autour d'eux. Mais tous riaient avec une même joie enfantine. Berthe était fascinée. Elle ne savait pas nager. À la vision de ces nageurs batifolant dans l'eau, Berthe sentit l'urgence d'y remédier. Il faudrait qu'elle demande à Luigi de lui apprendre.

— Berthe. Je ne suis pas content. On va dans ma famille et tu es intenable. Il va falloir bien te comporter !

Le sermon de Luigi, toujours en panique, a effacé ses fantasmes d'évasion maritime pour les remplacer par des pulsions de meurtre. Mais portée par la raison de sa présence ici – faire des enfants –, Berthe a pris une grande inspiration puis a esquissé un acquiescement crispé.

— Pardon, mon chéri. C'est le voyage. Je me sens barbouillée. Mais je vais faire un effort.

Luigi, qui n'était pas un mauvais homme, s'est senti piteux.

— *Oh tesoro*, tu ne vas pas bien ? Assieds-toi là.

Il a voulu faire asseoir Berthe sur un banc du pont. Du gamin agressif au fiancé mielleux, Luigi n'arrêtait pas de tanguer et allait finir par lui coller la nausée.

— Ça va. Laisse-moi juste prendre un peu l'air. Je te rejoins dans la cabine.

Luigi a acquiescé puis s'en est allé, laissant Berthe à sa lassitude.

La Sicile.

Le beau village de Piazza Armerina et ses ruelles serpentant dans les hauteurs. Berthe était éblouie. Ce voyage lui ouvrait des horizons insoupçonnés. Et elle n'était pas au bout de ses surprises.

Luigi a posé les valises face au portail en métal d'une villa, a pris une profonde inspiration et a sonné. De la tension émanait de tout son corps.

— Prête ?

— Quoi, prête ? On se marie pas aujourd'hui !

Une femme d'une cinquantaine d'années est sortie de la villa et Luigi s'est arrêté de respirer. La femme s'est postée sur le pas de la porte à dévisager les intrus. Une carabine reposait contre le mur à son côté. Ramassée, engoncée dans une tunique noire, la tête couverte d'un foulard également noir, l'air dur et fermé, la femme ressemblait à un rocher buriné, les rides sévères creusées dans son visage aride. Berthe a fait un pas en arrière. Cette femme dégageait quelque chose de menaçant, elle en a eu froid dans le dos.

Luigi a ouvert les bras et s'est exclamé avec une joie exagérée :

— *Mamma !*

Et Berthe a senti les emmerdes arriver.

Ne pas parler la langue de son ennemie a ses avantages. On se toise certes, on grimace, mais on ne part pas en bassesses que toute fiancée peut craindre de sa belle-mère.

La veille des noces, Berthe prêtait main-forte en cuisine. Les femmes s'agitaient aux fourneaux. Les cinq sœurs de Luigi cancanaient. Toutes jetaient des yeux moqueurs vers Berthe, des rires éclataient çà et là, mais Berthe avait pris son parti de ne pas réagir. Dans deux jours, ils seraient de retour au foyer, elle pouvait encaisser les quolibets qu'elle ne comprenait pas, même si elle avait sa petite idée.

Seule la *Mamma* était muette dans le clan des Siciliennes. Ses rictus vers celle venue lui voler son fils ne trompaient pas. Cette poule qu'elle égorgeait, elle aurait bien fait subir le même sort à Berthe qui se focalisait sur l'équeutage des haricots pour ne pas mettre d'huile d'olive sur le feu.

Soudain, comme si l'ébullition faisait déborder la marmite de sauce bolognaise, la *Mamma* s'est lancée dans une furieuse réprimande. En sicilien. Les sœurs jusque-là guillerettes se sont tues d'un même hoquet.

La *Mamma* se tenait à trois mètres de Berthe, pérorant dans cette langue d'habitude si chantante mais qui, dans sa bouche plombée de reproches, sonnait en une crépitation de mitraillettes. Les yeux plantés dans ceux un rien paumés de Berthe, la *Mamma* scandait un chant d'insultes, pointant son couteau vers elle pour ponctuer ses phrases avant de réattaquer le démembrement de la pauvre poule qui n'avait rien à voir là-dedans.

Ambiance d'un beau marbre vénitien en hiver. Glaciale.

Les sœurs continuaient à préparer le banquet, têtes religieusement baissées.

La *Mamma* semblant infatigable, Berthe se disait que ce moment fort désagréable pourrait durer des heures, et n'étant pas souple côté patience, a entamé le dialogue au burin.

— Mais tu vas la taire, ta gueule !

L'insolence de Berthe, si elle n'a pas été comprise dans la forme, l'a été dans le fond.

Les sœurs ont poussé un *« Oh »* d'offuscation en chœur.

La *Mamma*, elle, s'est figée dans sa pose, telle une statue de Michelangelo intitulée *Mamma sicilienne qui prépare une poule, un couteau à la main.*

— J'ai pas traversé la France et la Méditerranée pour me faire engueuler par une vieille sénile qu'a un problème d'Œdipe avec son fiston castré.

Berthe s'est lancée dans un florilège de vérités que personne ne comprenait, et trouvait ça libérateur.

— Donc tu vas changer de ton et me ranger ce couteau, parce que la dernière fois que j'ai eu le même à portée de main, je l'ai planté dans les côtes de mon premier mari. Et c'était pas un accident, y en a vingt-sept qu'ont suivi. Et c'était qu'un début, vu que le nazi qu'était le suivant à me visiter, il a fini la tête ouverte à la pelle, et les deux ils dorment ensemble dans le même lit de terre sous ma cave, alors ton couteau, le retourner contre toi pour te le planter entre les deux yeux, ça va pas trop me poser de problème. Donc maintenant, tu me montres du respect. *Rispetto ! Capisci*[1] ?

Berthe a désarmé la *Mamma* au milieu de sa sentence et a planté ledit couteau dans la carcasse de la poule qui n'avait rien demandé.

Les sœurs ont poussé un *« Oh »* de frayeur.

La *Mamma*, elle, n'a pas moufté. Son regard aride toujours planté dans celui de sa belle-fille nouvelle venue dans la famille a dérivé sur la carcasse de poule transpercée.

Encore une pincée de silence sicilien, puis :

— *Sì, ho capito*[2]...

Les sœurs ont poussé un *« Ah ? »* d'étonnement.

Berthe, qui ne voulait pas la guerre, a retiré le couteau de la volaille et l'a tendu à la *Mamma*. La vieille main déformée par l'arthrose s'en est emparée. De l'autre, la *Mamma* a tapoté l'avant-bras de Berthe. Puis la vieille a acquiescé. Il n'y avait plus besoin de mots. Berthe venait de gagner son respect.

— *Va tutto bene*[3] ?

Luigi a surgi dans la cuisine et semblé surpris par la saynète.

---

1. Respect ! Compris ?
2. Oui, j'ai compris…
3. Tout va bien ?

— *Sì, tutto bene. Torna in soggiorno. Non abbiamo bisogno di te. Lascia lavorare le ragazze*[1].

Luigi a obéi à sa mère, comme toujours. La *Mamma* s'est retournée vers Berthe et, alors qu'elle n'avait pas daigné le faire depuis des années, elle a commis l'impensable : elle lui a souri.

---

1. Tout va bien. Retourne au salon, on n'a pas besoin de toi. Laisse travailler les filles.

Avec la bénédiction du curé sicilien, Berthe a officiellement pris le nom de Fizzarino. Elle allait pouvoir s'atteler à un nouveau chapitre de sa vie : les *bambini*.

Au début, Berthe et Luigi ne se posaient pas de questions. Ils avaient tous les deux un appétit sexuel correct et avaient des rapports réguliers dont la finalité devait naturellement les mener à la parentalité.

Ils copulaient en moyenne trois fois par semaine. Les autres jours, Luigi travaillait à Saint-Flour, aux fourneaux de son restaurant. En femme indépendante, Berthe avait voulu garder sa droguerie et, plus important encore pour elle, sa chaumière où étaient enterrés de façon officieuse certains invités marquants de son livre d'or.

Le couple avait donc pris la décision de ne pas emménager ensemble. Ils avaient deux maisons, se voyaient et baisaient à mi-temps ; le reste de la semaine, ils vaquaient à leurs occupations. Luigi avait des qualités, mais on ne pouvait pas parler d'amour fusionnel. Et Berthe aimait cultiver du temps à elle pour son émancipation.

Bien sûr, elle savait que Luigi profitait de ses nuits de célibataire à Saint-Flour pour courir la gueuse. Mais qui était-elle pour être jalouse ? Elle n'avait pas d'amant dans le placard mais des macchabées dans la cave. La notion d'exclusivité lui était étrangère. S'il voulait s'amuser durant son temps libre, après tout, ça ne faisait de mal à personne, tant qu'il restait discret. Berthe avait toujours eu des idées très avant-gardistes. Une femme libérée qui n'en attendait pas moins d'un homme.

Berthe, ses nuits, elle les passait à se focaliser sur son utérus et son envie de grossesse qui ne se concrétisait pas. Chaque mois, elle imaginait cet adorable petit être à qui elle pourrait donner son amour indéfectible. Elle la voyait déjà. Une petite fille. Avec ses grands yeux bleus et ses belles boucles dorées. Elle aurait pu toucher sa peau, elle sentait presque son odeur, elle se perdait dans ses yeux, elle devinait son sourire.

À chaque début de cycle, l'apparition du rouge sur ses sous-vêtements lui brûlait les entrailles. Au lieu de sentir un fruit y pousser, c'était une décharge de vitriol.

Au début, Berthe et Luigi faisaient l'amour parce qu'ils aimaient ça. Puis très vite, l'acte a été lesté d'une attente de résultat. Plus les échecs se succédaient, plus le plaisir disparaissait, laissant place à la rancœur.

— Ça va venir, l'encourageait Luigi.

— Oui, je sais.

Luigi se montrait attentionné. Il sentait le désarroi de Berthe. Il scrutait pourtant l'horloge, son tic-tac lui rappelait que le temps s'écoulait et que la *Mamma* n'était toujours pas grand-mère. Mais il ne voulait rien montrer de son impatience à Berthe.

Enfin au début.

— C'est tellement injuste.

— Oui… C'est injuste…

Luigi reprenait une gorgée de limoncello, maugréait intérieurement et affichait un masque d'optimisme pour sa femme.

— Mais on va y arriver, concluait-il inlassablement en y croyant de moins en moins.

Berthe commençait à douter d'elle-même. Certes, avec Lucien, la copulation avait été rare, mais à vingt ans, elle aurait dû être au summum de sa fertilité. Et toutes ces années adolescentes à batifoler sans retenue et sans protection dans la grange de Tavenel n'avaient jamais semé un semblant d'embryon en elle.

Berthe en tirait la conclusion que sa terre n'était peut-être pas fertile. Elle refusait cette idée et s'armait de patience. Une arme bien plus difficile à maîtriser qu'un Luger.

L'après-guerre. La France vivait un baby-boom historique. Tous les jours sur son chemin, Berthe croisait des bambins baguenaudant sur le trajet de l'école, riant avec leurs mères, grimpant sur les épaules de leurs pères. Et l'injustice la rongeait. Faire un marmot était sans doute la chose la plus exceptionnelle – créer la vie – et la plus banale du monde – la moindre famille de crétins en avait par pelletées – se disait Berthe en surprenant M. Ranvignac en train de coller une baffe à son rejeton.

Berthe enviait les ménagères enceintes venues acheter du lait lyophilisé, laminée par cette question lancinante : « Qu'est-ce qu'elles ont de plus que moi ? »

Une petite voix résonnait au fond de son âme : « Elles ne sont pas des monstres, elles… »

Les soirs où Luigi restait au restaurant, Berthe passait de longues heures à s'examiner dans la glace. Elle y voyait une belle femme, des formes plantureuses, des seins remplis prêts à donner du bonheur aux hommes, ce qu'elle avait fait jusque-là sans pudeur, et à un bébé, s'il se décidait à venir.

Souvent, la culpabilité s'immisçait : une femme incapable de porter la vie était-elle seulement une femme ? Sa mère avait-elle enfanté un monstre ? Et Dieu, s'il existait, l'avait-il empêchée de se reproduire à son tour pour la punir ?

Chaque mois, Berthe lavait ses dessous rouges.

Berthe se fanait à vue d'œil. Ses boucles s'aplatissaient, son teint devenait terne, ses yeux se vidaient, non pas de leurs larmes, mais de leur lumière. Au bout de deux ans, l'espoir avait disparu.

Luigi dut travailler des soirées supplémentaires au restaurant. Son commis l'avait lâché. Soi-disant. L'étalon ne la retrouvait plus qu'une fois par semaine. Il lui arrivait même de sauter cette visite hebdomadaire. Les disputes se multipliaient.

L'enfant n'arriverait plus. Berthe ne l'avait pas accepté, mais, au fond d'elle-même, elle le savait.

Un soir où elle balayait le rayon linge de maison dans la droguerie, Berthe s'est retrouvée nez à nez avec son reflet dans un miroir et y a vu une enveloppe vide. Elle ne se reconnaissait plus. Berthe était une guerrière, aujourd'hui elle subissait. Elle était devenue une victime. Ce constat lui était insupportable. Cette mue vide dans le miroir, Berthe pouvait choisir de la voir comme une chrysalide. Vers quoi ? Elle ne savait pas encore, mais elle se devait de réagir.

Le dimanche suivant, Luigi lui a rendu visite comme il le faisait avec irrégularité. Il a été surpris par l'accueil d'une Berthe rayonnante. À ses pieds reposait un panier rempli de victuailles italiennes et d'un Valpolicella.

— J'ai une furieuse envie de pique-nique.

Luigi n'en revenait pas de voir Berthe si pleine d'un entrain qui avait manqué cruellement ces dernières années.

— Euh… un pique-nique ? En cette saison ?

— Quoi ? Il fait un temps magnifique ! Et je dépéris ici !

— Écoute, j'étais venu pour te dire…

— J'en ai assez de cette maison, dit Berthe qui ne l'écoutait pas, toute à sa bonne humeur. Elle sent le rance, on va prendre l'air. Je t'emmène pique-niquer.

Un rien décontenancé, Luigi a acquiescé sans réelle passion. Ce qu'il avait à dire attendrait bien un verre de Valpolicella.

Luigi conduisait les cheveux au vent dans sa décapotable neuve. Berthe en concluait que les affaires devaient bien marcher. Elle détaillait son mari avec distance. L'homme à ses côtés lui était devenu étranger. Berthe sentait bien que son couple s'était désagrégé, ils en portaient tous deux la responsabilité, mais elle ne voulait plus se laisser bouffer par cette gangrène. Il était temps de se reconstruire.

Berthe a trouvé un coin de nature chatoyant. Le soleil inondait les herbes hautes d'un jaune éblouissant. Mille couleurs rebondissaient autour de Luigi qui paraissait pourtant étrangement gris. Berthe a étalé la nappe vichy rouge, puis a disposé des mets alléchants de la Méditerranée natale de son mari.

— Où est-ce que t'as trouvé ces produits ?

— Je voulais te faire une surprise. J'ai demandé à Marcello de piocher dans ta réserve.

Luigi a pris la bouteille de vin et a vérifié l'étiquette.

— Il a « pioché » ma meilleure cuvée.

— Oui, c'est moi qui lui ai dit de prendre que des produits de qualité.

— Pourquoi ?

— Mais pour se faire plaisir ! Pour profiter, nous, de ce qu'on a de bon !

Enthousiaste, elle a embrassé Luigi et a reçu un baiser tiède en échange. Elle n'en a pas voulu à son mari, il faudrait plus qu'une nappe colorée pour raviver la flamme. Mais Berthe était gonflée à bloc pour reconquérir sa vie et son mari. Maintenant, il lui fallait mettre Luigi au parfum parce que le pauvre Rital avait l'air franchement paumé. Berthe lui a servi un verre plein à ras bord de bon vin italien.

— Cette histoire de bébé nous a bouffés. Je te reproche rien, on a sombré tous les deux, mais maintenant faut que ça s'arrête.

— Qu'est-ce que tu racontes ? Tu abandonnes ?

— J'abandonne rien du tout. J'accepte. Le bébé veut pas venir, on va pas passer notre vie à pas la vivre, juste pour l'attendre.

— Je comprends rien à ce que tu racontes. T'as commencé à boire avant que j'arrive ?

— Non. J'ai pas été aussi clairvoyante depuis deux ans. Tout le monde a le droit d'être parent, nous pas, eh ben, ainsi soit-il ! On n'a pas le choix, faut accepter. Sinon, on va en crever de tristesse.

— Moi, j'accepte pas…

— Luigi… il faut. On a tout essayé. Deux ans qu'il se passe rien. Regarde-nous. C'est n'importe quoi. On se voit plus. On baise plus. Ou juste le jour où j'ovule. On sourit plus. Mais c'est pas une vie, ça ! M'étonne pas que la petite, elle veuille pas venir.

— La petite ?

— Enfin le bébé.

— Berthe, tu es devenue folle.

— Mais non, pas du tout, au contraire. Je nous secoue ! Pour qu'on se réveille ! Luigi !

L'enthousiasme de Berthe s'estompait à mesure que Luigi restait fermé à sa main tendue.

— Moi, j'accepte pas.

— Mais Luigi, il faut. Tu vois bien qu'on n'arrive pas à avoir d'enfants.

— Que « tu » n'arrives pas.

Berthe ne parvenait plus à déglutir.

— Tu veux dire que c'est ma faute ?

— C'est pas moi qui tombe pas enceinte.

— Je te rappelle qu'on est deux, dans cette histoire.

— Mais c'est toi qui tombes pas enceinte.

— Qu'est-ce qui te dit que ça vient pas de toi ?

Luigi a ri en réponse.

— Comment ça pourrait venir de moi ? Tout marche très bien chez moi. Je bande, je jouis, je te donne tout ce dont tu as besoin pour être enceinte.

Berthe a vidé son verre à grandes goulées pour faire passer le verre pilé dans sa gorge.

— Retire tout de suite ce que tu viens de dire.

— Pourquoi ? C'est pas vrai ? Je bande, non ? Je jouis, non ?

— T'as eu ton doctorat en procréation, à ce que je vois.

— Qu'est-ce que tu dis ?

— Rien, c'était du français, oublie, sale Rital !

Berthe s'est pris une baffe, aussitôt retournée à son envoyeur. Bien élevée, elle répondait quand on la cognait.

— T'as raison, ça vient peut-être de moi. J'vais vérifier ça très vite… avec un autre étalon ! l'a-t-elle provoqué.

Nouvelle baffe.

— Salaud.

— *Puttana.*

— Vous, les mecs, chaque fois que vous échouez, faut que ce soit notre faute. Et ça finit toujours par la même insulte.

— *Puttana.*

Luigi lui a craché dessus.

— Pas plus qu'une autre femme. Pas plus que ta mère, lui a-t-elle craché en retour.

Une autre baffe a plaqué Berthe au sol. Il était suicidaire d'insulter la mère d'un Sicilien, mais le feu avait pris, autant y jeter de l'huile.

— Ne manque pas de respect à ma mère.

— Tu commences à me courir avec ta *Mamma*. Si elle te manque tant que ça, t'as qu'à retourner dans ses jupes et lui faire un gosse à elle ! Elle en a déjà eu six. Apparemment, sa mécanique à elle marche bien.

Luigi dévisageait avec mépris celle à qui il essayait de faire un enfant depuis deux ans et qui gisait à présent à ses pieds, la bouche en sang.

— Tu es tombée bien bas, pauvre femme.

La froideur de Luigi a blessé Berthe plus que les beignes.

Il attendait le moment propice pour faire son annonce depuis son arrivée. On y était :

— J'étais venu te dire que je te quitte. J'ai rencontré quelqu'un.

La nouvelle n'a pas été le choc escompté. Berthe s'y attendait. Un mari qui ne vous visite plus qu'une fois par semaine cache forcément une aventure. Voire une envie de divorce.

— Et je vais la présenter à la *Mamma*. Elle est enceinte, elle !

La deuxième salve, par contre, a été dévastatrice. Berthe se l'est prise comme une bombe.

Luigi a asséné le coup de grâce :

— Je t'ai dit, tout marche très bien chez moi.

Berthe a entendu sortir de son ventre un cri qu'elle ne connaissait pas. Luigi n'a pas eu le temps de ravaler son rictus narquois que Berthe se jetait à sa gorge et le renversait en l'étranglant de toutes ses forces. Berthe hurlait et lui bavait dessus. L'Italien était costaud mais ne parvenait pas à maîtriser les attaques de la furie. Il se débattait en vain. Berthe a relâché sur lui deux ans de colère contenue. Deux ans en cage à ressasser l'injustice. À nourrir la rancœur. À vouloir que quelqu'un paye. Pour arrêter de souffrir.

Elle avait conduit Luigi dans ce coin champêtre pour se reconnecter à son mari aimant. Elle enroulait à présent la sangle de son panier d'osier autour de son cou et tirait. Tirait. Tirait. Si fort que la langue gonflée de Luigi frétillait hors de sa bouche comme une anguille prise dans un piège. Les yeux gonflés de l'Italien sortaient de leurs orbites de façon effrayante, son pantalon s'est imbibé de son urine et, dans un dernier spasme, il a laissé retomber ses bras sans vie sur les cuisses de sa femme.

Berthe a observé le cadavre de son mari en reprenant sa respiration. « Encore un », s'est-elle dit calmement.

Une larme a coulé le long de sa joue à cette évidence : elle ne parvenait pas à donner la vie, mais elle excellait à donner la mort.

Berthe a installé Luigi dans sa belle décapotable. À la place du mort. Et a bouclé la ceinture du cadavre.

— Tu bouges pas, hein ?

La tête de Luigi penchait sur le côté. Il avait l'air de piquer un roupillon pour cuver son vin. Tant mieux. L'inconvénient des décapotables, tellement m'as-tu-vu. Quand on vient de buter son mari, on cherche plutôt la discrétion. Et la cave de Berthe se trouvait encore à quelques kilomètres.

Elle a remballé le pique-nique, a fourré tout le barda dans le coffre puis a mis le contact.

— Bon, comment ça marche, cette chiotte ?

Une Alfa Romeo ne se révélait pas beaucoup plus compliquée à conduire qu'un tracteur. Berthe était dégourdie, elle a fait rugir le moteur et a dévoré la route.

Le vent s'engouffrait dans ses cheveux, leur donnant le volume qui leur manquait furieusement ces derniers mois. Dans le rétroviseur, elle se voyait reprendre des couleurs. Elle s'est enfilé une lampée de Valpolicella à la bouteille pour alimenter ce sentiment de vie qui coulait à nouveau dans ses veines.

— On va pas se laisser abattre, hein, Luigi ? Enfin je dis « on », façon de t'inclure dans le débat.

Le roulis faisait pencher Luigi un peu plus sur le côté. Il avait l'air d'en tenir une bonne. Berthe poursuivait sa conversation à une voix.

— Un gosse, c'était un beau projet, mais on s'est oubliés en chemin. Enfin, toi, t'as l'air d'avoir bifurqué dans une autre direction en cours de route, mais moi… moi, je me suis oubliée.

Un petit coup de Valpolicella pour aromatiser sa réflexion.

— Y a des connasses qu'ont pas de valeur humaine mais qui pondent du marmot à tire-larigot. J'accepte. Elles ont pas une once d'amour dans les yeux, les gosses ont l'air malheureux comme les pierres, mais d'accord, je le prends pas personnellement. J'aurais pu me choper un cancer après tout. Ou me faire trucider par un nazi. Je m'en sors pas si mal.

Rasade de Valpolicella.

— Je t'ai déjà parlé de mon nazi ? Non ? Ben vous

allez apprendre à vous connaître. J'vais t'installer bien au chaud à côté de lui.

Déjà grisée par l'alcool et la vitesse, Berthe a accéléré pour se saouler du vent qui fouettait son visage.

— Je serai peut-être jamais mère. C'est injuste mais c'est comme ça. Alors soit je passe le reste de ma pauvre existence à m'morfondre, soit j'fais tout le contraire. J'vais la vivre pleinement, ma chienne de vie. J'me dois bien ça.

Un klaxon enroué a interrompu son monologue. Dans le rétroviseur, une voiture de police la talonnait.

— Ben merde, qu'est-ce qu'il fout là, lui ?

Berthe a ralenti et s'est rangée sur le bas-côté. Le policier s'est garé derrière elle et l'a rejointe.

— Salut Robert.

— Eh bien, Berthe, c'est toi qui conduis ?

— Ben oui, tu vois, le Luigi, il est pas en état.

— Effectivement.

Il y avait peu de flics dans la région. Tout le monde se connaissait par son prénom. Mais Robert avait aussi passé du bon temps entre les jambes de Berthe durant leur adolescence. Il y avait un rapport fraternel entre ces deux-là, malgré l'uniforme de police qui les séparait.

— Tu m'as pas l'air très en forme non plus.

Berthe n'a pas tout de suite compris. Elle s'est examinée dans le miroir et a vu les ecchymoses sur sa bouche et au coin de ses yeux suite à son empoignade avec le Rital.

— Ouais, on a eu une petite dispute.

— Ce salaud. Tu veux que je le mette en cellule de dégrisement ?

— Non, c'est pas la peine. Je vais le ramener au bercail pour qu'il finisse de cuver.

— Et ça, c'est quoi ? dit Robert en pointant la bouteille de Valpolicella entre ses cuisses.

— Valpolicella. Très bon cru.

— Tu sais que c'est interdit de boire au volant ?

— Ah ? Non, je savais pas. Je conduis jamais.

— Tu as ton permis, au moins ?

— Non. Mais fallait bien que je prenne le volant. Après la pluie de gnons qu'il m'a collée, j'avais pas envie d'attendre trois heures au bord de la route qu'il décuve pour rentrer.

— Il te bat souvent ?

— C'est gentil de te préoccuper, Robert. Mais t'en fais pas, j'me laisse pas marcher sur les pieds.

— Sûre ?

Ce noble Robert avait l'instinct protecteur. Il avait choisi son métier pour maintenir l'ordre mais aussi pour protéger la veuve et l'orphelin. Ce qui incluait les femmes qui se faisaient battre par leurs maris.

— Sûre. Je sais me défendre, l'a rassuré Berthe.

« Et t'as pas idée à quel point. »

— Bon.

Robert a pointé le Valpolicella.

— Je dois te verbaliser, Berthe.

— Fais c'que t'as à faire, Robert, je t'en voudrais pas.

Robert se sentait quand même coupable, il avait de l'amitié pour Berthe. Il savait qu'elle traversait une période difficile. Il avait vu ses boucles se faner, et trouvait d'ailleurs que le Valpolicella lui allait bien au teint, elle avait meilleure mine que ces derniers mois.

— Dis-moi si tu veux pas en parler mais je voulais te demander… Le bébé ?

— Ça prend toujours pas, a répondu Berthe du tac au tac en buvant une rasade de vin.

Il n'y avait plus de tristesse dans sa voix, juste une constatation.

— D'où le pique-nique arrosé. Mais c'est gentil de demander.

— Si je peux faire quelque chose pour toi.

— Ben, tu peux trinquer avec moi.

L'air était doux, le vin encore frais. Berthe a vidé sa bouteille avec son ami policier, aux côtés de son mari qu'elle venait de dézinguer.

Ils étaient bien, là.

Deux heures plus tard, Luigi a trouvé place tout contre le nazi.

Berthe finissait de tapoter la terre avec sa pelle dans un geste devenu rituel et s'interrogeait : « Merde, je ressens rien. Pas de remords. Est-ce que ça fait de moi un monstre ? »

Elle a fait défiler dans son esprit les raisons qui l'avaient amenée à tuer ces trois hommes, et a secoué la tête :

« Non, c'est eux, les monstres. »

14 h 45

— C'est eux, les monstres ? répète l'inspecteur Ventura pour s'assurer qu'il a bien compris.

— Oui, réaffirme la tueuse.

— Le nazi, on est d'accord. Votre Lucien, c'était pas un doux, je veux bien l'entendre, d'ici à parler de monstruosité… Mais le Luigi, là, c'était un lâche tout au plus, mais un monstre ?

— Dis donc, Columbo, on fait mon procès, là ? dit la vieille, outrée.

— Mais oui, Berthe ! Il faut bien que vous compreniez que oui ! martèle Ventura. Enfin, en tout cas, on le prépare. Et laissez-moi vous dire que le juge ne va pas être clément avec tout ce que vous me racontez.

— Mais toi ? Toi, tu fais mon procès ?

Berthe se sent trahie, elle qui avait décidé de se livrer en toute confiance, confondant psychanalyse et garde à vue.

— Je prends votre déposition, et ce que vous m'avouez depuis quelques heures, non, je ne le cautionne pas.

— Et c'qu'ils m'ont fait, eux ? Tu l'cautionnes ?

— Non. Et ils seraient là, en face de moi, ils passeraient un sale quart d'heure.

— Ma souffrance, elle s'est pas comptée en quarts d'heure.

— Je ne dénigre pas votre souffrance, mais on parle de meurtres. Alors le nazi, je dis pas, mais les deux autres, jusqu'à preuve du contraire, ils n'avaient rien fait d'illégal.

— Tu veux dire de « puni par la loi » ?

— Exactement.

— T'y crois fort à ta loi, hein, Columbo ?

— Oui, Berthe, j'y crois.

— Ben moi, j'crois à la justice.

— Mais la loi est là pour ça.

— Quoi ? La loi et la justice, ce serait lié ? T'as fumé trop d'thé vert, mon grand.

Pujol pouffe, une fois de plus. L'agent est au spectacle, il n'a qu'une hâte, menotter cette folle furieuse et l'amener à l'échafaud, néanmoins elle le fait se tordre de rire. Intérieurement. Plus que le rictus de réprimande de Ventura à chacune de ses sorties de piste.

— T'es pas assez con pour m'dire qu'la vie est juste, le provoque la vieille.

— Non, effectivement, je ne vais pas vous dire cette connerie.

— Par contre la loi, t'y crois ?

— Ça fait trente ans que je la défends, et oui, j'y crois.

— Et t'étais où quand y fallait m'défendre, moi ?

Les yeux de Berthe se chargent de l'amertume du naufragé qui fait des signes de détresse à un paquebot au loin sans être vu.

— Je n'étais pas né.

— Fais pas l'malin. Toi, ou un autre, derrière vot' Code civil, y en a pas eu un pour réagir. Ces meurtres à p'tit feu, y comptent pas pour des assassinats. Un mari qui vous bat, qui vous torture, qui vous détruit, il est pas puni par la loi…

— S'il y a des preuves, si.

— Tu peux montrer des blessures qui s'voient pas, toi ? La justice et la loi font pas meilleur ménage qu'un mariage arrangé.

— Mais avec ce Luigi Fizzarino, c'était juste un banal problème de procréation.

— Banal ? s'étrangle Berthe.

— Oui, banal, Berthe. Douloureux, j'en conviens, mais banal. Les hôpitaux sont bourrés de couples qui ont des problèmes de fertilité. C'est terrible, mais ce n'est pas anormal !

— J'te parle de l'après-guerre. Une femme qu'arrivait pas à avoir d'enfants était fustigée, bien plus qu'un mari qui battait la sienne tous les jours.

— Vous exagérez.

— Tu les aimes, tes enfants, Lino ?

— C'est pas à moi de répondre aux questions, ici.

— Réponds-moi quand même.

Berthe sait faire preuve de fulgurances d'autorité d'une efficacité redoutable. Alors Ventura se met à table :

— Je ne les vois pas assez souvent. On ne se parle plus beaucoup. Mais ce sont mes enfants, oui.

— Et eux, y t'aiment ?

Certaines questions simples font trop mal pour y répondre tout aussi simplement. Il faudrait faire face à la vérité, mettre de côté le déni et affronter le constat d'échec. Celui d'une paternité ratée. Donc celui d'une vie pas beaucoup plus réussie.

— On ne se parle plus beaucoup, je vous ai dit.

— Beau gâchis.

Le silence vrombit dans le confessionnal.

Pujol se sent de trop et scrute son économiseur d'écran, pour éviter tout contact visuel avec son supérieur. Un homme pris en flagrant délit d'échec devient imprévisible. Potentiellement agressif. Voire injuste.

— Oui… je suis bien d'accord, est forcé d'admettre Ventura.

— Être parent, c't'un privilège. Pourtant, combien font l'même constat ? Gâchis, dit l'aïeule, amère de ne pas avoir eu cette opportunité.

— On est d'accord, Berthe, on fait tous des conneries. Mais votre époux, là, vous l'avez étranglé parce que vous n'arriviez pas à tomber enceinte ! On parle de ça ! Étranglé puis enterré ! Alors je veux bien qu'en tant qu'étalon, il se soit posé là, mais quand même !

— Oui, j'avoue. Çui-là, j'ai p't'être un peu perdu mon sang-froid.

— Perdu votre sang-froid ?! s'exclame l'inspecteur.

Pujol tente de réprimer son éclat de rire en pinçant ses lèvres et s'asperge la bouche de morve.

— Pujol ! l'emplâtre Ventura.

— Pardon, chef, s'excuse Pujol en cherchant un mouchoir dans ses poches.

— Perdu votre sang-froid ? insiste Ventura.

— Peut-être... un peu..., marmonne une Berthe piteuse en quête d'une excuse sur le lino en lambeaux à ses pieds.

Le portable de Ventura sonne.

— Quoi ! aboie l'inspecteur en décrochant.

— Sept crânes humains, et neuf animaux. Probablement des chats. Et un chien, énumère Bernier au téléphone.

— Tu me répètes ça ? demande Ventura, sonné par la pluie d'uppercuts d'un round particulièrement véhément.

— On décompte sept macchabées. Le reste, c'est des animaux.

— Sept ? répète l'inspecteur, qui a besoin de vérifier.

— Sept, confirme Bernier. Je t'envoie une photo, tu vas comprendre. C'est assez spectaculaire.

Berthe, qui n'entend qu'une partie de la conversation, mais qui est médaille vermeille en rébus et mots croisés, remplit les cases et se fait toute petite sur sa chaise.

Le smartphone de Ventura émet un son électronique. L'inspecteur clique sur le fichier multimédia reçu. La photo montre Bernier, peu photogénique, au milieu d'un parterre d'os humains et animaux. Ventura a beau ne pas être connaisseur, il trouve la composition spectaculaire. Il en partage l'effet visuel en dirigeant son écran vers Berthe.

— Votre cave.

— C't'incroyable tout d'même…, dit-elle, impressionnée.

— Je suis bien d'accord, valide Ventura en se replongeant dans cette photo extraordinaire au sens le plus littéral du terme.

— La technologie moderne, précise-t-elle.

— Quoi ?

— Non, j'dis c't'incroyable, la technologie moderne. Y a une photo dans ton téléphone. D'mon temps, fallait trois jours pour avoir le 22 à Asnières.

Pujol se remouche de rire dans ses mains. Soupir de Ventura. Étincelle d'espièglerie au fond de l'œil de Berthe.

— Vous n'avez donc aucun remords ! continue d'être choqué l'inspecteur.

— Oh, si, plein. J'en ai tout un puits. Mais dans la cave, là ? Non…

Ventura scrute la centenaire. Il la détaille comme une scène de crime, y cherchant un indice, mais non, il ne trouve rien. Pas une trace de remords.

— Pujol, quand vous aurez fini de vous moucher dans votre uniforme, vous irez me chercher un café. Bien serré !

— Et une chocolatine, pour moi, profite Berthe.

« Le culot de cette vieille », pense Ventura avant de compléter sa commande :

— Et une chocolatine pour Mme Gavignol.

— Ah ben, tu r'deviens sympa, Lino. J'te trouvais moins agréable, depuis la fin du déjeuner.

— On discute de vos meurtres multiples, alors oui, je durcis le ton.

Berthe n'en reste pas moins pétillante et lui tapote la main.

— Mais tu m'laisses avoir ma chocolatine. T'es un gentil, toi.

« Garder le cap, se concentrer sur l'enquête », se répète en litanie l'inspecteur attendri. Se disant qu'un peu de réconfort ne lui ferait pas de mal non plus, il précise à son sous-fifre :

— Pujol, les chocolatines, deux.

Pujol acquiesce et sort.

— T'es gourmand aussi, hein, coquin ? taquine la grand-mère.

— Bon, reprenons, dit Ventura, faisant mine de ne pas avoir entendu. On en est à sept cadavres. Vous m'avez avoué trois meurtres. Un nazi. Deux maris. C'est qui, les quatre autres ?

Berthe se ternit à nouveau. La rigolade est finie, il va falloir recommencer à déterrer les sales souvenirs, maintenant que leurs os sont revenus à la surface.

— C'est les autres.

— Les autres quoi ?

Cette fois, c'est la terreur qui s'immisce dans la voix centenaire :

— Les autres monstres.

1951

Berthe a fêté le début des années cinquante au son du swing musette. Depuis la mort de Luigi, elle écumait les bals et dansait jusqu'au tournis, s'abandonnant dans la ronde des accordéons et des guitares manouches. Elle ne serait pas mère et avait décidé d'être femme. Elle écoutait son corps, et le faisait valser, swinguer, chalouper. Les hommes en avaient la tête qui tournait. Alors Berthe papillonnait, sans enjeux, ni attente. Légère et désinvolte.

Ces week-ends enfiévrés, Berthe s'y livrait dans des bourgades éloignées. Elle avait déjà mauvaise réputation au village où les mères de famille jalousaient le radieux de son épanouissement. Berthe était aimée chaque samedi, de façon éphémère et par des étrangers, elle montrait une joie de vivre insolente et personnifiait pour certaines un affront à leur frustration.

Berthe avait obtenu le divorce sans difficulté. Elle avait quitté la parure Fizzarino pour redevenir Gavignol. Une fois de plus. Son mari l'avait quittée pour on ne sait quelle jeunette. L'infidélité de Luigi n'était plus à démontrer. Le Rital avait une réputation de coureur de jupons. Pour preuve, il avait mis enceinte une certaine Suzanne, délicieuse boulangère de Saint-Flour, qu'il avait laissée sur le carreau, elle aussi, ce salaud. Engrosser une femme, quand il ne s'agissait pas de la sienne, constituait une violation au contrat de mariage que le plus abruti des avocats ne pouvait contester.

Bien entendu, personne n'a jamais retrouvé la trace de Luigi, pas plus Suzanne que la *Mamma*. Mais Berthe restait droite dans ses sabots. Après tout, c'était elle qui avait été faite cocue. Quand la *Mamma* lui a envoyé un télégramme pour avoir des explications, Berthe lui a écrit dans une lettre fleurie ce qu'elle pensait de sa relation castratrice avec son fiston. En français et sans gants. À sa traduction par une des sœurs francophile, la *Mamma* a failli en avoir un arrêt cardiaque. Elle n'a pas pour autant débuté une psychanalyse, mais le diagnostic a eu l'effet escompté : elle n'a plus jamais donné de nouvelles.

Berthe ne passa jamais son permis de conduire, mais avait gardé l'Alfa Romeo de feu Luigi et comptait bien s'en servir pour se rendre par-delà les plateaux, danser jusqu'au lever du soleil, se faire conter fleurette sur la banquette arrière, et revenir au petit matin, ses chaussures à la main, se coucher dans son grand lit douillet en se disant que, finalement, elle avait une belle vie.

Ces années ont été légères et joyeuses. Sans attaches, Berthe se laissait porter par le flot de son plaisir grisant. Alors certes, il lui arrivait de trouver tout cela un peu vain, mais pourvu qu'on ait l'ivresse…

La guinguette à laquelle elle se rendait le plus souvent était tenue par Marcel, cabotin de belle carrure, constamment coiffé d'un canotier de paille, une indémodable marinière moulant son torse accueillant. Marcel, en plus d'être un homme au charme certain, s'avérait être un danseur particulièrement talentueux. Berthe avait virevolté dans les bras de nombre de galants fort bons swingueurs, mais Marcel avait quelque chose de plus. Il était aérien. Ses pieds effleuraient le sol, ses gestes avaient la fluidité d'un ruisseau, il pouvait enchaîner les passes les plus complexes avec une aisance enivrante. Berthe ne se laissait pas seulement guider, elle s'abandonnait entièrement. Et l'abandon dans les bras d'un homme n'était pas mince affaire pour une femme qui cachait tout de même un Luger dans sa boîte à gants. Mais ceux de Marcel étaient ensorcelants. Lorsqu'ils saisissaient Berthe pour un swing échevelé, elle suivait leurs mouvements, sans résistance. Elle ne dansait pas, elle volait. Les couleurs se mélangeaient devant ses yeux, ses pieds glissaient sur le parquet ciré, Berthe ne réfléchissait plus. Elle était dans l'instant présent, le plaisir immédiat. Hormis la passion qu'elle avait connue avec Luther, Berthe ne s'était jamais sentie aussi bien que dans les envolées qu'elle partageait avec son danseur.

Marcel connaissait l'histoire de Berthe. Comme tout le monde. Après la guerre, on aimait colporter du croustillant et les mésaventures de la fille Gavignol en avaient tous les ingrédients. Mais lui ne la jugeait pas. Il la faisait danser. Encore et encore.

Un soir qu'un guitariste malmenait ses cordes sur un air de Django Reinhardt, les danseurs tournoyaient sous la lumière des lampions quand un lacet de Marcel a cédé. Berthe a marché dessus et a fait trébucher son partenaire qui l'a entraînée dans sa chute. Les deux se sont retrouvés l'un sur l'autre au milieu de la piste sous les applaudissements joyeux des autres danseurs.

— J'ai glissé. Pardon, a dit Berthe embarrassée.

— Ne t'excuse pas. C'est délicieux de te sentir sur moi.

Berthe a rougi aux mots du fripon.

— On nous regarde.

Berthe se sentait soudain pudique, ainsi exposée sur scène et alors que Marcel laissait s'aventurer une de ses mains sur la courbe de ses reins.

— Laisse-les.

Il a posé ses lèvres chaudes sur celles de Berthe et elle s'est abandonnée à lui, se foutant cette fois du regard des autres. Mieux, elle se donnait en spectacle. « Après tout, si vous voulez vous rincer l'œil, c'est cadeau. » Elle se ressourçait à l'ovation à mesure qu'elle frissonnait à l'invraisemblable sensualité de ce baiser, ô combien inopportun, mais parfaitement exquis.

Berthe a épousé Marcel trois semaines plus tard, le 5 septembre 1951, et est devenue Mollignon, en se demandant tout de même si elle ne faisait pas une connerie.

Marcel avait développé ses talents de danseur pour donner le tournis aux femmes, car il savait qu'en les attirant dans son lit, il en serait autrement. Berthe n'a pas dérogé à la règle. Émoustillée, elle a invité son futur amant à l'arrière de son Alfa comme elle le faisait quand la danse avait été euphorisante, que le danseur sentait bon ou qu'elle brûlait de se faire pénétrer. De nature déjà peu farouche, elle se révélait, avec l'ivresse d'une nuit à danser et à boire du Picon, plus réceptive aux aventures sensuelles sur le cuir d'une voiture de fabrication italienne. Et quoi ? Elle s'en était fait la promesse : elle profiterait de la vie !

Mais lorsque Marcel, moins assuré que sur la piste, lui a dégrafé le soutien-gorge tout en se débraguettant, Berthe a été surprise de le sentir s'empêtrer dans des gestes maladroits, lui qui enchaînait les passes avec virtuosité. Il est vrai qu'en ce domaine, Berthe montrait une véritable dextérité et un appétit certain. Elle a mis le côté brouillon de Marcel sur le compte de l'alcool et a pris le *lead*, comme le ferait un bon swingueur.

Elle a tout d'abord libéré sa poitrine voluptueuse pour l'offrir à son amant, calmer sa panique tout en échauffant ses ardeurs. La manœuvre a montré les résultats escomptés. Marcel s'est plongé entre ses seins qu'elle avait magnifiques et s'en est délecté avec la gourmandise qu'il se doit. Berthe pouvait se concentrer sur la suite de la chorégraphie, plaçant la main de Marcel sur ses fesses, pour avoir enfin libre accès à sa braguette. C'était laborieux mais ça n'en serait que meilleur quand ils feraient l'amour en osmose au son de Django, s'est-elle dit alors qu'elle introduisait sa main dans son caleçon. Cependant, la raideur qu'elle a ressentie est venue de la nuque de Marcel, qui n'a pas réagi comme escompté à l'intrusion pourtant engageante de cette main. Berthe a cherché un temps avant de comprendre que le bout de saucisse à peine plus gros qu'un index qu'elle tâtonnait résumait la promesse de plaisir que lui offrait l'amant. Elle a considéré Marcel qui avait cessé de bouffer ses seins. Il savait qu'il avait un pénis ridicule. Il avait grandi avec, contrairement à lui qui était resté petit. Il lui avait fallu se construire une sexualité chaotique et emplie de frustrations qu'il avait su combler par l'ivresse des flonflons. Mais ce moment où la femme qu'il s'apprêtait à prendre lui renvoyait cette expression désorientée où se mêlaient pitié et déception, il l'avait si souvent subi qu'il le glaçait un peu plus à chaque fois.

Berthe tergiversait, Marcel était doux et tendre, il lui avait donné plus de plaisir sur la piste que bien des amants entre ses cuisses, au lit ce ne serait pas une panacée, elle l'avait d'ores et déjà acté, ça ne l'empêchait pas de passer un bon moment. Marcel n'en revenait pas, sans faire état de sa piètre prestance, Berthe s'est offerte à lui, entière et généreuse.

Pas la panacée, donc. Mais la danse avait été bonne. Et il y en aurait d'autres. Et sous le scintillement de cette belle nuit étoilée, c'était tout ce qui importait à la danseuse.

Sauf qu'après six mois de mariage, la magie vacillait pour faire place à la routine. Et le brillant dans les yeux de Berthe avait disparu. Car il y a les nuits à l'arrière d'une Alfa Romeo, après quelques verres dans le nez, sous un clair de lune romantique, et il y a les soirées qui s'égrènent dans la monotonie du quotidien.

Marcel se refermait à mesure qu'il sentait Berthe frigide sous les va-et-vient de son bassin. Après six mois sans vibration, il devenait urgent que l'amant comprenne qu'il allait devoir compenser.

— Comment ça, « te lécher » ?

— Ben oui.

— Mais où ?

— Ben là.

Berthe a désigné ses cuisses ouvertes. Dieu, qu'il fallait être explicite avec ce garçon gauche. Mais Marcel, pétrifié sous une tonne de complexes, ne semblait pas entendre, ne voulait pas voir et réagissait à l'opposé de ce qu'il aurait dû.

— Je vais pas te bouffer la cramouille, Berthe.

— Oh eh ! Sois pas vulgaire, non plus.

— Je vais pas te bouffer la cramouille, et puis c'est marre.

— Tu dis pas ça quand tu me fais sucer ton rogaton.

Marcel l'a pris dans les dents et s'est refermé comme une huître. La patience de Berthe s'amenuisait et elle le faisait savoir. « Ben ouais, mais mon gars, j'suis pas l'Armée du Salut, moi. Faudrait faire un peu donnant, donnant », Berthe l'a pensé très fort mais l'a gardé pour elle. Elle sentait qu'il valait mieux ne pas trop brusquer le mâle sur le terrain génital.

Pourtant, ils partageaient ensemble de bons moments. Quand Berthe préparait la soupe dans sa cuisine, Marcel passait derrière elle et augmentait le son du poste de radio si un air entraînant l'y invitait. Il glissait alors la main autour de la taille de la cuisinière et la faisait rouler le long de son bras. Berthe tournait, tournait et tournait, puis, retenue par la prise experte du danseur, repartait dans un rebond en rythme et virevoltait autour de la lourde table où reposaient les légumes à moitié coupés.

Berthe aimait ces bulles de légèreté. Elles lui faisaient oublier les grises mines d'après le cul, les ressentiments dus à la frustration, l'étouffement des non-dits. Lorsque la musique les enrobait, ils étaient un. Leurs corps échangeaient en harmonie, se rencontraient, glissaient, rebondissaient et repartaient de plus belle. Dans la chaumière auvergnate qui avait vu mourir ses premiers maris et un nazi, Berthe et Marcel se livraient à des chorégraphies dignes de Ginger Rogers et Fred Astaire.

Mais au lit, c'était une autre partition qui se jouait :

— Ta cramouille poilue, elle est pas ragoûtante. J'y mettrai pas la bouche, pas plus que les dents.

— Alors on fait comment ? Parce que s'il faut attendre après ton engin ridicule pour me donner du plaisir, j'vais être marron plus longtemps que mes cheveux qui vont finir blancs avant qu'je frétille.

Bam, une petite baffe dans sa gueule. Berthe ne l'avait pas volée, celle-là. Tous les hommes raisonnaient de la même façon et l'exprimaient avec les mêmes arguments, ça en devenait lassant.

Berthe en avait pourtant marre de collectionner les macchabées dans sa cave et se disait qu'on pouvait tout de même dialoguer pour résoudre les conflits sans verser dans le sang.

Alors elle a repris un ton plus doux :

— Marcel, je t'aime. Et je sais que tu m'aimes. Quand tu me fais danser, je sens les anges qui soufflent dans mes cheveux. Je suis bien avec toi. Je suis bien dans tes bras. Mais au lit, ça va pas. T'es pas monté avec de l'artillerie lourde, c'est pas un secret d'État.

Marcel s'est raidi à nouveau et a brandi sa main au-dessus de Berthe.

— Non ! S'il te plaît, non ! Fais pas ça ! l'a-t-elle supplié. Ne m'oblige pas. S'il te plaît… ne m'oblige pas…

Enorgueilli par sa domination revenue, Marcel n'a pas compris la drôle de prière de sa femme. Il ne se doutait pas qu'elle était tiraillée entre la volonté de sauver son couple et l'élan de lui coller une balle entre les deux yeux et qu'on n'en parle plus.

« Bordel, mais se faire donner du plaisir, c'est vraiment trop demander ? »

Les jambes toujours écartées, Berthe bouillonnait face à son mari au micropénis qui brandissait mollement la main au-dessus d'elle. Tu parles d'une pietà.

— Marcel, je te demande pas grand-chose. Je te donne du plaisir, tu me donnes du plaisir. C'est comme en danse. Si je te suis pas, on bouge pas, on vibre pas.

— Ça a rien à voir.

— Ça a tout à voir. Y a des immenses danseurs tout petits. J'en ai même connu un unijambiste !

— Tu déraillles complètement, tais-toi.

— Marcel, on va pas pouvoir continuer comme ça. Si tu me considères pas, je m'offrirai plus à toi.

— T'es ma femme. Tu feras ce qu'on attend de toi.

— Non mais oh ! On est en 1952, là. Réveille-toi ! Faut arrêter avec cette image moyenâgeuse de la femme avilie. J'te rappelle qu'on a même le droit de vote, maintenant !

Parler politique, dans l'attente d'un cunnilingus mérité, Berthe sentait que l'argument manquait d'à-propos mais valait tout de même la peine d'être mentionné. Les hommes avaient encore besoin d'éducation quant à l'émancipation exponentielle de la gent féminine. Mais un sexe de femme, s'il est l'origine du monde, pouvait aussi brouiller l'écoute d'un mari complexé par la taille du sien.

— Une bien belle connerie encore, cette histoire de droit de vote.

— Marcel, tu me fatigues.

Berthe a mis un terme à l'échange en refermant les cuisses et en se penchant en quête de sa culotte.

— Tu bouges pas, on n'a pas fini !

— Mais on n'a jamais commencé, mon pauvre. À quel moment t'as vu mes yeux se retourner ? Tu m'as déjà entendue haleter à ton oreille ? T'as déjà senti mes ongles se planter dans ton dos ? Et nos ventres glisser parce qu'on sue depuis des heures qu'on se fait fondre de plaisir ? On n'a jamais commencé, Marcel. Jamais !

Berthe cherchait sa culotte au sol quand elle a senti une main lui empoigner les cheveux et la tirer en arrière. La douleur a été vive. Brutale. Berthe a senti une partie de son cuir chevelu s'arracher. Elle a à peine eu le temps de tourner la tête, l'homme qui s'est jeté sur elle, elle ne le reconnaissait pas. Ce n'était plus Marcel qui la faisait voler sur le parquet ciré de sa guinguette, le danseur qui l'emmenait là-haut dans les étoiles tutoyer la Voie lactée, le tendre qui la faisait tournoyer dans l'intimité de sa cuisine bercée par la mélopée radiophonique, alléché par l'appétissant fumet de la soupe qui frétillait, elle.

L'homme qui s'est jeté sur Berthe n'avait plus rien d'humain. Derrière ses yeux fous brûlait son animosité, il montrait les dents comme un chien enragé, et la douleur que Berthe a sentie dans son vagin l'a transpercée.

Elle a d'abord hurlé, puis a rapidement vomi. Comment Marcel pouvait-il lui faire si mal avec une bite si petite ? Son crâne cognait contre le mur, le cul tendu à l'air. Berthe a vomi une nouvelle fois. Abrutie de douleur, au seuil de l'évanouissement, elle n'a plus eu la force de hurler, ni d'extraire son visage de ses régurgitations.

Elle a perdu connaissance alors que son mari la labourait à grands coups de poing.

15 h 23

Même Pujol n'ose se racler la gorge. Cette fois, c'est Ventura qui se lève pour apporter un verre d'eau à la grand-mère. Sans un mot. Pas besoin. Sa mine en dit long sur ce qu'il pense. Alors il adopte le tact de circonstance, il se tait et attend que Berthe soit prête pour la suite.

La vieillarde boit son verre. Elle l'a pris sans relever le museau. Ses yeux sont toujours là-bas, dans le lit où elle se fait tabasser. Mais la fraîcheur de l'eau lui fait du bien.

L'horloge émet un tic-tac soudain assourdissant. L'inspecteur n'avait jamais remarqué que son mécanisme faisait du bruit. Il a toujours préféré la discrétion des horloges numériques. Maintenant il se rappelle pourquoi.

La déglutition de la grand-mère entre en symbiose avec le battement des aiguilles à mesure qu'elle boit. Ventura attend l'inspiration. La profonde. Celle qui marque la reprise du récit du témoin.

Mais elle ne vient pas.

Pas encore.

Alors il se lève et va ouvrir la fenêtre. Renouveler l'air devenu rance. À en suffoquer. Celui, frais, de l'extérieur entre à tâtons. Comme s'il ne voulait pas déranger. Cette fois, Berthe relève les yeux. Elle apprécie l'élégance dont fait preuve Ventura. Il sait la malmener quand il le faut, mais aussi juger les moments inadéquats et prononcer la trêve.

Posté à la fenêtre, Ventura observe des badauds courir se mettre à l'abri. Le vent s'est levé et le crachin n'annonce rien de bon. Dehors comme dedans.

L'inspecteur a été poli jusque-là mais la fenêtre ouverte lui donne une bonne excuse pour déroger au pacte établi avec la grand-mère incommodée par le tabac. Il se penche donc au dehors et s'allume une Gauloise. Sans filtre. Et sans culpabilité.

Berthe le remarque. Elle apprécie décidément le savoir-vivre de ce garçon.

Pujol, qui, lui, manque de sophistication, mate son économiseur d'écran en se demandant bien ce qu'ils foutent et pourquoi son supérieur a interrompu l'interrogatoire alors qu'Aurillac joue contre l'OM ce soir.

— Je suis prête.

Berthe l'a annoncé de façon presque imperceptible. Juste assez pour que Ventura l'entende, acquiesce, prenne une dernière bouffée de nicotine cancéreuse, jette son mégot sur la pelouse du commissariat et referme la fenêtre derrière lui.

Il s'assoit :

— Quand vous voulez.

1952

La soupe était infecte. Marcel donnait la becquée à Berthe depuis quatre jours qu'elle était clouée au lit à tenter de se rétablir. Marcel était un piètre cuisinier mais un bon cogneur. Berthe se marrait doucement en repensant aux roustes que lui collait Lucien. Petit joueur. Marcel faisait partie de la catégorie supérieure. Celle qui laisse des séquelles. Berthe, en plus d'avoir le vagin tuméfié, en a eu le coccyx pété. Va expliquer ça au médecin. Marcel s'en est bien sorti : chute dans l'escalier.

« Ben voyons, j'ai le con en chou-fleur et le cul pété en deux parce que j'ai raté une marche. Et l'autre, il avale l'excuse. Sont bien tous complices. » Berthe l'avait mauvaise et hâtait son jugement. Un petit biffeton et un coup de calva avaient aidé à valider le diagnostic.

Un mois au lit sans bouger, voilà ce qui l'attendait. À se faire servir une soupe infâme par son tortionnaire. Impotente, Berthe ne pouvait plus rien faire seule. Pas même aller chercher son Luger et reprendre son explication avec son mari attentionné là où ils l'avaient laissée.

Le goût âpre du navet mal cuit se mélangeait au fiel

de la vengeance qui macérait dans sa bouche. Il lui fallait ne plus provoquer le fou et reprendre des forces pour se défendre. Ne plus se faire prendre par surprise. Et se libérer.

Berthe échafaudait son échappatoire à chaque cuillerée. Marcel la nourrissait comme le bébé qu'elle n'avait jamais eu, en lui mimant de grands « Aaaaaaaaah » et proférant de puérils « Mange, voilà, c'est bien ». Plus il gâtifiait, plus Berthe s'imaginait lui ouvrir les viscères au couteau et les lui faire bouffer avec les mêmes babillages : « Allez, encore une bouchée. Voilà, on ouvre grand, on finit tout. Il reste encore un peu d'intestin. Allez, on mange bien les sept mètres tout entiers ! Sale fumier ! »

Berthe en avait la bave aux lèvres. Marcel y voyait une fièvre post-traumatique.

« Mon pauvre ami, si tu savais comme j'ai envie de te crever ! »

Après deux semaines de convalescence, Berthe a senti ses forces revenir. La cuisine infecte n'y était pour rien, Berthe se nourrissait de sa rage de tuer. Les jours se succédaient sans qu'aucun des époux ne fasse allusion à « l'incident ». Berthe avait le mot rare depuis, allez savoir pourquoi. Marcel n'était pas revenu dessus non plus. Comme s'ils avaient enterré ce souvenir nauséabond avec les autres pourritures dans la cave.

Marcel se couchait le soir aux côtés de sa femme en posant une bise innocente sur son front. Chaque fois qu'il s'approchait d'elle, Berthe ne pouvait réprimer un réflexe de protection. Un soubresaut qui la lançait du coccyx au cerveau reptilien. Un animal blessé et son tortionnaire dans le même lit ne font pas bon ménage.

Soir après soir, Marcel éteignait la lampe de chevet et Berthe ne respirait plus. Jusqu'à ce qu'elle l'entende ronfler. La peur au ventre, elle fixait le plafond dans l'obscurité et n'y voyait qu'une chose : le Luger.

« Le Luger ! Qu'est-ce qu'il fout là ? »

Marcel se penchait pour ramasser le plateau de son repas au sol et le rapporter à la cuisine. Planté dans son pantalon, bien arrimé entre sa ceinture et son dos, se trouvait le Luger.

« Non, non, non, non !! » Berthe en a eu des sueurs froides.

Marcel a ouvert la porte, s'est retourné avec un hochement de tête paternel qui la faisait vomir un peu plus chaque jour, et s'en est allé dans la cuisine.

« Non, non, non, non… », a hurlé Berthe en silence. Prise de fièvre, elle a fixé le plafond et n'y a plus vu que son désespoir.

Une larme solitaire a coulé le long de sa joue et a imbibé la taie de son oreiller.

Les jours suivants, Berthe n'est plus parvenue à avaler la soupe.

— Il faut que tu manges, Berthe.

« De qui tu te fous ? J'suis clouée là à cause de toi, et tu joues les infirmiers ? »

— J'ai pas faim, Marcel, a-t-elle répondu poliment.

— C'est la soupe ? Tu veux que j'y mette de la betterave ? Pour changer ?

« C'est pas ta saloperie de soupe, c'est ta saloperie de gueule que j'arrive plus à digérer ! »

— Non, mon chéri, elle est très bonne, ta soupe. J'en ai juste assez d'être bloquée dans ce lit.

— Justement, si tu veux en sortir, il faut que tu reprennes des forces.

L'illumination. « Merde, il a raison ! » Depuis qu'elle avait vu le Luger, Berthe se laissait abattre. Autant dire se laissait mourir. Si Marcel voulait l'aider à se remettre sur pied plutôt que de la maintenir immobile, Berthe devait en profiter. Après tout, elle ne savait pas quels autres jeux sadiques lui réservait ce chien fou.

— D'accord, j'en veux bien une cuillère.

— Voilà, c'est ma fi-fille, ça.

Marcel a ouvert grand la bouche en faisant « Aaaaaaaaah ! »

« Connard ! »

Deux semaines plus tard, Berthe ne marchait toujours pas. Une idée fixe la torturait : s'emparer de la clé de sa liberté. La carabine de Nana. Que la grand-mère gardait pour protéger sa petite-fille. Et qui la sauverait bientôt. Un bon vieux calibre 22. Au-dessus de la cheminée. Trop haut. Tellement trop haut. Quand on a le coccyx pété.

Encore quelques jours de convalescence, avait prescrit le médecin après une rasade de calva. Ensuite ce sera la canne, le temps que la machine reparte.

« Ta canne, tu vas te la carrer », maugréait l'impatiente.

Marcel n'avait jamais mentionné le Luger depuis

qu'il l'avait déniché. Ce que Berthe trouvait plus angoissant encore. Ce malade savait très bien qu'elle l'avait vu. Et il avait le sang tellement froid qu'il n'avait pas estimé nécessaire de proférer des menaces.

Marcel dormait avec l'arme sous son oreiller et si le coccyx fragile de Berthe lui jouait des tours, le fou aurait tout le temps de lui faire payer sa témérité. Berthe savait qu'il lui fallait exécuter son mari dès que possible. Même avec ses muscles ramollis par des semaines d'alitement, elle n'avait plus le choix. Berthe a retenu sa respiration et s'est redressée dans le lit qui a émis un grincement traître. Elle a serré les fesses, comme si cette action avait un quelconque effet sur les ressorts rouillés. Marcel ronflait, toujours imperturbable. Berthe, en apnée, a posé le pied sur le parquet qui a grincé à son tour. « Putain de bordel de merde… », a-t-elle juré en serrant les fesses plus fort, réveillant ainsi la douleur de son coccyx. Elle a tiqué, s'est mordu la joue, mais il n'était plus temps de faire marche arrière. Prenant appui sur la canne posée à ses côtés, elle s'est redressée, la douleur l'a lacérée, ses jambes ont flageolé, mais elle a tenu bon.

— Qu'est-ce que tu fais, mon amour ? Le docteur t'a recommandé de ne pas encore marcher, a dit Marcel d'une voix endormie.

Berthe a stoppé dans l'obscurité. Son myocarde a cessé de pomper. Son coccyx la lançait. Rien ne se déroulait comme prévu.

— Je vais faire pipi.

— Utilise le pot.

Berthe percevait une once d'agacement dans le ton de son mari. Il fallait tout de suite éteindre la moindre étincelle de soupçon.

— J'ai mes règles. Je sais que t'aimes pas quand je laisse du sang dans le pot.

Silence.

Soupir.

Marcel s'est retourné dans une position plus confortable.

— Fais pas de bruit en remontant.

L'aversion des hommes pour les menstruations était insondable mais dans le cas présent salvatrice.

Berthe a fait un pas en avant. Douloureusement. Elle a pris soin de fermer la porte derrière elle pour que Marcel ne l'entende pas.

Parvenue tant bien que mal dans le salon, Berthe a tiré la chaise sous la cheminée. Elle serrait les dents. Son coccyx se rappelait à elle à chaque mouvement. « C'est bon, tu peux me lâcher, je t'oublie pas ! » Elle a grimpé sur l'assise qui a grincé à son tour – « Ben voyons » – puis a tendu le bras vers la carabine. « Merde Nana, on se serait fait dézinguer dix fois, le temps que tu l'attrapes, cette foutue carabine ! » Berthe a grincé des dents à nouveau, mais la douleur lancinante a fait place à la réjouissance au moment où elle a tenu l'arme entre ses mains. Berthe a senti du chaud remonter dans ses veines. L'énergie de la vengeance s'est propagée. Berthe en était galvanisée. Elle se sentait indestructible. « Je vais te faire payer ! »

Avant de redescendre de la chaise, Berthe a eu un

doute. Elle a ouvert la culasse. On ne sait jamais. Des semaines à anticiper la réfection du minois de son tendre mari, il ne faudrait pas être freinée par une sombre histoire de munition. Ce serait ballot.

Berthe a émis un petit rire désespéré en voyant le canon vide.

« Nana… Putain… »

Une larme s'est écrasée à ses pieds. Berthe a serré à nouveau la mâchoire en remettant la carabine en place. Puis est retournée se coucher aux côtés de son geôlier, la mort dans l'âme.

Le lendemain, Berthe, assise sur son lit, la canne à la main, s'apprêtait à se lever officiellement. Elle n'avait plus qu'une idée en tête, le rayon armurerie de sa droguerie. Cartouches calibre 22.

Et comme si Marcel avait lu dans ses pensées, il a prononcé cette sentence :

— Je n'aime pas cette droguerie. On va la vendre. T'auras plus besoin de travailler.

Cet homme était réellement fou. Il allait la séquestrer. En faire son esclave. Et personne ne s'en inquiéterait. Son mari voulait la garder à la maison ? En 1952, asservir une femme n'avait rien d'un crime. On appelait ça une femme au foyer. Berthe était piégée.

Marcel ne l'avait jamais menacée directement. Outre le fait qu'il portait un Luger à la ceinture, il était resté un mari aimant.

Berthe le fixait en pensant à la carabine déchargée et a dégluti.

La sonnette de l'entrée a alors retenti.

— T'attends quelqu'un ? a demandé Marcel, suspicieux.

— Non.

Marcel est allé ouvrir la porte.

Berthe a fermé les yeux. En attente.

— C'est pour toi. Une fille qui s'appelle Rose.

Et au fond d'elle, Berthe a souri.

Quand Berthe a rouvert les yeux, se tenait face à elle une ravissante demoiselle de seize ans. Berthe revoyait la fillette qu'elle avait baignée dans le sang de son frère, dix années auparavant. Cette fillette qui lui devait la vie.

Le sourire de l'adolescente rayonnait mais ses yeux cachaient mal son désarroi. Une valise posée à ses pieds, Rose venait visiblement chercher de l'aide.

— Je peux rester chez vous quelques jours ?

Marcel a pris les rênes de la conversation.

— Il y a un problème avec tes parents ?

— Mon père m'a chassée.

Rose a posé sa main sur son ventre. Marcel a compris le sous-entendu et une lumière s'est allumée dans son œil. Visiblement, la perspective d'héberger une pécheresse le mettait en joie. Les pécheresses ont du bon, elles sont déjà souillées. Aucune morale pour les protéger. Rejetées par leur famille et même l'Église. Pauvres âmes égarées.

Alors autant en profiter.

— Tu peux rester ici quelques jours. Le temps que tu te rabiboches avec ton père.

Ce cher Marcel. Le cœur sur la main.

— Je vais te montrer ta chambre.

Rose a suivi le geôlier dans l'obscurité du couloir.

Derrière elle restait sa valise oubliée.

Marcel a ouvert la porte de la chambre d'amis. Il avait pris soin de cacher le Luger sous sa chemise avant de galamment laisser passer Rose. L'adolescente lui a souri, timide, a fait un pas à l'intérieur, puis Marcel a refermé la porte derrière eux.

Quelques secondes plus tard, des hurlements ont percé le bois mité.

Marcel a plaqué Rose sur le lit. Il tentait de la bâillonner sans succès. Il lui a collé une mandale, ce qui s'est montré plus efficace.

— Berthe !! Berthe ! Aide-moi !

— Berthe est clouée au lit, elle peut rien pour toi !

Rose était véloce et Marcel avait du mal à la maîtriser. La petite feulait. Marcel l'immobilisait, la frappait, mais Rose parvenait systématiquement à sortir de son emprise et le jeu du chat et de la souris reprenait. Marcel jubilait. Le chat aime le jeu. Un temps.

Marcel a collé le Luger sur la joue de Rose pour se faire comprendre.

— Maintenant, laisse-toi faire.

Marcel a retourné Rose et lui a relevé les fesses. Manifestement, il aimait cette position. Rose, la tête contorsionnée sur l'oreiller, suppliait son agresseur de l'épargner.

Ses cris rebondissaient vainement contre les murs de la chambre fermée.

Rose n'arrivait pas à détacher ses yeux de ceux de son agresseur. Des yeux de chien enragé. Qui la fixaient. Et qui soudain se sont éjectés. Quand le visage de Marcel a explosé.

Pour la deuxième fois de sa vie, Rose se trouvait aspergée de la cervelle d'un autre. Après celle de son frère, c'était de celle de son violeur qu'elle était couverte.

Abasourdie, les tympans bourdonnant suite à la détonation, Rose a repoussé le corps de Marcel hors du lit. Le cadavre sans visage s'est vautré dans un choc sourd sur le parquet.

Dans l'embrasure de la porte se dessinait la silhouette d'une femme aux cheveux bouclés, appuyée en équilibre contre le chambranle. Une carabine fumante à la main.

Calibre 22.

La veille, alors qu'elle reposait la carabine au-dessus de la cheminée, Berthe avait réfléchi. Qui pouvait-elle appeler à l'aide ? Avec ses macchabées dans la cave et un Luger dans la poche de son mari ? Avec un médecin corrompu et la moitié du village à dos ? Qui l'écouterait ?

Et puis elle avait repensé à Rose. Qui lui devait la vie. Et qui peut-être accepterait de sauver la sienne en retour.

Berthe avait décroché le téléphone le plus discrètement possible, et avait demandé à l'opératrice qu'elle la connecte aux Thuillier, en espérant ne pas réveiller toute la maisonnée. Elle priait le ciel, qui n'avait guère été clément avec elle jusque-là, que ce soit Rose qui réponde.

— Allô ?

C'était bien la voix de Rose à l'autre bout du fil. Une voix saccadée de pleurs. Derrière elle, son père beuglait comme un charretier. Berthe avait chuchoté dans le noir, elle avait peu de temps pour exposer son plan avant d'éveiller l'attention de son mari endormi :

— Rose, c'est Berthe.

— Berthe ?

— La droguiste.

— Berthe, je peux pas te parler. Il est tard et…

— Quoi, c'est le voyou qui t'a engrossée ? avait vomi le père derrière elle.

— Non, papa, c'est la droguiste.

— Pourquoi elle appelle à cette heure-ci, cette grognasse ?

Le souvenir de la mort de Riton était resté vivace dans les esprits de tous. Et Berthe en portait la disgrâce. Rose savait ce qui s'était réellement passé ce jour-là et ce qu'elle lui devait. Berthe comptait sur cette dette morale qu'elle a exposée à Rose en peu de mots :

— Rose, j'ai besoin de toi. C'est une question de vie ou de mort.

Rose a ravalé ses larmes.

— Je t'écoute.

— Viens me rendre visite demain, prends pour excuse l'engueulade avec ton père, mais surtout, SURTOUT, ramène-moi une boîte de cartouches. Calibre 22.

— Mais où je vais trouver ça ?

— Démerde-toi. Rose, je suis sérieuse. C'est vital !

Berthe avait raccroché sans laisser le temps à Rose de lui répondre, en espérant que l'adolescente avait entendu la gravité de son SOS.

Quand la sonnette a retenti, Berthe a su. Le lien que leur drame avait scellé entre elles avait guidé les gestes de Rose. En tout cas, elle l'avait espéré très fort.

Lorsqu'elle a vu Marcel guider l'adolescente vers la chambre, Berthe a su que les secondes lui étaient comptées. Elle s'est extraite du lit et a poussé un cri de douleur masqué par ceux de Rose. L'horreur allait commencer dans la chambre. Son coccyx lui faisait souffrir le martyre, mais Berthe a réussi à se traîner jusqu'à la valise oubliée là. Elle a retenu sa respiration et l'a ouverte. Une boîte de cartouches était logée confortablement dans un tas de culottes bleues.

— Brave petite, a lâché Berthe dans un souffle de soulagement.

Rose hurlait plus fort dans la chambre. Berthe a cessé d'écouter la douleur de son corps, a claudiqué dans l'escalier, s'est emparée de la chaise pour se hisser jusqu'à la carabine.

— J'arrive… J'arrive…

Berthe a tenté d'armer le fusil, mais ses tremblements ont fait tomber la boîte de cartouches.

— Bordel de Dieu !

Berthe est redescendue de sa chaise, s'est penchée pour en ramasser une et a poussé un hurlement bestial. Son corps qui n'avait pas bougé depuis plus d'un mois se déchirait. La bave aux lèvres, les mâchoires serrées, Berthe a inséré deux cartouches dans le canon et refermé la culasse.

À présent que Marcel gisait à ses pieds, la tronche éclatée, Berthe n'avait plus mal. La vie circulait à nouveau dans ses veines. Le soulagement l'anesthésiait.

— Espèce de folle ! Il allait me violer ! hurlait Rose, hystérique.

— Je suis désolée, Rose, je…

— Tu m'as piégée ! Salope, tu m'as piégée !

— C'est vrai, je t'ai utilisée comme appât… mais tu as compris pourquoi.

Recroquevillée dans un coin du lit, la culotte déchirée sur les cuisses, Rose a fini par regarder le corps par terre. Marcel. Le visage arraché. Le caleçon baissé. Et, oui, elle a compris.

— Merde, elle est petite, sa bite.

Rose a dit ça avec la spontanéité de son âge. Les deux femmes en ont été surprises puis ont éclaté de rire en canon. Un rire salutaire. Berthe a serré Rose contre elle. Fort. Puis elle a versé une larme dans son cou.

— Merci.

Cette nuit-là, c'est Rose qui a creusé. Berthe avait le coccyx en vrac et besoin d'une partenaire de crime. Quand Berthe lui a désigné la pelle et l'emplacement où la planter, Rose n'a pas hésité.

Le Luger avait retrouvé sa place dans la poche de Berthe, et cette fois, elle ne comptait plus le lâcher.

— Inutile de préciser que tout ça reste entre nous.

— Inutile, a répondu Rose avec une maturité étonnante.

L'exécution de son frère par un nazi avait dû la pourvoir en sagesse, ou altérer toute forme d'émotion, Berthe hésitait.

— Tiens.

Berthe a tendu un verre de la gnôle de Nana.

— Qu'est-ce que c'est ?

— Un rituel.

Rose a trinqué sans plus poser de questions.

Les deux femmes ont bu dans le calme retrouvé.

— Tout ça parce qu'il voulait pas me lécher, a murmuré Berthe encore éberluée.

Puis Rose a repris son fossoyage. Un « poc » sec a attiré son attention. Rose a dégagé un bout de terre et découvert les os d'une main. Ce bon vieux Lucien. Rose a relevé les yeux sur Berthe qui la fixait sans rien dire. La situation parlait d'elle-même.

Rose s'est dit que toutes les légendes qui couraient sur Berthe étaient bien loin du compte et elle s'est remise à creuser.

16 h 02

— Tu trouves toujours qu'c'est moi qui y allais un peu fort ?

Berthe n'a pas touché à sa chocolatine. Les barbelés qui lui enserraient la gorge lui ont coupé toute forme d'appétit. Elle n'aurait rien pu déglutir. La terreur revenue bloquait tout.

— Non. Ce Marcel était effectivement une ordure, dit Ventura avec une gravité sobre.

Lui aussi avait reposé sa viennoiserie. Après la première bouchée, l'horreur décrite par la pauvre vieille lui était restée en travers de la gorge.

— Et dans ce cas, oui, on peut parler de légitime défense.

— Ah, quand même !

Voilà Berthe rassurée que la justice lui tende enfin la main. Elle allait finir par se croire folle d'avoir à se justifier continuellement de sa survie.

— Mais l'accumulation joue contre vous, précise l'inspecteur.

— Qu'est-ce que tu dis ?

Berthe manipule le volume de son sonotone, pas sûre d'avoir bien entendu.

— Vous savez ce que veut dire « tueur en série » ?

Seule contre tous. L'histoire se répète. L'injustice vide Berthe brutalement du peu d'énergie qui lui restait.

— J'suis fatiguée, Lino. J'voudrais rentrer chez moi maintenant.

— Mais vous ne pouvez pas, Berthe. Vous êtes en garde à vue, je vous l'ai déjà expliqué.

— Quand est-ce que je pourrai rentrer à la maison ?

— Avec ce que vous venez de me raconter ? Je ne suis pas sûr que vous puissiez jamais.

Le froid se répand dans la carcasse de Berthe.

— Quoi ?

— Je n'arrête pas de vous l'expliquer depuis qu'on a commencé cet interrogatoire, mais vous n'écoutez pas. Vous êtes accusée de sept meurtres. Vous venez d'en avouer quatre.

— Ben justement, j'obtempère.

— Et c'est très bien. Mais la gravité des faits…, dit l'inspecteur, bien embêté.

Berthe prend la mesure de ce que veut dire la loi pour la première fois depuis son interpellation. Et la centenaire s'écroule de sa chaise.

— Pujol !

Ventura se précipite sur Berthe en claquant des doigts vers Pujol qui court chercher de l'aide. L'inspecteur glisse sa main brûlante sous la tête glacée de la grand-mère. Il palpe la finesse de ses cheveux.

Elle n'a pas dû amortir grand-chose, cette chevelure de grand-mère. Une simple grand-mère, pense-t-il.

« Et merde ! »

— Lino… J'suis fatiguée…, murmure le petit être brisé entre ses bras.

— Je sais, Berthe. Vous allez vous reposer. On va s'occuper de vous.

Berthe ferme les yeux. Ventura éprouve un moment la crainte que cette extinction ne soit définitive. Il puise en lui de vieilles réminiscences de catéchisme oubliées depuis l'enfance et prie le ciel que Berthe rouvre ses paupières. Parce qu'il l'aime bien, cette grand-mère. Et qu'il brûle de connaître la suite de son histoire.

Est-ce parce qu'elle sent son heure venue ? La dernière image qui vient à Berthe, avant de plonger dans l'abîme, est celle d'une enfant qui sautille. Joyeuse et insouciante.

Libre.

1922

Un après-midi de novembre, Berthe rentrait de l'école en sautillant sur un chemin boueux, visant les flaques creusées par les pluies d'un automne particulièrement maussade. Poussée par cette attirance pour la boue qui n'appartient qu'aux enfants, Berthe chantonnait au rythme de ses bonds lorsqu'un jappement l'a accompagnée en chœur. Un animal souffrait au loin et tentait de le faire savoir à qui pourrait en être ému. Le couinement venait du chemin qui menait aux champs du fils Grouviot. Berthe a cessé de sautiller et a pris le détour d'un pas direct.

Cent mètres plus loin, trois gosses entouraient un pauvre clébard mal en point. La seule présence de l'intruse a suffi à freiner leur élan. Armés de bâtons, les trois gamins s'amusaient à torturer un bâtard d'épagneul au poil orange et blanc pigmenté à présent du rouge de son sang. Son œil avait été percé, il boitait, la jambe brisée, sa langue pendait, l'écume aux babines, et, expression trompeuse des chiens lorsqu'ils ont la gueule ouverte, il semblait joyeux.

Les trois charmantes têtes blondes sont restées figées dans leur position belliqueuse. Seul le chien bougeait encore, son œil vaillant fixé sur Berthe que son instinct animal avait identifié comme aide salvatrice potentielle. Pourtant, Berthe n'était qu'une petite fille de huit ans face à trois garnements de deux années et dix centimètres de plus qu'elle.

Berthe les défiait sous ses sourcils froncés accusateurs. Les garnements étaient cons, il est vrai, mais pas suffisamment pour ignorer ce que leur conscience tentait de leur rappeler depuis vingt minutes qu'ils s'amusaient à reproduire sur ce chien ce que les Boches avaient infligé à leurs pères il n'y avait pas si longtemps. Avec la même distance froide. Le même plaisir coupable.

— Qu'est-ce que tu mates, petite conne ? a lâché le plus maigre qui paraissait aussi le plus teigneux.

Normal, a pensé Berthe, il est malingre, donc faible, alors il aboie pour ne pas montrer qu'il a peur. On comprend bien des comportements humains en observant les bêtes, et Berthe, ayant grandi à la campagne, en déduisait que le maigrichon était le roquet de la bande, pas le plus costaud, mais vraisemblablement le plus agressif. De plus, il était roux, ce qui avait dû lui valoir sarcasmes et roueries, donc il reportait sur plus faible que lui les sévices dont il avait lui-même souffert.

— Pourquoi vous faites ça ? Il vous a rien fait, ce pauvre chien.

Les trois gamins devant elle ne portaient pas la marque d'une grande vivacité d'esprit sur leurs traits burinés par la consanguinité, mais Berthe était curieuse.

Elle n'anticipait pas qu'elle pouvait aussi se retrouver à la place du clebs.

— Il était comme toi, il puait de la gueule, a aboyé le roquet malingre.

— Alors on a voulu lui donner une leçon, a enchaîné le plus petit d'entre eux.

Celui-là, Berthe le connaissait. Le petit Martin. Il avait son âge. Il était dans sa classe. Un garçon plutôt timide et réservé. Pas une grande confiance en lui. Son père aussi était mort au combat. Fragile, malléable, facile donc à entraîner dans la connerie. C'est influençable, un enfant. Surtout un orphelin de guerre.

— Je pue pas de la gueule. Et même si le chien sent pas bon, c'est pas une raison pour lui crever un œil. Martin, il sent pas toujours bon. Y a même un jour, il a fait caca en classe, parce qu'il a eu peur d'aller au tableau, et on lui a pas crevé un œil pour autant, a gueulé Berthe.

L'innocence d'une enfant qui pense amadouer son assaillant en lui collant le nez dans sa merde.

— Ta gueule, j'ai jamais chié dans ma culotte, s'est justifié Martin.

À la mention scato, ses deux acolytes ont éclaté du rire bêta typique de cet âge. Martin était vexé et a montré les crocs. Le chien, lui, soufflait fort, langue pendante, son œil vaillant toujours rivé à l'espoir, pourtant vain, que représentait Berthe.

Martin a brandi son bâton et a fait un pas menaçant vers la gamine qui ne bronchait pourtant pas. Le plus costaud des trois, probablement déjà pubère, a bloqué le chemin du petit Martin de son bras musclé. Celui-là devait décharger du foin à la ferme, il était charpenté comme un jeune bœuf.

— Bouge pas, morpion, j'm'occupe de la demoiselle, a-t-il ordonné à Martin.

— Ouais, montres-y, Léon ! l'a encouragé le troisième lascar.

Léon n'avait pas douze ans et se prenait pour un caïd de la capitale. Il avait dû voir un titi parisien faire le malin dans une foire et s'était imprégné de ses attitudes en pensant que ça pourrait en impressionner certains par-delà sa campagne. Pas Berthe. Léon s'est rapproché, la dominant de deux têtes. Berthe n'a pas sourcillé.

— Ben dis-moi, t'as des couilles, la petiote.

— C'est quoi, des couilles ?

Fou rire des trois gamins. Incompréhension de Berthe. Jappement du chien torturé. Une fois la poilade terminée, le caïd a embrayé :

— Bon allez, tu m'as bien fait marrer donc j'te laisse partir. Mais j'veux plus voir ta gueule.

— Non, je pars pas.

— Toi, tu commences à me courir.

Léon a poussé Berthe en arrière. Elle a volé sur trois mètres et a fini le derrière dans la boue. Elle n'a pas pleuré, mais ses sourcils se sont froncés un peu plus. Elle a rejoint Léon d'un pas ferme et lui a lancé l'insulte la plus terrible qu'elle puisse imaginer :

— C'est pas gentil !

— Ah tu crois ? Ben attends, t'as encore rien vu !

Le chien a fermé son œil, apeuré. Berthe, elle, a eu un autre réflexe. Elle a chopé les couilles du caïd à pleines menottes et a serré bien fort en donnant des coups secs comme si elle cherchait à décrocher des fruits pas mûrs.

— T'es pas gentil !! a-t-elle insisté pour lui faire comprendre ce qui semblait lui avoir échappé la première fois.

Des yeux du caïd s'échappaient des larmes de supplice, et son corps était parcouru de tressautements. Cette réaction-là, il ne l'avait pas piquée au titi. A suivi la tétanie, conséquence du choc testiculaire bien connue de tous les hommes, mais que Berthe découvrait avec stupeur alors que Léon gisait à ses pieds, les mains plaquées sur son entrejambe, plié en deux dans la boue et émettant des couinements qui ne le séparaient plus de l'animal qu'il maltraitait quelques minutes plus tôt.

Ses deux acolytes se sont cassés, en affichant mépris envers Léon et crainte envers la gamine qui venait de terrasser Goliath.

— Où est-ce que tu étais ? J'te cherchais partout.

Berthe s'est illuminée au son de la voix de Nana.

— Nana ! a crié Berthe en tendant les bras, prête pour sa traditionnelle chorégraphie du sac de patates.

Une fois logée là-haut, au chaud dans le moelleux de l'épaule de sa grand-mère, Berthe a sorti un alibi indémontable :

— C'est pas moi, c'est lui.

Nana a observé le gamin émasculé et le chien éborgné. Il ne lui en a pas fallu plus pour élucider la scène de crime.

— C'est toi qu'as fait ça ?

— Oui. Comme tu m'as appris.

Alors Nana a ri, fière de sa petite-fille. En effet, lors d'une conversation autour d'une soupe topinambours-carottes, aromatisée d'effluves de betteraves fermentées à soixante-cinq degrés, Nana lui avait donné un conseil. Une recette qui pouvait sembler de prime abord nébuleuse aux oreilles d'un chérubin mais qui prendrait tout son sens à la mise en pratique :

— Ma petite Berthe, tu risques de rencontrer des moments où il te faudra montrer aux garçons que t'es plus forte qu'eux.

— Mais Nana, c'est des garçons. C'est eux les plus forts.

— Détrompe-toi, ma chérie. C'est ce qu'ils veulent nous faire croire. Mais il faut surtout pas te laisser berner.

— Mais Nana, les garçons, ils sont grands et costauds.

— C'est vrai, ma chérie. Mais ils sont aussi très cons. Donc quand tu seras plus grande, tu comprendras que tu dois pas te laisser dominer, et pour ça il te faudra utiliser ta tête.

Berthe l'avait écoutée avec des yeux dubitatifs, bouche bée. Elle n'y comprenait rien, mais savait que les enseignements de Nana finissaient toujours par mûrir, pareils aux cerises du jardin.

— Mais avant d'utiliser ta tête, tu vas utiliser tes mains. Ou tes pieds. Et tu vas viser là.

Nana avait montré son entrejambe. Berthe n'y comprenait toujours rien mais pensait aux cerises vertes et se disait qu'un jour l'énigme se décrypterait d'elle-même.

Ce jour venait d'arriver. Sans même qu'elle ait besoin d'y réfléchir, ses mains ont mis en application ce que sa grand-mère lui avait enseigné. La leçon était bien rentrée. Dans la tête de Berthe et dans celle de Léon. Et tous deux en ressortiraient grandis.

— Nana, le chien, ils lui ont fait mal, on peut le garder avec nous ?

— Bien sûr, ma chérie. On va aller chercher la brouette pour le ramener.

Nana a contourné le gosse à ses pieds.

— Et toi, t'as intérêt à veiller sur le clebs le temps qu'on revienne.

Elle a ponctué son conseil d'un bon coup de pied au cul. On ne frappe pas un adversaire à terre, mais Nana n'aimait pas qu'on fasse du mal aux bêtes, encore moins aux femmes, et ce morveux s'était attaqué aux deux.

— P'tit con !

Nana a pris la direction de la maison. Le chien leur a jappé son désespoir. Berthe l'a aussitôt rassuré de sa petite voix poétique :

— On revient. On va chercher la brouette.

Le chien a reposé la tête dans la boue. Son souffle s'est apaisé. Une petite fille de huit ans allait s'occuper de lui, il était tiré d'affaire, il le savait.

Logée sur l'épaule de Nana et bercée par sa démarche chaloupée, Berthe ne se déridait pourtant pas. Une question ne cessait de la turlupiner :

— Nana ?

— Oui, ma chérie ?

— C'est quoi, des couilles ?

18h21

Berthe rouvre ses lourdes paupières écrasées de mille couches de rides. Leur poids, comme celui des années, finit par trop peser. À chaque réveil, elle se demande si l'effort en vaut toujours la peine. Aujourd'hui, plus encore que les autres.

— Vous nous avez fait une belle frayeur, madame Gavignol.

L'infirmière qui lui prend le pouls brille d'une aura éclatante sous un faux plafond de néons blafards. Cette jeune fille propage une fraîcheur printanière dans un sous-sol moribond qui sent le mouroir.

— J'suis morte ? demande la vieille, sonnée.

Si cette infirmière a tout d'un ange, le décor autour d'elles pourrait bien faire figure de purgatoire. Et Berthe, qui ne croit plus en Dieu depuis sa naissance, se demande cependant si saint Pierre l'orientera vers l'enfer ou le paradis. Elle ne sait pas quels médicaments ils lui ont administrés, mais, vu ses hallucinations, c'était du costaud.

— Non, madame Gavignol, vous êtes bien vivante.

L'infirmière l'arrose d'une nouvelle rasade de soleil – la vieille plante desséchée sur son lit de fortune en a bien besoin – et trouve rassurant d'ajouter :

— Vous avez une santé de fer, vous mourrez centenaire.

— J'ai cent deux ans, mon ange.

Le sourire de l'infirmière dégringole et éclate en mille morceaux sur le carrelage.

— Pardon, je…

— Mais ton pronostic est pas faux, tu vois, j'suis toujours là.

Le sourire édenté de Berthe vient secourir celui morcelé de l'infirmière qui reprend forme, un rien ébréché, mais il tient.

— Vous avez beaucoup gémi dans votre sommeil, je vous ai injecté un tranquillisant.

— C'est à cause de ce p'tit con de Léon.

— Je vous demande pardon ?

— J'ai rêvé du jour où il a crevé l'œil d'Hugo. Hugo c'était mon chien.

Drôle de cauchemar, se dit Berthe qui n'a pas repensé à cet événement depuis… combien ? Des décennies. À ressasser son passé, son subconscient en fait ressurgir des bribes dans le désordre. Faut-il en déduire que le p'tit Léon est à l'origine de sa pulsion vengeresse envers les hommes ? À moins que ce ne soit Alzheimer qui la fasse dérailler ? Elle n'a pourtant pas été diagnostiquée, mais il y a un début à tout, surtout à son âge.

— Tenez, il faut vous hydrater.

L'infirmière tend un grand verre d'eau à la grand-mère perdue dans sa rêverie.

— Ce p'tit con…, dit Berthe en se désaltérant.

— Vous êtes adorable, madame Gavignol. Vous me faites penser à ma mémé.

Berthe lui tapote la main en secouant la tête.

— T'es gentille, mon ange… Mais tu t'trompes.

L'infirmière laisse à nouveau choir son sourire au sol. Un rien vexée, elle s'en retourne à son autre malade.

Berthe prend alors conscience qu'elles ne sont pas seules dans l'infirmerie. Un garçon au visage tuméfié, l'arcade sourcilière tout juste recousue, et la lèvre éclatée, est assis sur le lit voisin. Il n'a pas vingt ans, pourtant sa main est menottée au barreau du lit. Il flotte de la rancœur dans ses yeux noirs qui peinent à cacher leur douceur. Est-ce à cause de cette douceur, ou de sa couleur de peau, mais ce garçon lui rappelle Luther.

— Comment tu t'appelles, fiston ? demande Berthe.

L'infirmière qui finit de lui désinfecter ses plaies masque la vue du blessé qui doit pencher la tête pour apercevoir la vieille.

— Mouss, répond-il, peu ouvert à la conversation.

— Mouss ?

Berthe trifouille son satané sonotone.

— Mouss, s'agace le garçon.

— Mouss, répète Berthe, pour se le mettre en bouche. C'est joli. C'est doux. Moi, c'est Berthe.

Mouss profère un vague son guttural pour toute réponse. « La jeunesse et son ouverture au dialogue… », pense la vieille.

— Tu m'rappelles quelqu'un, Mouss… Quelqu'un qu'j'ai beaucoup aimé.

— Moi ?

Cette exclamation, Mouss n'a pas pu la contenir. Une vieille Blanche plus mâchouillée qu'un chewing-gum, un Noir lui ferait penser à quelqu'un qu'elle aurait aimé ? « Elle a fumé, mamie ! »

L'infirmière se pose en retrait et passe un appel avec son téléphone de service.

— Inspecteur Ventura ? Oui, c'est l'infirmerie. Mme Gavignol est réveillée.

Berthe jette un coup d'œil au vitriol par-dessus son épaule atrophiée. « Ça sent la délation, ici. » D'un coup, l'infirmière lui paraît bien moins angélique, alors elle retourne à son mouton noir :

— Oui, toi.

— Sérieux, vous avez aimé un keumé comme moi ?

— Tu dis ?

Berthe maudit son sonotone, joue de la mollette du volume, espérant qu'elle lui décode ce langage urbain.

— Votre bonhomme, là ? Il était noir ?

— Oui.

— Noir comme moi ? Genre, le Renoi quoi !

— Saleté d'sonotone.

Berthe extrait l'appareil de son oreille, souffle dessus, puis l'ingurgite, le malaxe dans sa salive et le recrache, satisfaite de son opération propreté.

Le visage de Mouss se tord de dégoût.

— Un Noir, oui, confirme-t-elle.

— Et vous l'avez aimé ?

— Follement, oui.

Elle tapote la main du délinquant. La fine rugosité de son épiderme ravive en elle la sensation de celle de Luther.

— J'te souhaite d'connaître un aussi bel amour, mon beau.

Mouss, avec sa gueule éclatée et son faciès propice au délit, n'en revient pas d'être ainsi choyé par cette vieille qu'il aurait imaginée votant FN et le dénonçant pour être passé trop près de sa pelouse tondue ras. De la chaleur humaine, depuis le début de sa journée à lui, il en a manqué également. Il prend.

— Alors Berthe, on est réveillée ?

Ventura pénètre dans l'infirmerie, une chocolatine à la main.

— Je vous ai ramené votre chocolatine, vous n'avez pas eu l'occasion de la finir tout à l'heure.

— Étouffe-toi avec.

— Me dites pas que vous êtes fâchée contre moi ?

L'inspecteur ne peut s'empêcher de se sentir blessé.

— Fais l'malin, va. Bon, tu m'mets les menottes tout de suite ou tu m'passes à tabac d'abord ?

Les montagnes russes de surprise continuent de donner le vertige à Mouss.

— Vous me promettez de ne pas vous enfuir ? demande l'inspecteur.

— M'tente donc pas, Columbo.

Berthe revient à son jeune désorienté à la peau d'ébène et aux yeux de soie, et lui pose une caresse maternelle sur sa joue gonflée par les coups.

— Au revoir, Mouss, porte-toi bien.

Berthe fait un pas en direction de l'inspecteur qui l'a rejointe et lui glisse une main sous le bras pour s'en servir comme appui.

— Vous m'avez fait peur, vous savez, confesse-t-il.

— Qu'est-ce que vous avez, à tous dire ça ? C'est vous qui voulez ma mort, alors jouez pas les précautionneux.

— Vous êtes dure avec nous.

— Continue sur ce ton, et j'vais t'montrer comment j'me sers d'mon Luger.

— Madame !

Mouss s'est permis cette intervention après avoir hésité, mais la question lui brûle ses lèvres éclatées.

— J'm'excuse mais… pourquoi vous êtes là ?

— Mêle-toi donc de ton cas, le foudroie Ventura.

— Oh, pas besoin d'être grossier, toi, le gronde Berthe.

Puis elle se retourne vers Mouss avec son plus beau sourire de grand-mère :

— J'ai tué sept gars et j'les ai enterrés dans ma cave.

Le blanc des yeux ronds de Mouss éclate au milieu de son visage noir.

— Bon, on y va ?

Ventura tente d'accélérer le pas sans déboîter le bassin de la vieille et sans attendre la réponse.

Alors qu'ils passent le pas de la porte, Mouss ose une dernière question :

— Y vous avaient fait quoi, ces gars ?

— Ils m'ont maltraitée, répond Berthe en disparaissant

dans le couloir qui la mène à la suite de son interrogatoire.

Mouss, bouche hagarde, rassemble ses esprits éparpillés autour de lui par l'impact de la stupéfaction :

— Elle est sérieuse, là ?

L'infirmière reste coite, rongée par la culpabilité d'avoir pu comparer ce monstre à sa mémé.

Mouss siffle, admiratif.

— Wesh, ma gueule, c'est le Scarface du Cantal, la mamie.

— Bon, ça va, on a compris !

L'infirmière bout. Le délinquant se replie sur lui-même en marmonnant dans ses trois poils de barbe :

— N'empêche, respect, la grand-mère.

— Je voudrais que vous m'expliquiez quelque chose, dit Ventura en s'asseyant au fond de son fidèle fauteuil d'interrogatoire.

— Ah ben, ça nous change. Qu'est-ce tu veux savoir encore, Columbo ? Qui sont les trois autres ?

— Oui. Mais avant, je voudrais que vous me parliez de votre voisin.

— Qui ? Le fils de Gore ? demande Berthe en se bâfrant de sa chocolatine.

Sa sieste l'a creusée, alors elle ne va pas se priver. Elle finirait presque par se sentir chez elle dans ce bureau aux murs coquille d'œuf périmé. L'avantage de son grand âge, malgré des articulations grippées, on est flexible.

— Lui-même.

— Eh ben ? Qu'est-ce tu veux savoir sur ce p'tit con ?

— Il s'est réveillé de son opération pendant votre sieste. Et il a beau avoir l'arrière-train déchiré par votre tir de 22, il a décidé de ne pas porter plainte.

— Ça prouve qu'il est pas rancunier.

— C'est le moins qu'on puisse dire. Donc ? Vous crachez le morceau ?

Elle préfère avaler une bouchée de viennoiserie.

— Berthe ? Ne m'obligez pas à vous confisquer votre chocolatine.

Berthe frappe du poing sur le bureau :

— Continue sur ce ton et… ! Qu'est-ce t'as fait d'mon Luger ?!

— Arrêtez donc avec vos menaces, dit Ventura, blasé. Il est rangé avec les autres pièces à conviction, et votre dossier est assez chargé pour que vous n'y rajoutiez pas le meurtre d'un inspecteur de police.

— Au contraire, ça pèsera pas plus dans la balance, si ?

« Merde, elle a raison », se dit Ventura, se félicitant de ne pas avoir laissé traîner l'arme potentielle de ses autres crimes. Il jette un œil sur Pujol qui n'en perd pas une miette, contrairement à Berthe qui fout de la chocolatine partout, et se demande s'il ne faudrait quand même pas menotter cette psychopathe avérée qui se permet encore une requête :

— J'pourrais avoir un thé ?

— Oh, on n'est pas au restaurant ici ! J'ai une enquête à faire avancer, moi.

— Mais c'est pour tremper ma chocolatine, pleurniche la vieille.

« Dieu que cette grand-mère est désarmante. Dangereux, ça, avec une meurtrière », se dit l'inspecteur.

— Pujol, allez me chercher un café.

— Serré ? demande l'agent.

— Non. Allongé. Faut qu'il me dure, celui-là. Je sens qu'on n'est pas couchés. Et un thé pour notre invitée.

Allégresse de Berthe qui met sa chocolatine de côté pour la finir avec son thé à venir.

— Bon, comme j't'aime bien, Lino, j'vais t'expliquer pourquoi ce p'tit con d'de Gore dira rien.

1952

Marcel enterré, Berthe préparait un café bien mérité pour Rose et elle dans la cuisine. Enfin paisibles.

— Maintenant tu vas me dire qui t'a fait ça.

Berthe a désigné le ventre de Rose.

— Le notaire.

— Pourquoi tu baisses les yeux ?

— J'ai honte.

— De quoi ?

— D'être tombée enceinte.

— Crois-moi, y a pas de honte à ça. Au contraire, réjouis-toi, ça veut dire que tout fonctionne à l'intérieur. C't'une chance…

Rose a décelé toute la souffrance de la femme stérile.

— Si y en a un qui doit avoir honte, c'est le salaud qui t'a fait ça.

Berthe voulait balayer l'apitoiement qui s'installait. Rose a pris une gorgée de café. La conversation prenait le ton réconfortant qu'elle avait espéré la veille de ses parents avant de se prendre une tarte et de se faire jeter dehors sans préavis. À peine le temps de balancer trois culottes dans sa valise, de faire un crochet par le débarras de son père pour y dérober une boîte de cartouches, Rose s'était retrouvée dans la rue et seule au monde mais prête à voler au secours de Berthe. La synchronicité entre son coup de fil et l'engueulade avec son paternel l'avait transcendée. Quand on a survécu au drame qui les a marquées d'une croix gammée au fer rouge, on verse facilement dans le mystique.

— Me dis pas que t'as fait ça pour le plaisir. Maître de Gore est moche comme un cochon.

— Non, je l'ai fait pour l'argent.

— Il t'a payée ?

— Oui. À chaque fois. Comme les autres.

— Les autres ?

— Simone. Marie. Jeannette. Et probablement d'autres que je connais pas.

— Que des mineures, hein ?

— Il aime la chair fraîche.

— Encore un type bien, a lâché Berthe en triturant son Luger sans s'en rendre compte.

— Tu me le prêtes ?

— Non, ma chérie, on va arrêter là les conneries. Moi, c'est différent, c'est devenu une hygiène de vie. Mais toi, t'es encore pure, tu peux encore t'en sortir.

— Pure, c'est vite dit.

— Tu vas prendre ta valise et monter à la ville. Tu vas oublier ce qui s'est passé ici et tu vas te construire une nouvelle vie. Et pas de regrets, tu laisses rien qui vaille la peine derrière toi.

— J'ai pas d'argent.

— Je t'en donnerai. Suis veuve pour la troisième fois, je commence à avoir une bonne pension.

Rose n'a pu réprimer un rire au ton décontracté de la Veuve Noire. Puis elle a pointé son ventre.

— Et lui ? Comment je fais ?

— Ben tu l'élèves et t'essaies de lui donner de meilleures valeurs que l'exemple de ces salauds.

— Je veux pas le garder.

Berthe en a eu la gorge serrée. Elle se doutait depuis le début que la petite penchait pour cette décision. Le Miséricordieux jouait encore de ses grosses ficelles. Rose n'était pas là par hasard. Leurs destins entraient en collision. Après avoir envoyé Marcel en enfer, il lui fallait à présent s'occuper d'un ange.

— T'es sûre ?

— De Gore est une raclure. Son enfant sera un bâtard. Je verrai cette ordure en le voyant grandir. J'arriverai pas à l'aimer. C'est pas lui rendre service que de le laisser vivre.

— T'es en retard de combien ?

— Deux mois et demi…

La mort dans l'âme, Berthe contemplait cette jeune fille pleine de vie, qui en portait les prémices dans son utérus. Elle pensait au sien qui n'avait réussi à en accueillir aucune et se disait que, décidément, tout ça était bien injuste.

— Je vais chercher les aiguilles à tricoter.

La nuit avait une odeur de naphtaline. Maître de Gore dormait d'un sommeil profond dans son grand lit laissé vide par le décès prématuré de sa femme, emportée par la syphilis après la guerre. Maladie déshonorante que de Gore, en galant homme, avait maquillée en tuberculose. Néanmoins, personne n'était dupe au village, la de Gore était vraisemblablement une traînée.

Autant la maladie de sa femme lui faisait honte, autant ce notable respecté ne souffrait d'aucune barrière morale pour s'offrir la virginité de mineures innocentes. L'homme représentait la Loi, mais Berthe ressentait le devoir civique de lui en rappeler quelques articles fondamentaux. Après avoir mis Rose dans un bus, la valise chargée de victuailles et d'une somme suffisante pour se construire un début de nouvelle chance, Berthe est allée rendre une petite visite à l'homme qui devait par ailleurs signer l'acte de décès de son mari fraîchement enterré.

De Gore poussait de mignons gémissements de goret dans son sommeil quand un goût de métal froid l'en a tiré. Quelle ne fut pas sa stupeur quand il a découvert qu'il suçait un Luger et que la femme qui l'en menaçait n'était autre que cette folle de Gavignol.

— Alors mon cochon, il te plaît, mon biberon ?

De Gore a eu la mauvaise idée de s'offenser. Le mâle dominant en lui a poussé un grognement. Berthe a décelé qu'il s'apprêtait à lui coller une mandale.

— Tut tut tut tut, mon grand. Tu ravales ta testostérone de suite et tu percutes que t'as un pistolet dans la bouche, sinon je repeins ta triste chambre avec ta cervelle, qui à défaut d'être saine, a le mérite d'être colorée.

De Gore a froncé les sourcils, dérouté par la diatribe nocturne de la justicière armée d'un Luger.

— Maintenant tu vas m'écouter attentivement. Marcel vient de se faire sauter le caisson, par accident bien entendu. Il nettoyait la carabine de la grand-mère et il a pas digéré le tir de 22 qu'il s'est pris dans les dents. Ça, c'est pour la version officielle que tu vas valider. Pour l'officieuse qui va rester entre nous, c'était moi derrière la gâchette, c'était loin d'être un accident et c'était surtout pas le premier.

De Gore espérait toujours se réveiller de ce qui semblait être un mauvais cauchemar en pestant contre ce verre d'absinthe qu'il s'était enfilé avant de se coucher.

— Maintenant, tu te demandes pourquoi je te dis tout ça et surtout pourquoi j'ai toute confiance que tu vas pas me dénoncer.

Les dents du notaire ont choqué contre le métal du flingue alors qu'il acquiesçait.

— Parce que t'as un Luger dans la bouche, que j'ai déjà dézingué trois maris et un nazi, alors c'est pas un petit notable de province qui va m'intimider.

De Gore en a lâché un jet d'urine sous ses draps. Son cerveau mettait du temps mais son corps, lui, prenait chaque mot de Berthe très au sérieux. De l'efficacité d'un Luger qui vous lamine les gencives.

— L'autre raison, c'est que la fille Thuillier est venue me voir et que j'suis au courant de tes petites sauteries. C'est pas joli, joli, monsieur le notable.

De Gore a écarquillé les yeux et serré le sphincter.

— Maintenant, lève-toi, on va à ton bureau.

Le notaire a eu une seconde d'hésitation en imaginant la moquerie de Berthe devant son pyjama mouillé.

— Faut que j'insiste ?

Berthe a armé son Luger. De Gore a remouillé son pyjama mais ne s'en souciait plus guère.

Une fois à son bureau, il a signé les actes notariés dont Berthe avait besoin.

— Je te laisse voir avec les autorités compétentes pour toutes les formalités. Je vais pas me coltiner les flics et le croque-mort. Y a pas d'embrouilles qu'une bonne corruption ne puisse démêler.

— Vous ne vous en tirerez pas aussi facilement. La police finira par savoir…

— Ce serait dommage pour toi.

— Qu'est-ce que j'ai à voir là-dedans ?

— La fille Thuillier et ses amies t'ont piégé. Elles ont pris des clichés très explicites de vos galipettes. Pas très discrets, tes rendez-vous polissons dans les bois.

— Vous mentez.

— Je viens de charcuter une de tes victimes à l'aiguille à tricoter pour la débarrasser de ta descendance et j'ai buté quatre sales types avant toi. Tu peux remettre ma parole en question, j'comprendrai, j'ai pas l'air complètement saine d'esprit comme ça, reste que la Thuillier maîtrise le Leica de son papa et a planqué les photos dans un casier anonyme. Seuls elle, moi et un ami dont je tairai le nom en connaissons le numéro. Je dois les appeler tous les mois. S'ils ont pas de nouvelles ou s'ils apprennent que je suis en détention, ils publient les photos.

De Gore scrutait Berthe et cherchait à en décrypter le bluff. Grand amateur de manille, il avait appris à lire les mensonges des adversaires à sa table. Mais Berthe n'était pas une joueuse, c'était une tueuse.

— Je sens que tu doutes encore.

Berthe a empoigné un coupe-papier doré et l'a planté dans la main du notaire qui a hurlé comme un porc égorgé.

— C'est bon ? T'as compris que je plaisante pas ?

De Gore fixait le sang noirâtre qui dégueulait de sa main et n'a plus jamais douté du sérieux de sa cliente.

C'est ainsi que Berthe est redevenue Gavignol pour la troisième fois.

— Maintenant, si j'apprends que tu joues encore les vicelards avec une minette innocente, c'est plus la main que je viserai.

Berthe a retiré le coupe-papier de la plaie et a fait mine de le planter dans les bourses du notaire. Réception accusée et traumatisme verrouillé. Après cette nuit-là, de Gore n'a plus jamais bandé.

19 h 02

— Je vois.

— Fallait bien que j'fasse quelque chose pour m'protéger, se justifie Berthe.

— Vous auriez pu vous rendre à la police, suggère Ventura.

— P'tit malin, va.

— Et bien entendu, maintenant, le fiston couvre papa, en déduit l'inspecteur.

— T'as tout compris. En lui léguant son cabinet, le père de Gore lui a aussi fourgué ses dossiers puants.

— Très élégant.

— J'appelle un chat un chat, moi, et un filou tout pareil. L'héritier, l'était aussi corrompu qu'son père et il avait pas plus d'éthique, alors mon cas l'a pas empêché d'dormir. Par contre, ça fait d'lui un… comment on dit, déjà, dans ton jargon ? Complice ?

Fin stratège sous ses airs séniles, la vieille se défend pas mal en matière de plaidoirie.

— C'est vous, la maligne, dit l'inspecteur en jetant un œil à sa montre. Bon, j'aimerais ne pas y passer la nuit. Les trois autres, allez, balancez les noms, qu'on en finisse.

— J'suis désolée d'te décevoir, mais ta nuit, elle va être blanche. À moins qu'tu préfères m'relâcher ?

— Quoi, vous ne voulez pas avouer ?

— J'fais qu'ça depuis des heures. Mais j'avouerai pas sans t'expliquer, et c'qui veut dire que ton dîner avec ta rombière, tu vas l'prendre réchauffé et seul.

— Vous êtes décidément une femme délicieuse.

— J'te retourne le compliment. Enfin tu perds pas au change puisque, ta soirée, tu la passes avec moi.

L'inspecteur ne prend même plus la peine de relever.

— Pujol.

— Oui, chef.

— Il est dix-neuf heures passées, allez chercher quelqu'un pour vous remplacer.

— Bien, chef.

Pujol sort, pas mécontent de rentrer à temps pour le match, même si une part de lui aurait préféré suivre le feuilleton jusqu'au bout.

— Y va pas m'manquer, çui-là, bave Berthe.

— Il fait son boulot.

— Comme toi, hein, Columbo ?

— Comme moi, Berthe. On cherche simplement à faire respecter la loi.

— Et que justice soit faite, hein ?

— Exactement.

Voulant éviter le débat, l'inspecteur relance la machine :

— Alors ! Le meurtre suivant. J'écoute.

— Le suivant, c'était une connerie.

— Parce que les autres, c'en était pas ?

— Quelle partie ? demande la veuve, candide.

— OK, OK…, dit Ventura, battu. Poursuivez. Donc, celui-là, c'était une connerie. Eh bien, je suis curieux d'entendre ça.

1955

Après la mort de Marcel, Berthe avait choisi l'isolement. Elle menait une vie sans histoire, et gardait son Luger à portée de main pour qu'il en reste ainsi.

Ses clientes la surnommaient la Veuve Noire dans son dos. Parfois même sous son nez. Mais c'était la seule droguerie du coin, donc la clientèle restait fidèle, contrairement à leurs époux.

Exclue de toute vie sociale, Berthe cherchait un palliatif qu'elle allait trouver par hasard un jour de brocante à Saint-Flour. Alors qu'elle discutait le prix d'un broc en faïence, son oreille a surpris la conversation de la bouquiniste au stand d'à côté. Descendue de Paris écouler ses classiques, la vendeuse prônait également la parole des modernes, mais ne suscitait guère l'intérêt chez cette clientèle provinciale jusqu'à ce que Berthe, attirée par le titre, vienne feuilleter un de ses ouvrages préférés : *Le Deuxième Sexe.*

Berthe a eu une conversation enfiévrée avec la bouquiniste, qui s'avérait être une féministe convaincue et était ravie de trouver dans ce coin reculé de France une femme aussi ouverte à ce sujet. Beauvoir fut rejointe par Colette et George Sand. Berthe a délaissé le broc sur lequel elle avait jeté son dévolu et a choisi de dépenser sa bourse dans un tas de livres que lui conseillait la connaisseuse.

Depuis, Berthe ne se préoccupait plus des quolibets. Elle attendait patiemment le coucher du soleil pour se réfugier à la lumière de sa lampe de chevet dans la verve de ces auteures qui la ravissaient. Berthe avait trouvé des amies dans la littérature.

Bien seule face à la problématique, très viscérale chez elle, de la domination des hommes, elle découvrait dans l'écriture de ces femmes érudites les mots justes qui dénonçaient le joug masculin qu'elle avait choisi, elle, d'éradiquer de façon plus littérale. Berthe n'avait pas les mots, elle n'avait que les cartouches. Par conséquent, les raisonnements de ces auteures l'inspiraient. Au milieu de ces ouvrages féministes, Berthe ne se sentait plus isolée, dans sa petite chaumière au fin fond du Cantal, à se dire qu'on pouvait être femme et respectée.

Berthe balayait le perron de sa porte sous le cagnard d'un été particulièrement sec lorsqu'un drôle d'énergumène a posé ses godillots et son chevalet dans sa cour. Il portait une barbe hirsute, des lunettes rondes, fumait une pipe fine et arborait une mine éclairée. Un vieux labrador le suivait d'un air bêtement docile.

— Bonjour, chère madame. Excusez mon intrusion, mais votre jolie demeure m'a ébloui. La lumière du soleil y rebondit harmonieusement et l'image qui s'en détache, parfaitement champêtre, stimule mon imagination.

Berthe n'était pas coutumière de ce type d'élocution. La verve jolie l'a égayée.

— Merci. Je le prends comme un compliment.

— Mais c'en est un. Je me présente, Norbert Dufoix.

Le fumeur de pipe a tendu une main constellée de peinture que Berthe a serrée poliment.

— Berthe. Gavignol. Et c'est mademoiselle.

— Mademoiselle ? Mais comment se fait-ce ? s'est enquis le peintre avec malice.

— C'est une longue histoire…, a esquivé Berthe.

— Je raffole des histoires ! La longueur ne les en rend que plus goûteuses. D'autant plus si elles sont rocambolesques.

« Eh ben mon gars, avec moi, tu vas être servi. »

L'homme dégageait une insouciance que Berthe trouvait rafraîchissante. Les hommes que Berthe avait rencontrés jusque-là avaient le sens du commerce et le sérieux de mise. Norbert semblait se foutre de tout, avec son air dilettante et son chien qui puait. Il soufflait un vent de liberté devant son entrée.

— Je brûle de poser mon chevalet quelques heures dans votre cour et d'en dessiner les pourtours, m'en voudriez-vous beaucoup ?

— Ben, faites comme chez vous. Tant que vous faites pas peur à mes poules.

— Je vous promets de me montrer aussi cordial qu'invisible auprès de votre gent volatile.

Berthe a pouffé. Ça ne lui était pas arrivé depuis longtemps. Norbert a ri de lui-même avec elle.

La complicité entre eux a été immédiate.

Norbert donnait de grands mouvements de brosse sur la toile d'un air concentré, un pinceau fin coincé entre les dents. Berthe lui a apporté un verre de citronnade tout en étudiant, fascinée, la peinture qui prenait forme. Un bleu criard crépitait contre un magenta agressif, des coulures jaunes parsemaient de gouttes de lumière les murs chiffonnés de l'esquisse aux déstructurations cubistes.

— Ben dites donc, j'l'avais jamais vu comme ça, ma chaumière.

— Son apparence modeste lui confère en réalité la plus belle des parures.

— Vous êtes un beau parleur, vous.

— Beau, je ne sais pas, mais parleur, oui.

Berthe ne comptait pas rentrer dans le jeu de séduction de l'artiste, mais s'amusait de son aplomb.

— Je vous ai préparé une citronnade fraîche. Vous devriez vous couvrir, le soleil est traître en cette saison.

— Merci, vous êtes une hôtesse de première qualité.

— Mouais. Vous décarcassez pas non plus en compliments, j'en avais envie, alors j'en ai fait assez pour deux.

Petite douche froide, histoire de calmer les ardeurs du don juan de pacotille. Berthe avait son franc-parler et tenait, depuis Marcel, tout soupirant à distance.

— Je vois qu'il ne faut pas vous en conter.

Berthe le titillait de ses mirettes sans répondre. Une

provocation muette pour voir comment l'artiste s'en sortirait.

— Ne vous inquiétez pas, je ne cherche pas à abuser de votre hospitalité.

« Avec ta pipe et ton chien qui pue ? Rassure-toi, tu m'inquiètes pas trop. »

— Vous me dérangez pas, a répondu Berthe sans menace.

— À bien y réfléchir, en fait si, je souhaiterais en abuser.

Berthe a fait un pas en arrière et a posé la main sur son Luger.

— Je désirerais faire votre portrait, a enchaîné le peintre qui ne savait pas à quel point il était passé près de se faire tirer le sien.

Berthe a désarmé le Luger et a repris un air avenant.

— Mon portrait ?

— Un peintre vous a-t-il déjà dessinée ?

— Euh… non, jamais. Avant vous j'avais jamais rencontré de peintre.

— Quel dommage ! Un art si noble ! Je n'en suis qu'un modeste représentant, mais j'aimerais cependant solliciter auprès de vous la permission de créer une œuvre en commun.

— Mais je sais pas créer, moi.

— Vous serez ma muse, et la toile qui en résultera sera nôtre. Une œuvre est la création du peintre et de son modèle.

Berthe avait bien le sentiment de se faire baratiner par le vendeur de croûtes, mais la compagnie lui faisait du bien. C'était devenu rare, alors autant en profiter. Le nettoyage du poulailler attendrait.

— Ben, je veux bien, alors.

— Où pouvons-nous nous installer, pour un peu d'intimité ?

— Pourquoi vous avez besoin d'intimité ? a demandé Berthe à nouveau sur le qui-vive.

— Le processus de création requiert un théâtre propice. Et votre cour est certes champêtre, mais elle ne se prête guère au nu.

— Quoi, au nu ?

Le doigt de Berthe a retrouvé sa place sur la gâchette.

— Mais oui, vos traits ont une personnalité folle et vos boucles sont incroyablement graphiques, mais je ne peins que des nus.

— Tu te fous de ma gueule ?

Norbert en a perdu son masque de bonimenteur.

— Euh… je… pardon ?

— Tu viens faire le joli cœur dans ma cour pour me demander de peindre mon cul, tu m'prends pour une conne ?

Malgré la canicule, Norbert a senti un frisson lui parcourir l'échine.

— Mais non, c'est que… je ne peins vraiment que des nus.

Norbert a perdu en verve et s'est justifié en ouvrant son carton à dessin. Il en a sorti une poignée de croquis au fusain. Des silhouettes tendues, contorsionnées, alanguies. Des traits jetés, nerveux. De corps nus. De femmes. Mais aussi d'hommes.

Berthe a lâché son Luger.

— Vous dessinez aussi des hommes ?

— Bien entendu. Le nu est ma passion. Sous toutes ses formes.

— Même des hommes ? Ça, c'est pas banal.

— J'aime capturer la courbe de l'anatomie. Quelle qu'elle soit. N'y voyez pas le regard d'un homme lubrique.

— On croise pas beaucoup d'artistes dans la région, j'suis désolée, s'est radoucie Berthe.

— Alors, que dites-vous de ma proposition ? Bien sûr, je vous offre le dessin en remerciement de votre hospitalité.

Berthe a hésité. Un homme voulait porter un regard délicat sur elle ? Artistique, même ?

Pourquoi pas ?

— Où je me mets ?

— Ce coin me semble idéal.

Berthe s'est laissé guider vers un amas de foin au-dessus duquel perçait le soleil entre les planches lâches de la grange, prodiguant une lumière chaude et intime.

Posée sur une botte, Berthe attendait la suite, mal à l'aise.

— Eh bien, Berthe, a dit Norbert en attente d'une évidence.

— Oui ? Quoi ? a demandé Berthe, paumée.

— Nous sommes là pour peindre un nu.

— Et ?

Norbert n'a rien ajouté et a attendu que Berthe arrive à la conclusion par elle-même.

— Ah oui, merde, la robe !

Une femme si belle et des manières si rudes, Norbert avait trouvé un sujet en or.

Berthe a commencé à baisser ses bretelles puis a ressenti une gêne inattendue.

— Ça vous dérangerait pas de vous tourner ?

— Aucunement.

Norbert avait l'habitude de la pudeur avant l'exhibition et s'est exécuté sans discuter.

— Norbert ?

— Oui, Berthe ?

— Votre chien. Il me reluque. Il me met mal à l'aise.

— Oh pardon. Allez viens, Renoir.

Norbert a sorti le labrador de la grange, puis a préparé sa palette de fusains.

— Prenez votre temps, Berthe, et faites-moi signe quand vous êtes prête.

Un « Bong » métallique a résonné alors que Berthe laissait glisser sa robe à ses pieds. « Merde, le Luger ! »

— Tout va bien, Berthe ?

— Oui, c'est rien, c'est juste… un marteau qui traînait. Vous pouvez vous retourner.

Ce qu'a fait Norbert.

Berthe ainsi offerte, cheveux sauvages lâchés sur les épaules, les seins nus superbement dressés, et la fine petite culotte pour seul vêtement, était une image d'un érotisme fou. Le peintre a dû reprendre l'ascendant sur l'homme émoustillé, et a entamé la taille de ses fusains.

— Et, hum, Berthe, il s'agit d'un nu, je vous rappelle.

— Et ?

— Votre culotte, Berthe.

— Ah, oui, je suis conne. Voilà.

Norbert a dégluti. Et le peintre s'est fait éclipser par l'homme pris d'une gaule grandiose.

— Je me mets dans quelle position ? a demandé Berthe innocemment.

Norbert en a cassé le fusain entre ses doigts.

La séance de nu resterait pour Berthe mémorable. Deux heures durant, elle n'avait pas bougé. Les rayons du soleil léchaient sa peau, une brise rafraîchissante soufflait dans ses cheveux, sa pose langoureuse offrait une image divinement féminine au peintre qui avait réprimé son érection et noircissait des feuillets entiers de croquis avec une compulsion plus intense qu'une partie de jambes en l'air.

Depuis son psychopathe de Marcel, Berthe n'avait plus fait l'amour. Elle n'aurait pas supporté le contact d'une main velue sur elle, encore moins l'emprise de bras virils. Les blessures physiques avaient cicatrisé mais le choc émotionnel restait une plaie à vif. Au fond de sa grange, confortablement alanguie dans son matelas de foin, à l'abri des regards indiscrets mais offerte à celui de l'inconnu qui la dessinait, Berthe retrouvait le plaisir d'un échange sensuel et sans danger.

L'inspiration submergeait Norbert qui ne parvenait plus à s'arrêter de dessiner. La révélation du corps magnifique de Berthe le transportait. L'ombre d'un instant, il crut même avoir du talent.

— Berthe, ce que vous me donnez là… est céleste. Merci ! Un million de fois, merci !

Un don ? Berthe avait l'habitude d'hommes qui prenaient, sans demander et sans gratitude. Norbert serait-il différent ?

— Norbert, vous avez toujours été peintre ?

— Toujours.

— Comment vous avez su que vous vouliez le devenir ?

— Vous êtes-vous posé la question lorsque vous avez eu besoin de respirer pour la première fois ?

— J'me souviens pas, j'étais bébé.

— C'est une image, Berthe.

— J'avais compris.

Norbert a relevé les yeux de ses feuillets sur son modèle au sourire malicieux.

— Peindre n'a jamais été un choix, mais une évidence. Une nécessité. Vitale.

— Je vous envie. J'ai jamais connu ça.

— Tous les artistes le ressentent.

— J'ai pas de passion, moi, a dit Berthe, une vague de mélancolie dans la voix.

— Je pourrais vous apprendre.

— À être artiste ? Je croyais qu'on naissait avec.

— C'est vrai. Tout le monde n'a pas ce privilège.

Berthe a sourcillé. L'arrogance de cette phrase avait trahi l'ego de l'artiste.

— Mais vous pourriez être ma muse.

— Et vous seriez mon peintre attitré ?

— Votre esclave.

Berthe s'est réjouie de son autodérision enflammée. Après avoir hébergé un tortionnaire, un homme qui s'offrait en esclavage ? Berthe voulait creuser.

Enfin, l'idée.

Norbert bouffait sa soupe dans des bruits de succion peu ragoûtants. Il était loin le beau parleur et l'artiste intrigant. Berthe avait cédé aux trompettes de l'ego et était devenue Dufoix, le 28 janvier 1956, suite aux flatteries. Berthe aimait l'attention sensible qu'il portait sur elle. Il la sculptait des yeux puis de son fusain. Berthe se sentait belle, magnifiée. Norbert ne voyait pas en son modèle un morceau de chair, comme tous les prédateurs avant lui. Il la portait aux nues, sur un piédestal. Elle était sa muse. Il était son esclave.

Face à Berthe bâfrait à présent un peintre du dimanche qui avait posé pinceaux et chien puant dans sa chaumière six mois auparavant, et qui depuis bayait aux corneilles en se prenant pour Manet. Berthe n'avait pas le sens graphique donc n'avait pas d'opinion sur les toiles de son nouveau mari. Norbert avait traversé la France, son chevalet sur le dos, ses toiles dans sa besace, son chien fin de race à ses sabots. Il se disait artiste, les gendarmes l'avaient fiché vagabond. Norbert n'avait pas le sou, mais n'est-ce pas là le sort de tout artiste ? Génial qui plus est, donc maudit. Il ne connaîtra pas la renommée, du moins de son vivant.

— Van Gogh, par exemple, il s'en est coupé l'oreille de frustration.

— Ah, a répondu Berthe dans le vague.

— Le génie ne peut être reconnu de son époque. Il faut du temps au peuple, et même aux connaisseurs, pour détecter le diamant sous le carbone.

— Sous le fusain, tu veux dire.

— Non, ma chérie, le carbone. Le minerai dont vient le diamant, a corrigé Norbert. En bon pygmalion, il cherchait à faire l'éducation de Berthe en tout domaine.

— Je sais, Norbert, je faisais de l'esprit, a reparti Berthe avec agacement.

— Enfin, quoi qu'il en soit, il faut du temps à l'art pour se faire reconnaître des nantis.

— J'comprends bien, mais le jambon, ça coûte des sous. Et c'est déjà moi qui ai payé le marché mardi dernier.

— Je n'ai pas vendu de toile mardi, tu le sais.

— Et faut qu'on attende que tu meures pour que la renommée vienne et que l'argent rentre ?

— Ne soyons pas aussi morbides et bassement matériels, a balayé Norbert en prenant du rab de jambon.

Le peintre n'avait pas un rond mais un sacré appétit. Berthe se demandait si, en plus d'un artiste raté, elle n'avait pas épousé un pique-assiette.

Les dîners s'égrenaient en chapelet de désillusions. Norbert posait ses pieds sur la chaise, les orteils en éventail, pendant que Berthe faisait la popote.

— J'ai besoin de quinze francs.

— Pour ?

— Je n'ai plus de bleu pétrole. Je voudrais peindre le champ des Ranvignac.

— Y font du maïs, pourquoi t'as besoin de bleu ?

Norbert souriait de l'inculture de sa muse.

— Ma pauvre Berthe. Tu es un modèle exceptionnel, mais tu n'y connais décidément rien à la peinture.

— Non, mais je m'y connais en comptabilité. Et quinze francs, c'est une semaine de courses, gigot compris.

Au début, telle Vénus sortant de la mer, Berthe aimait leurs moments de création intense où elle offrait sa féminité au peintre qui la transcendait. Au bout de quelques mois, elle se sentait plutôt Vénus de Milo, les bras coupés, quand son crevard de peintre lui quémandait encore de la monnaie.

— Pour acheter de la gouache.

— Pour te saouler, oui.

— Je ne me saoule pas, je m'enivre pour libérer mon esprit des contraintes des mortels et chercher l'inspiration dans l'évanescence.

— Ouais, ben quand tu rentres en titubant avec ton haleine de poivrot, et que tu vomis dans l'escalier, l'évanescence, c'est moi qui me la coltine à la serpillière.

— Il m'arrive parfois de croire que même au sein de mon foyer, je suis un artiste incompris.

— Ouais, c'est ça, bouge tes pieds de là, que je m'assoie.

Berthe poussait les pieds de Norbert qui monopolisaient la chaise pour prendre place à ses côtés et partager une soupe dans cette ambiance conviviale.

— Et ton chien qui pue, jamais tu lui fais prendre un bain ?

Norbert levait les yeux au ciel, soupirait et allait chercher la laisse.

— Viens Renoir, puisque nous sommes des artistes maudits.

— J'te préviens, ce soir, si tu vomis, tu nettoies.

Norbert allait s'en jeter un par-derrière la cravate qu'il n'avait jamais portée, chez l'aubergiste à la complicité de macho.

— Alors, la daronne t'a encore fait des misères ?

— M'en parle pas, Albert, et sers-moi donc un ballon de blanc.

— Faut dire que c'est elle qui porte la culotte dans vot' ménage, se moquaient les autres piliers de bar.

Les couilles coupées et les poches trouées, Norbert se lançait soir après soir dans des bastons de pochetrons pour oublier le pathétique de sa situation.

Berthe attendait le retour de son mari en lisant Beauvoir dans son lit et pestait contre elle-même. « Modèle », encore un joli terme pour ne pas dire que l'homme, une nouvelle fois, résumait la femme à un objet.

— Je vais pas pouvoir gérer pour nous deux toute l'année, Norbert.

— Ta quincaillerie marche très bien. L'art est moins facile à vendre que la lessive.

— C'est une question d'égalité.

— Comment ?

— Je trouve normal qu'on partage les frais.

Venant d'une femme en 1956, Norbert trouvait ça fort de café en se resservant une tasse d'une fournée fraîchement filtrée par sa muse. Berthe avait le vague souvenir que Norbert lui avait promis d'être son esclave et elle se demandait où elle avait merdé à nouveau.

— Entre un peintre et une commerçante ? Comment oses-tu comparer mon art à de la marchandise ?

— Entre un homme et une femme, Norbert. Oublie ton art une seconde.

— Mais il n'y en a pas, ma chérie.

— De quoi ?

— D'égalité, entre l'homme et la femme. De fait. La nature même nous a constitués différemment. Notre musculature, nos poils, même l'épaisseur de notre peau. Tout nous différencie, et c'est ça qui est beau.

— Je te demande pas un cours d'anatomie. J'te parle de droit civique. On a chacun deux bras et deux jambes donc le moyen de ramener deux salaires. Alors y a pas de raison qu'il y ait que moi qui trime.

— La droguerie appartenait à ton mari, non ? Un homme, me semble-t-il. De mon point de vue, tu es rentière et profites du système.

— Rentière ? Tu m'as vue me lever aux aurores pour décharger les camionnettes à m'en coller des lumbagos et fermer le rideau de fer à point d'heure parce que la mère Chambrole a oublié la Blédine de son dernier ?

— Tu es travailleuse, je ne dis pas. Mais sans ton mari, tu n'aurais pas de commerce.

— Et sans moi, t'aurais pas de viande dans ton assiette.

— Je t'ai déjà expliqué que mon cas social est différent.

— Ouais, ben nous, les femmes, on n'a pas ce luxe d'avoir le choix. On est avant tout des pondeuses, et encore, quand on a la chance que ça marche ! Les couches et aux fourneaux ! Seulement moi, j'te dis que les temps ont changé et que j'veux de l'égalité, donc que tu paies un loyer.

— Mais cette demeure t'appartient, enfin.

— Geste symbolique.

— Je ne vous comprends pas, vous, les femmes. Vous avez pourtant la belle vie. Nourries, blanchies, logées, les responsabilités incombent à vos maris. Vous n'avez aucune chaîne aux pieds et aujourd'hui tu me parles d'égalité.

— Et la nécessité de l'accord de son mari pour avoir un compte en banque et utiliser son propre argent, tu trouves que c'est pas des chaînes aux pieds, toi ? Devoir quémander pour avoir le droit de vote, c'est la liberté ? Risquer une amende parce que tu portes un pantalon, t'appelles ça comment ? Être artiste, ça devrait pas t'empêcher d'être con ?

— On est à quelle période du mois, là ?

Berthe a planté sa fourchette dans le bois de la table. L'ébullition montait.

— Oh, putain ! Me fais pas le coup des règles ! Pas toi !

— Tu avoueras qu'elles ont une influence sur tes humeurs.

— C'est ta connerie qu'a une influence sur mes humeurs.

— La vulgarité ne te mènera nulle part.

— Dès qu'une femme cherche à faire valoir ses droits, vous la ramenez aux serviettes hygiéniques. C'est bas, vil et stérile.

— Stérile, tu en sais quelque chose.

Norbert se sentait acculé et a choisi l'arme de la mauvaise foi.

— Viens pas sur ce terrain-là, Norbert. Surtout pas.

— Je dis juste que lire Beauvoir t'échauffe les sens mais que tu n'es pas à plaindre. Tu as une charmante demeure, un commerce prospère. Moi, j'erre de village en village pour vendre mon art. Qui est le plus à plaindre ? Il n'y a pas d'homme et de femme dans cette histoire, juste un survivant et les autres.

— Parce que tu crois que je suis pas une survivante ?

La température ambiante frôlait la fission nucléaire.

— Tu ne m'as pas l'air de mal te porter.

— T'as pas idée de ce par quoi je suis passée.

Norbert la toisait de tout là-haut, sur le socle de sa supériorité masculine, et d'artiste qui plus est.

— J'ai pas besoin de lire Beauvoir pour me rendre compte qu'il y a un problème quant au statut de la femme, j'le vis au quotidien depuis que je suis née. Juste, j'me sens moins seule quand je la lis, et elle dit ce que je ressens avec des mots clairs et intelligents.

— Ça nous change, a raillé Norbert dans un bâillement.

— Je pensais pas que je dirais ça un jour, mais t'es pire que les autres.

— Oh, ne monte donc pas sur tes grands chevaux,

Lady Godiva. La contestation féminine, ça va bien, maintenant. Vous avez eu le droit de vote, qu'est-ce qu'il vous faut d'autre ?

— La liste est longue ! L'égalité des droits, la fin de la discrimination, la…

— Bon, écoute, j'ai bien dîné, cette conversation me fatigue, je vais me coucher.

Norbert a repoussé son assiette sale et s'est levé pour rejoindre la chambre.

— Où tu vas ?

— Au lit.

— Ton assiette.

— Pardon ?

— Ton assiette. Tu l'as pas débarrassée.

Norbert a pouffé.

— Je ne suis plus un enfant, ma chérie. Et tu n'es pas ma mère.

— Donc c'est à moi de faire ton larbin ?

— Je suis libre, Berthe. Et les tâches ménagères ne m'intéressent pas.

Norbert a tourné les talons en s'étirant.

— On n'a pas fini notre conversation.

— Moi, j'ai fini.

— Norbert !

— Bonne nuit, Berthe…, a-t-il dit d'une voix endormie sans plus prendre la peine de se retourner.

— Regarde-moi quand je te parle, enfant d'salaud !

— Insulter mon père ne te mènera à r…

Norbert a tourné la tête et n'a pas pu finir sa phrase. La balle du Luger a arraché sa mâchoire et son contre-argument avec. La surprise fut plus forte que la douleur. La décharge d'endorphine anesthésiait ses sens écartelés et Norbert fixait Berthe avec des yeux écarquillés. Elle-même ne faisait pas la fière : elle avait visé la poitrine. Elle aurait dû poursuivre son entraînement suite à la visite de Luther.

Renoir a sursauté au son de la détonation et s'est caché derrière les jambes de son maître.

— Gah hia gueuh gua gneuh…

Norbert tentait de parler mais son reste de langue ricochait dans le vide et proférait des sons incompréhensibles. Berthe se remémorait M. Landrun, revenu de la Grande Guerre avec la gueule cassée. Après dix-huit opérations réparatrices, Landrun parvenait à articuler des mots courts sous le masque de cire qui cachait son visage monstrueux. Landrun s'était fait sauter le caisson deux ans après son retour de Verdun.

La bonne nouvelle pour Norbert, c'est que Berthe abrégerait ses souffrances avant. Elle braquait le Luger sur lui en tremblant, non d'effroi mais de colère.

— Vous êtes bien tous les mêmes.

Elle a armé le Luger, lasse de se trouver à nouveau dans cette situation.

Le mort-vivant a poussé un cri aigu, noyé dans le sang de sa gorge, et s'est précipité sur elle. Berthe a tiré dans la panique. La puissance de la décharge a fait vriller son avant-bras. La balle est partie trente centimètres trop à droite et a arraché la main de Norbert à la place de sa tête visée. Malgré l'épouvante, Berthe n'a pu s'empêcher de penser que c'était la main qui tenait le fusain. Norbert avait raison, si lauriers il y avait, ce serait après sa mort.

Le zombie s'est jeté au cou de Berthe et a tenté de la désarmer. Renoir courait autour d'eux en jappant. Norbert hurlait sur Berthe des jurons incompréhensibles et lui postillonnait des gerbes de sang dessus. Berthe avait l'habitude de l'hémoglobine – sa vie maritale tenait du Grand-Guignol –, elle a fermé les paupières pour protéger ses yeux, pestant contre Renoir qui l'empêchait de réfléchir, puis elle a repensé à Nana. « Par les couilles ! » Dieu, que sa grand-mère était sage. Berthe a donné un grand coup de genou dans les bourses du zombie qui a poussé un hurlement à la lune. Ses mains ont lâché Berthe pour couvrir ses parties génitales enflammées.

À bout portant, impossible de rater sa cible. Les intestins de Norbert ont repeint la cuisine. Le corps s'est écroulé de tout son poids sur Renoir qui a cessé d'aboyer après un ultime « Kaï ! » strident.

Le calme à nouveau dans la cuisine de l'enfer. Du sang partout. Sur le visage de Berthe. En pointillisme sur le papier peint motif hortensias. En flaque autour du cadavre sans mâchoire. Et Renoir qui ne bougeait plus, la tête retournée à cent quatre-vingts degrés.

— Prends ça, pour l'évanescence.

Berthe creusait une nouvelle tombe dans sa cave pour y ensevelir un zombie et un chien à tête retournée, et pestait.

« Et merde, où est-ce que je vais retrouver du papier peint hortensias en cette saison ? »

19 h 59

— Effectivement, c'était une connerie, accorde Ventura.

— Faut dire qu'il avait un joli sourire. Et pis y parlait bien.

— Dites-moi, Berthe, un truc me chiffonne dans votre histoire.

— Pourquoi j'les tue à chaque fois ?

— Non… Non, non, réfléchit Ventura tout haut. J'ai bien compris que vous étiez du genre à ne pas vous laisser marcher sur les pieds.

— Ah ouais ? Ben pourquoi t'arrêtes pas, alors ?

— Non, ce que je voudrais comprendre, poursuit l'inspecteur sans prêter attention à sa remarque, ce n'est pas pourquoi vous les tuez. C'est… pourquoi vous les épousez ? C'est étrange, non ? Quatre maris. Quatre assassinats. Vous n'apprenez donc jamais la leçon ?

— Tu m'as dit qu't'as été marié combien d'fois ?

— Trois, répond Ventura en sentant qu'il s'est aventuré dans une zone qui pourrait s'avérer compromettante pour lui aussi.

— Et toi, alors ? Tu l'apprends pas, ta leçon ?
— Mais je n'ai tué aucune de mes femmes.
— J'veux bien, mais c'que j'voudrais comprendre, c'est pourquoi tu les épouses ? Si à chaque fois, tu divorces.

Ventura doit bien admettre qu'il n'a pas la réponse. Alors il se tait.

— Bon, j'les ai tués, soit. Moi, j'estime que j'avais des circonstances atténuantes. Pas toi. Sur c'point, on n'est pas d'accord. Ça t'a pas empêché d'vivre trois échecs successifs et d'y retourner quand même. Trois divorces ou trois fois veuve, le constat est l'même : toi, comme moi, on n'est pas heureux en mariage.
— Je n'ai pas divorcé de ma troisième femme.
— Non ? Vraiment ? Alors c'est pour quand ? titille la veuve incrédule.

Ventura hésite. Puis se dit que s'il attend de la grand-mère qu'elle soit honnête, il se doit d'en faire autant.

— Pour l'instant, on fait un break.
— Un « brèque » ? C'est quoi, un « brèque » ?
— Un break. Une pause, quoi.
— Ah bon ? Et pour quoi faire ?
— Se redonner une chance.
— Troisième mariage, t'es déjà en « brèque » mais tu veux encore t'donner une chance ? Qui c'est qui s'ment dans cette pièce ? Moi, l'problème, j'y faisais face, c'est tout. À ma façon, mais ça avait l'mérite d'être efficace.
— Trop.

Ventura veut reprendre les rênes de la corrida. Il n'aime pas les attaques de la vieille qui le mettent face à ses contradictions, mais aussi face à ses peurs. Elle dit tout haut ce qu'il n'ose s'avouer tout bas : son troisième mariage est un échec, il est incapable d'aimer, en tout cas de construire une relation amoureuse durable, il va finir seul… Le barrage du mental est en train de céder. Adversaire redoutable que cette vieille mentaliste.

— Revenons à nos cadavres, vous voulez bien ?

— Quoi ? Y a ton plateau micro-ondes qui va refroidir ? T'es en « brèque », j'te rappelle, y a personne qui t'attend avec un p'tit plat cuisiné.

— Inutile de basculer dans la méchanceté, Berthe.

— Et toi ? Tu fais quoi depuis des heures ?

— Je vous interroge.

— Non, tu m'juges.

— Pas encore, Berthe. Mais je vous inculpe. Oui. De meurtres.

— Et j'avoue. Alors arrête de m'chercher des poux. Laisse-moi avouer, mais me juge pas, et j'en ferai autant.

Silence plombé dans le bureau. Seul le néon ose encore grésiller.

La policière qui remplace Pujol, par contre, préfère se faire discrète. Bien que son prédécesseur ait pris le temps de la briefer avant de lui passer le relais, elle n'a pas mis son gilet pare-balles avant d'entrer. Elle aurait dû, un dommage collatéral est vite arrivé.

Ventura contre-attaque :

— Et votre peintre du dimanche, c'est aussi Maître de Gore qui vous a aidée à vous nettoyer de l'affaire ?

1956

De Gore dormait du sommeil de l'injuste lorsqu'une sensation froide dans sa bouche l'a tiré de sa rêverie. Le goût du Luger.

Face à lui, cette folle de Gavignol.

— Salut.

De Gore en a pissé au lit.

— Faudrait voir à vous faire vérifier la prostate, quand même.

L'incontinent a ravalé l'humiliation pour se concentrer sur la menace.

— Qu'est-ce que je peux faire pour vous, Berthe ?

La veuve a brandi son contrat de mariage.

— Un peu de paperasse.

De Gore a soupiré puis s'est levé de son lit. Il massait machinalement la cicatrice du coupe-papier sur sa paume.

— Vous avez un drôle de rapport au mariage, vous.

— Drôle, je sais pas.

— Façon de parler.

— C'est que j'y crois à chaque fois.

— Vraiment ?

— Ben… non, pas vraiment. Mais y a toujours une petite étincelle.

— Une étincelle ? Avec votre peintre de la place du Tertre ?

— C'est quoi, la place du Tertre ?

— Faut arrêter d'être naïve, Berthe. Restez veuve et arrêtez de semer des cadavres dans votre cave.

— Promis.

Berthe a levé la main en gloussant, amusée par le sermon.

— Oui, ben, promettez pas à la légère. C'est un vrai génocide marital, votre histoire.

— Eh oh, tu vas changer de ton !

Berthe a levé le Luger, cette fois, plus amusée du tout.

De Gore a signé les papiers en fermant sa gueule. Elle était un brin caractérielle, la mère Luger.

20 h 08

— De Gore et moi, on s'entendait pas comme larrons en foire, mais notre affaire roulait.

Ventura toise Berthe avec cette tête de bouledogue incrédule devenue familière à la vieille au cours de la journée.

— Il en reste deux.

— J'ai faim, dévie Berthe.

Ventura n'oublie pas le grand âge de la meurtrière et sait qu'il se doit de la choyer s'il ne veut pas qu'elle lui claque entre les doigts.

— Bien, on va faire une pause. Vous désirez manger seule ou vous voulez que je vous accompagne ? Il n'y a pas d'obligation.

— Mais tu rentreras plus tôt au bercail, j'ai bien compris.

— Je n'ai pas dit ça.

— Manger seule, c'est mon quotidien depuis quarante ans. T'es un vrai casse-bonbons, Lino, mais tu m'fais d'la compagnie.

— Ravi que ma compagnie vous plaise.

— J’ai pas dit qu’elle me plaisait. J’ai dit qu’ça m’en faisait. Y a bien longtemps qu’j’ai arrêté d’être exigeante sur la qualité d’mes relations.

Berthe pousse un gémissement dû à un effort qui n’a pourtant été visible pour aucun des témoins dans la pièce.

— Aide-moi à m’lever. J’ai plus d’jus.

Ventura sait que la nuit va finir avec la vieille menottée, qu’il va la coffrer manu militari ; pourtant, en cet instant, il s’imaginerait bien la porter délicatement dans ses bras jusqu’à la cantine. Une journée de paradoxes.

Ventura s’apprête à se lever lorsqu’une notification fait vibrer son portable posé sur le bureau. Il en prend connaissance :

— Ça y est, vous êtes une star.

— Comment ?

Ventura glisse le portable dans les mains de la vieille.

— J’vois rien.

— Lisez l’article.

— J’vois rien, j’te dis. Ton truc, il est tout noir.

Elle brandit l’écran éteint.

— Balayez.

— Quoi ?

— Avec votre doigt, balayez l’écran.

— Dis, oh, suis pas venue faire ton ménage, moi !

— Bon.

Ventura reprend son portable et allume une télé qui trône au-dessus des casiers. Il zappe jusqu’à la chaîne d’information.

— Le bonheur de l’info en continu, diffusée dans l’urgence et sans vérification des faits, commente-t-il.

En faction devant la chaumière de Berthe, une journaliste reporter prend le micro sous le mini-projecteur du caméraman :

— Nous nous trouvons face à la maison de Berthe Gavignol. Le scandale macabre a éclaté ce matin suite à son arrestation musclée alors que la retraitée ouvrait le feu sur les forces de police. Les équipes de recherche ont trouvé dans sa cave plusieurs squelettes d'animaux, mais aussi d'humains. Un véritable cimetière. Nos sources parlent de sept corps. Âgée de cent deux ans, celle que l'on surnomme déjà la Veuve Noire est actuellement interrogée par l'inspecteur Ventura au sujet de l'assassinat présumé de ces sept personnes, dont plusieurs se révéleraient être ses maris.

Ventura éteint.

— Des informations de qualité, qu'tu m'montres là.

— Et encore, vous n'avez pas tout vu. Vous cartonnez sur Facebook.

— Sur quoi ?

— Votre affaire est relayée sur tous les réseaux sociaux.

— J'ai aucune idée de quoi tu m'causes.

— Je pensais que ça vous intéresserait.

— C'qui m'intéresse c'est c'qu'y a au menu du soir. J'espère que ce sera plus mangeable que çui de c'midi, sinon, j'm'en vais en cuisine leur montrer comment on prépare un poulet au citron digne de c'nom. Et j'me fous bien qu'on soit dans un commissariat et qu'y en ait qui soient susceptibles sur l'appellation.

— C'est du poulet aux pruneaux, l'informe la policière attendrie.

Berthe pivote vers la voix pour lui répondre de son sourire le plus affable.

— Merci, ma belle. Oh, mais dis-moi, ils sont magnifiques tes cheveux.

La peau mate de la policière maghrébine brunit alors qu'elle rougit.

— Merci, madame.

— Ah, tu vois !

Berthe prend Ventura à témoin.

— Elle, elle m'appelle madame. Elle reste polie.

— Merci, Beyoun, vous pouvez disposer. Vous reviendrez après notre dîner, ordonne l'inspecteur.

— Bien, chef.

La policière verrouille son ordinateur, quand Berthe interrompt son élan en sermonnant son patron.

— Ah non, hein ! J'te fais un reproche, alors tu retournes ta vexation contre la p'tite qu'a rien fait pour pas l'faire contre moi. Elle t'apprend donc rien, mon histoire ?

— Quoi ? Vous voulez me buter, Berthe ? dit le bouledogue blasé.

— Non. J'veux qu't'apprennes le respect. Surtout çui des dames !

Berthe prend la main de la policière.

— Des cheveux ondulés, j'en avais des magnifiques comme toi à ton âge. Mais pas aussi épais. Tu mets quoi dedans, pour les démêler ?

— De l'huile d'argan, ose Beyoun, pressée d'obéir aux ordres de son supérieur.

— Bon, mesdames, on discutera cosmétique plus tard, si vous le voulez bien, interrompt Ventura.

— Oui, oui, on y va ! Pas la peine d'être grossier, grommelle Berthe.

— C'est vous qui aviez faim, faudrait savoir.

— Le suivant, j'vais t'le raconter en mangeant. Tu vas voir, ça va être vite fait. T'auras même pas l'temps d'finir ta soupe.

Puis Berthe tapote la main de Beyoun, avec un clin d'œil complice.

— On revient, t'en fais pas, y en a encore au menu.

Ventura et Beyoun échangent un regard interrogateur.

— Comment ça, « y en a encore au menu » ? s'inquiète Ventura. Oh, Berthe, me dites pas que vous cachez d'autres cadavres dans le placard ?

— T'énerve donc pas, tu vas nous faire une crise cardiaque avant moi. Allez, viens, Columbo. On va s'le faire, ce poulet.

1960

Été somptueux. Berthe scrutait les étoiles en buvant une tisane sur son perron. Elle avait commandé une banquette à bascule, aimait s'y balancer la nuit venue, et se perdre dans le ciel et dans ses rêveries.

Elle venait de souffler quarante-six bougies sur un clafoutis qu'elle avait mangé seule dans sa cuisine au son de *Summertime*. Elle en avait trouvé un vieux vinyle dans une brocante, avait fait réparer son gramophone aux mécanismes rouillés, et passait des soirées avec Sidney, son saxo soprano et des livres.

Et quelques souvenirs.

Luther était souvent dans son esprit, il n'avait jamais quitté son cœur. Berthe ne se laissait pas aller au passéisme suranné pour autant. Au contraire, elle était de plus en plus activiste et connue sous le manteau pour être un secours pour les jeunes filles en quête d'avortement.

La vie avait décidé de tester Berthe. Elle ne pouvait pas être mère, qu'à cela ne tienne, elle aiderait celles qui le peuvent à ne pas l'être trop tôt. Les voies du Seigneur sont impénétrables. Celles de l'utérus sont moins récalcitrantes. Suffit d'une bonne aiguille à tricoter et d'une certaine dextérité. L'opération pouvait vite tourner à la boucherie et Berthe avait assez de cadavres dans sa cave, mais elle avait un don pour l'élimination des embryons, aussi bien que pour celle de ses maris. Il y a des talents comme ça. Berthe n'en était pas fière, mais grâce à celui-là, elle a sauvé bien des jeunes filles de drames qui auraient pu leur gâcher la vie.

Berthe avait pris l'habitude de la solitude mais se nourrissait des moments privilégiés qu'elle partageait avec ces filles venues de partout en France. Certaines réputations voyagent vite, surtout auprès d'une population désemparée face à une situation qui lui paraît inextricable. Le secret de Berthe était cependant bien gardé, il ne s'ébruitait qu'entre filles de confiance, elles étaient plusieurs par mois à venir frapper à sa porte, la mine déconfite et le bide gonflé.

Berthe tentait de dédramatiser leur situation par sa bienveillance. Et si ça ne suffisait pas, la Grosse Frida fonctionnait toujours. Il avait fallu colmater quelques tuyaux au chatterton mais la gnôle de Nana était encore bonne. Les filles repartaient, pleines de gratitude et une pointe de mélancolie au fond de l'œil que le temps effacerait. Elles avaient passé quelques heures ou quelques jours sous l'aile protectrice d'un ange gardien au féminin, alors que, souvent, elles étaient chassées de chez elles par ceux censés les aimer.

Ange gardienne ou faiseuse d'anges, Berthe n'aimait pas que les filles l'embrouillent avec leurs symboliques divines. Les petites avaient besoin d'aide et d'amour, et Berthe était là pour en donner. Elle en avait même à la pelle.

Enfin, façon de parler.

Ce soir-là, les étoiles filaient dans le ciel particulièrement clair du mois de juillet. Un an auparavant, les Soviétiques avaient marqué leur supériorité sur les Américains avec le programme Luna 2. Une sonde terrestre avait atteint pour la première fois le sol lunaire. Hormis son voyage en Sicile, Berthe n'avait jamais quitté le Massif central. Peut-être que l'homme un jour parviendrait à voyager sur la Lune ? Et peut-être qu'elle quitterait sa chaumière et parcourrait le monde ? Cette seconde hypothèse lui paraissait plus improbable.

— Hum, hum, bonsoir, Berthe.

La rêveuse a eu un léger sursaut à l'apparition de Baptiste Goujon, le pharmacien.

— Baptiste ? Mais qu'est-ce que vous faites là à cette heure-ci ?

— Je… j'ai pris mon courage à deux mains, a dit timidement le pharmacien en se raclant la gorge.

— Je vois pas le rapport.

— J'ai longtemps tergiversé, et il m'a paru qu'il était à présent indéniable que le moment était venu de…

— Baptiste, je vous le dis toujours, allez droit au but. Vous nous faites poireauter pendant des plombes dans votre pharmacie avec vos hésitations.

Le pauvre Goujon en a laissé tomber son courage dans la bouse de vache sur laquelle il se tenait par mégarde. Goujon était un homme malingre, maladroit et timide. Et par-dessus tout hypocondriaque. À cinquante-deux ans, il était toujours célibataire. Le bruit courait même qu'il était encore puceau.

— Berthe, je vous en prie, vous ne me facilitez pas la tâche.

Goujon n'avait peut-être rien de Charlton Heston, mais c'était un bon bougre. À force d'affronter des prédateurs, Berthe avait développé une empathie pour tout être fragile ou désemparé. Et Goujon avait un air d'agneau égaré.

— Pardon, Baptiste, vous avez raison. Allez-y, je vous écoute.

— Eh bien, voilà, je… kof kof… raaaaaah… kof kof!!

Le pauvre garçon, il cherchait à faire bonne impression et le voilà qui crachait ses poumons. Désemparé d'accord, ridicule, fallait pas trop pousser.

— Pardon, je… kof kof… ces rhumes des foins… kof… poumons enflammés… kof… désolé… kof…

— Vous voulez de la tisane pour faire passer?

— Je veux bien, merci.

Berthe repensait à la lune en se disant que ce bon Goujon lui ruinait sa soirée méditative, et lui a tendu sa tasse. *Summertime* prenait fin derrière elle et n'arrangeait rien à l'affaire. L'image de Luther se superposait au pharmacien malade. Berthe a fermé les yeux, a soupiré et a secoué la tête pour revenir à son visiteur.

— Votre tisane… kof… elle a un drôle de goût…

— Oui, c'est une décoction que je fais moi-même. Thym, miel, valériane et ail pour le foie.

— Ail ? Vous avez mis de l'ail dedans ? Je suis allergique à l'ail, a paniqué Goujon.

Berthe a levé les yeux au ciel. La lune éclairait son désarroi.

— Bon, pas de panique, j'en ai pas mis beaucoup. Alors dites-moi, Baptiste, quel bon vent vous amène ?

— Vous êtes sûre ? Parce que je sens un picotement dans ma gorge. L'œdème de Quincke n'est jamais très loin et…

— Je sais pas qui c'est, votre Quincke, j'ai pas lu sa pièce, vu votre tête, ça avait l'air bien dramatique, mais la soirée fraîchit et j'ai sommeil, donc dites-moi !

Baptiste s'est senti brusqué mais, voyant que rien ne se déroulait comme il l'avait prévu, a mis sa vexation de côté et s'est lancé dans une déclaration gentiment pathétique :

— Berthe… très chère Berthe…

— Oui, très cher Baptiste ?

— Ne m'interrompez pas, je vous prie.

Si Baptiste ne faisait pas quinze centimètres de moins qu'elle, Berthe lui aurait déjà botté le cul.

— Pardon, allez-y, je vous écoute.

— Comme vous le savez, je tiens la pharmacie de notre beau village depuis maintenant trente-trois ans. J'ai vécu aux côtés de feu ma mère jusqu'à la fin de ses jours, l'année dernière, ce qui m'a éloigné de toute possibilité de construction matrimoniale. Les années passent, et j'en suis arrivé à la conclusion qu'il était temps de me marier.

Berthe se tenait immobile sous la lumière de son perron. Une mouche bourdonnait autour d'elle, perturbant le silence de son mutisme.

« Il va pas me demander en mariage, ce con ? »

— Baptiste, où voulez-vous en venir ?

— Il n'y a pas quatre chemins pour vous le dire, alors j'irai droit au but, et sans détour, car je suis un homme déterminé et…

— Baptiste, abrégez.

— Oui, pardon. Berthe, voulez-vous devenir ma femme ?

« Ah ben si… »

— Mon cher Baptiste, je suis très flattée mais comme vous le savez, j'ai déjà été mariée et…

— Oui, je sais. Toutes mes condoléances.

— Je crois pas être un bon parti. Je suis veuve. À répétition.

— Je le sais.

— Mais alors, pourquoi moi ?

— Parce que vous êtes ma seule chance de ne pas devenir vieux garçon.

Dans le genre déclaration foireuse, Goujon avait la palme. Berthe était soufflée.

— Merci, vous êtes un vrai gentleman.

— Ne le prenez pas mal, Berthe. Vous êtes une femme magnifique. Au-delà des espérances d'un homme comme moi. Je suis très conscient de mon apparence. Depuis des années, je vous observe, je vous admire, je vous…

Goujon a commencé à briller dans le noir, de gêne.

— Vous me ?

— Désire, a-t-il osé d'une voix d'enfant de chœur qui confesse un péché capital.

Berthe n'était pas surprise, elle savait l'effet qu'elle faisait aux hommes. Avant de les enterrer. Que Goujon bande pour elle n'était pas une grande nouvelle. Reste que sa déclaration manquait de romantisme.

— Qu'est-ce qui vous a fait penser que je pourrais dire « oui » ?

— Votre réputation.

— Qu'est-ce qu'elle a, ma réputation ?

— Divorcée, veuve, avorteuse, bien que cette partie ne soit pas de notoriété publique.

— Comment vous savez ?

Berthe s'est braquée et a vérifié par-dessus l'épaule de Goujon que personne ne les écoutait.

— Les produits que vous m'achetez pour vos opérations.

— Vous êtes venu me faire chanter ?

Le ton virait rance.

— Pas du tout, non, ne croyez pas ça.

— Alors ?

— Je veux laver votre réputation en vous offrant d'épouser la mienne.

« Les hommes. Tous les mêmes. Nos sauveurs. Et faudrait que je m'extasie, encore. »

— J'ai pas besoin de votre bonne réputation, Baptiste. J'ai pas honte de qui je suis.

— S'il vous plaît ?

Goujon quémandait à présent sa main. Berthe lui aurait bien donné trois francs pour qu'il aille s'acheter un semblant de dignité.

— Vous pensez que je vais vous épouser par pitié ?

— Non... Bien sûr, non... Mais Berthe, soyons honnêtes, vous ne rajeunissez pas.

— Décidément, vous êtes charmant.

— Ne le prenez pas ainsi. Je saurai être un mari tendre et à l'écoute. Je serai une présence, un compagnon. Nous vieillirons ensemble. Vous imaginez-vous dans cette chaumière dans vingt ans ? Dans trente ans ? Seule ? Derrière une carabine pour unique protection ?

Berthe s'est vue en vieillarde rabougrie derrière son calibre 22. L'image l'a fait sourire.

— À vrai dire, oui, je m'y vois bien.

— Berthe, je vous demande de réfléchir à ma requête. Les hivers sont longs et tristes dans le Massif central. Et je vous propose de vous accompagner sur le chemin de vie qui nous reste.

Berthe observait ce petit bonhomme pathétique. Le microsillon tournait à vide maintenant que le morceau était terminé. Elle avait eu quatre maris et un amant magnifique. Qu'attendait-elle de son destin ? Face à elle, se tenait un compagnon potentiel. Incolore, inodore et sans saveur. Celui-là ne serait pas dangereux. Il ne risquait pas de finir dans sa cave.

Alors après tout...

Le mariage avait été prononcé en toute discrétion, le 12 août 1960. Berthe et Baptiste avaient dit « oui » à leur union pour ne pas finir leurs jours seuls. Maigre motivation, mais Berthe était ainsi devenue Goujon et avait trouvé un compagnon pour le long terme, cette fois.

Deux jours après la célébration peu reluisante, Berthe brossait ses boucles sauvages face à sa coiffeuse en se convainquant qu'elle avait pris la bonne décision. En termes de relation maritale, elle avait souvent raisonné par calcul ou par aveuglement. Hors de sa pharmacie, Baptiste parlait peu. Ou pas. Il était terne et ennuyeux à mourir. Mais pas à tuer.

— Tu as vu les aspirines, ma chérie ? J'ai une migraine de tous les diables.

— Je t'ai déjà dit de pas m'appeler ma chérie.

Pour ce qui était de l'amour, il faudrait probablement plus de temps.

Baptiste, fagoté d'un caleçon à rayures, maillot de corps et fixe-chaussettes du plus bel effet, fouillait les tiroirs de la commode avec agacement.

— On ne trouve jamais rien dans cette maison.

— Dis, oh, c'est toi le pharmacien. Les aspirines, c'est ton rayon.

— Cette migraine me tue.

Berthe reprit son brossage sans relever. Baptiste avait à peine emménagé depuis un mois que son hypocondrie lui courait sur le système.

— Ah, enfin.

Baptiste a trouvé le tube d'aspirine et l'a brandi face à Berthe, tel un graal, puis, pressé d'en finir avec la douleur, l'a décapsulé avec les dents et a avalé le bouchon tout rond.

— Ggggg…

Le bouchon s'est logé dans sa trachée et l'a empêché de respirer. Berthe assistait au spectacle pitoyable et n'en croyait pas ses yeux.

« Mais qu'est-ce qu'il me fait, ce con ? »

Baptiste était en train de s'étouffer.

— Ggggg… krrrr… krrrrr… gggh…

Les mains sur la gorge, Baptiste s'est écroulé sur les genoux, à bout de souffle. Privé d'air, il faisait de grands gestes pour que Berthe lui tape dans le dos. Berthe a mis un temps pour sortir de son hébétude, mais a fini par se précipiter sur son boulet de mari. Elle lui a tapé dans le dos, a exercé une pression sous son plexus, lui a collé des claques. Baptiste secouait sa tête écarlate et a repoussé les mains inutiles de sa femme, en quête d'une solution ailleurs.

Il n'en a pas trouvé.

Baptiste s'est écroulé sur le parquet. La bave aux lèvres, les yeux exorbités. Sans vie.

Berthe toisait le cadavre à ses pieds :

— C'est une plaisanterie ?

Pour une fois qu'elle ne comptait pas le tuer, celui-là.

Accident domestique. L'acte de décès de Baptiste serait facile à rédiger, et l'épitaphe, à défaut d'être glorieuse, originale : « Mort dans les bras de sa femme, tout juste épousée et veuve pour la cinquième fois. Un bouchon et le mauvais sort en travers de la gorge. » Même sa mort était con et sans saveur.

Berthe a convié le notaire pour l'épauler dans l'épreuve. De Gore est en réalité venu pour les « formalités ». En voyant son cinquième mari gisant sans vie, il a lancé une moue lasse à Berthe : « Vraiment ? »

Berthe a haussé les épaules : « J'te jure, j'y suis pour rien, cette fois. »

Le médecin pour témoin, la conversation est restée silencieuse mais Berthe a senti la réprimande du notaire et l'a trouvée bien injuste.

— Je vais prévenir la morgue pour qu'ils emportent le corps, a dit le médecin.

— C'est que… je préférerais le garder près de moi.

— La veillée funéraire, bien sûr. Mais nous devons d'abord l'embaumer.

— Ah ? Ça se fait, ça ?

De Gore lui a lancé un regard noir. Berthe a haussé les épaules à nouveau :

— Quoi ? Je découvre !

— Je… croyais que… enfin vous avez déjà été veuve. Et à de multiples reprises, balbutiait le médecin, pas à son aise dans cette maison réputée hantée.

— Oui, c'est que… pardon. C'est un tel choc à chaque fois.

De Gore a roulé des yeux.

— On a du mal à s'habituer à ces choses-là, s'est enfoncée Berthe.

De Gore s'en frappait le front.

— Au décès de vos maris ? Oui… on n'est pas censé… s'habituer.

Le ton décontracté de la veuve glaçait le médecin.

— Nous vous rendrons le corps pour la veillée. Je vous laisserai voir avec le service funéraire si vous optez pour la crémation ou l'enterrement.

— L'enterrement ! a tonné Berthe.

L'assistance a sursauté à son enthousiasme.

— Pardon, l'enterrement, s'est reprise Berthe d'un ton plus solennel. C'est une tradition, dans la maison. Un petit rituel, quoi.

« Mais qu'elle se taise ! » priait de Gore en se massant les tempes.

— Mais je m'en charge, vous en faites pas ! J'ai l'habitude.

Les propos de Berthe n'avaient aucun sens. Le choc, probablement. Le médecin l'aurait bien auscultée, mais préférait foutre le camp le plus rapidement possible.

De Gore a pensé bon d'intervenir :

— Mme Goujon veut dire que…

— Gavignol, l'a corrigé Berthe.

Offuscation côté médecin. Lassitude côté notaire.

— Ben, quoi, il est mort, non ? Du coup j'm'appelle plus Goujon.

De Gore a fait mine de ne pas l'avoir entendue et a repris :

— Le testament de feu mon client stipulait sa volonté d'être enterré. Vous pouvez disposer, docteur. Je prends le relais pour les spécificités, a conclu de Gore en se frottant les yeux, espérant effacer le cauchemar ubuesque dans lequel il pataugeait.

Pour une fois qu'elle n'était pas responsable de la mort d'un de ses maris, Berthe n'avait pas souhaité la maquiller. Elle voulait bien élaborer un alibi alambiqué pour un crime, mais pour un accident aussi grotesque que celui de Goujon, elle n'allait pas se faire mal aux neurones.

Une fois les formalités remplies, le corps embaumé lui est revenu. Il avait les joues roses, le cheveu bien peigné et portait un élégant veston. Ce pauvre Baptiste présentait mieux mort que vivant. Triste bilan.

Aucun villageois n'est venu le veiller. Le pharmacien n'avait certes pas d'amis, mais une clientèle fidèle que la superstition tenait éloignée. La Veuve Noire avait enterré cinq maris. Certains illuminés disaient en avoir vu les fantômes dans sa cour. Les passants faisaient un détour pour éviter la chaumière de la sorcière.

À deux heures du matin, Berthe a pensé que personne ne viendrait.

Elle est allée chercher la pelle.

Le lendemain, le croque-mort ensevelirait un cercueil vide. Comme il l'avait fait pour Marcel et Norbert. De Gore glisserait quelques biffetons dans sa poche pour la mise en bière. Le croque-mort avait des dettes de jeu et noierait sa mauvaise conscience dans le Picon.

20 h 43

La veuve récidiviste avait raison. L'inspecteur n'a pas encore fini sa soupe qu'elle livre la vérité sur le décès de son cinquième époux, aussi fade que le velouté de légumes qu'ils enfournent pour entrée.

— Vous vous rendez compte de ce que vous venez de m'avouer, Berthe ?

— Quoi encore ?

— Eh bien, celui-là, ce n'est pas un meurtre.

— Oui ? Et ?

— Eh bien, c'est une bonne nouvelle. Enfin, d'un certain point de vue, c'est une donnée que je trouve plutôt rassurante.

— Ah ? Du coup, tu vas pas m'inculper pour les autres ? tente Berthe sans trop y croire.

— Bien essayé, mais non. Mais depuis ce matin que vous énumérez vos meurtres de sang-froid…

— De sang-froid, de sang-froid, l'interrompt Berthe, comme tu y vas.

— Non, vous avez raison, vos meurtres en tout cas, eh bien, de savoir que parmi les cadavres de votre cave, il y en a que vous n'avez pas abattus vous-même, je trouve ça rassurant. Ça vous rend plus…

— Quoi ? Humaine ?

Berthe sent le jugement de l'inspecteur lui monter au nez.

— Non, tente de la désamorcer Ventura.

Puis en y réfléchissant bien :

— Oui. Peut-être oui. Ça prouve que vous n'êtes pas une psychopathe. Vous êtes une tueuse en série, c'est indéniable, mais vous n'êtes pas complètement déconnectée de la réalité. Vous êtes…

— Humaine, confirme la centenaire. Oui, j'le suis. Et tu sais comment j'sais ça ?

— Parce que vous en avez rencontré une pelletée qui ne l'était pas ?

Le visage de Berthe se déplie, réjoui de la connivence offerte par Ventura.

— Exactement.

— Je commence à bien vous connaître, Berthe.

La vieille tapote la main de l'inspecteur qui embraye :

— Cela dit, je voudrais que vous m'éclaircissiez sur un point : pourquoi vous donner la peine de l'enterrer, celui-là ? Ça tient du vice, à force.

— Du vice, non. Du réflexe, plutôt.

— Je vous vois venir, réflexe de survie, vous allez me dire, mais celui-là ne vous voulait pas de mal. À croire que vous étiez fière de votre collection.

— Fière, non. Lasse, oui. J'avoue qu'au cinquième, j'avais un peu perdu mes repères. Le juste, le mal, j'aurais plus su trancher. J'crois qu'j'étais pas loin d'devenir dingue. C'est vrai, j'étais prise dans mon élan. Et pis les autres auraient été jaloux. D'un certain point de vue, j'restais cohérente.

— D'un certain point de vue, approuve Ventura, sans pouvoir s'empêcher de la trouver logique dans sa folie.

Berthe s'empare de son assiette de poulet aux pruneaux et brandit son verre vide sous le nez de son inspecteur chéri.

— Sers-moi donc un verre de rouge, que j'te raconte le dernier.

2012

À quatre-vingt-dix-huit ans, les bougies débordaient du clafoutis. Il avait fallu se moderniser avec des nouvelles en forme de chiffre. Berthe n'y voyait plus très clair, malgré les culs de bouteille qui lui torturaient l'arête du nez. Mais elle n'en démordrait pas, elle boufferait du clafoutis pour chacun de ses anniversaires, dût-elle mourir à cent deux ans.

La sonnette a retenti au moment où elle s'apprêtait à souffler la bougie 8. La 9 lui avait déjà vidé sa première réserve d'air.

— Qui c'est qui vient m'emmerder en plein milieu d'après-midi ?

À quatre-vingt-dix-huit ans, on bouffe son gâteau d'anniversaire à l'heure qu'on veut, c'est le privilège de l'âge.

Un homme sec à courte moustache se tenait sur son paillasson, un attaché-case à ses pieds, un dossier dans la main.

— Madame Goujon ?

— Gavignol. Mademoiselle.

— Ah, je croyais que…, s'est empêtré l'homme confus en vérifiant ses dossiers.

— Sont pas bien à jour, vos papelards. Qui la demande ?

— M. Tremouille, percepteur des impôts, enchanté.

— J'vous retourne pas le compliment.

Tremouille a perdu quelques grammes d'assurance face à l'air mauvais de la grand-mère. Puis Berthe s'est fendue d'un grand sourire accueillant.

— J'plaisante. Qu'est-ce que j'peux faire pour vous ?

— Je… euh… ah bien… je… voilà, nous informatisons aujourd'hui tous nos dossiers et…

— Ah moi, vos machins technologiques, j'y comprends rien, je vais pas pouvoir vous aider.

— Non, mais… non… nous n'avons pas besoin de votre aide.

— Alors qu'est-ce que vous foutez là ?

Le sourire avait à nouveau disparu, et avec, le reste d'assurance du percepteur.

— Je… euh… eh bien voilà, en parcourant vos dossiers, je me suis rendu compte que… tout n'était pas clair… dans votre situation… maritale.

— Ah, ça, c'est rien de le dire.

— Oui, nous avons relevé pas mal d'erreurs… De déclaration… Votre condition de… veuve…

— À répétition.

— C'est ça. Et…

— Condoléances acceptées.

— Euh pardon… oui… je… toutes mes condoléances.

— Ah, les jeunes ! Aucune éducation. Tu devrais

m'montrer du respect, tu sais, j'ai peut-être reçu ta mère dans ma cuisine. Mon seul regret, si c'est le cas, c'est d'pas avoir utilisé mes aiguilles pour toi.

Tremouille la fixait, largué.

« Complètement sénile, cette pauvre vieille. Je vais y passer la journée. »

— Je plaisante.

Tremouille a lâché un rictus contracté.

— Ah… bien… Ha ha ha… hum… très drôle.

Il lui a désigné son dossier.

— Vous avez du temps ? Je voudrais revoir vos déclarations en détail avec vous.

— Mais absolument. Entrez, cher monsieur, je vais chercher la pelle.

— Comment ? a demandé le percepteur en se disant qu'à ce rythme-là il allait rater *Plus belle la vie* ce soir.

Berthe a fermé la porte derrière lui.

Blam ! Blam !

« Mfff ! Mes lombaires ! J'ai plus l'âge pour ces conneries… »

20 h 57

Ventura avale sa dernière bouchée de poulet et essuie sa bouche avec sa serviette en papier, laissant des traces de jus de pruneau sur le blanc bien plus immaculé que la conscience de son interlocutrice.

— Vous êtes un peu soupe au lait, quand même.

— Tu les aimes, toi, les percepteurs d'impôts ?

— Non. Mais si je me mets à abattre tous ceux que je n'aime pas…

— Ben, ça ferait du ménage. Si y avait plus de gens comme moi, y aurait moins de cons autour de nous.

— Vous vous rendez compte de l'énormité de ce que vous dites, Berthe ? Sachant que les cons autour de vous, oui, vous les avez tués.

— Oh, si on peut plus plaisanter.

— Sept meurtres, on ne peut plus trop parler de plaisanterie.

— Parce que t'as pas l'sens de l'humour.

Ventura se rince le goût du pruneau d'une rasade de raisin fermenté, coteaux plutôt moyens d'un domaine voisin, en détaillant cette vieille qui se révèle plus complexe à mesure qu'elle se dévoile.

— J'te taquine. Fais donc pas la gueule. J'admets, le percepteur, j'ai manqué d'patience, mais ces gars-là, tu vas plus vite de chercher la pelle qu'des arguments pour t'en débarrasser. On prend des habitudes en vieillissant.

— Non, mais vous vous entendez ?

— Quoi, j'te surprends encore ?

— Oui, j'avoue, vous me surprenez encore. Enfin, en conclusion, pour la prescription, c'est mort, si je puis dire. Même si dans votre cas, ça n'aurait probablement pas changé grand-chose. Bon, on va le taper, ce rapport, ou vous voulez de la tarte avant ?

— Quoi, c'est déjà fini ?

— Non, mais vous ! Vraiment ! continue de s'ébahir Ventura.

— Pas d'dessert pour moi. Par contre, j'dis pas non à un p'tit calva.

— Désolé, mais le calva, on va faire un trait dessus. Pas de dessert ? Sûre ?

— T'es donc si pressé d'en finir avec moi ?

— Écoutez, Berthe, je vous aime beaucoup, mais oui, j'aimerais bien rentrer chez moi. Vous avez avoué les sept meurtres. Dossier clos.

Ventura se lève de sa chaise en plastique inconfortable, étire ses vertèbres fatiguées par cette journée éreintante, exhale un râle de relâchement, puis un discret rejet gastrique, se frotte les mains, paré à enfin clore son rapport.

— Qu'est-ce qui t'dit qu'y en a qu'sept ?

Ventura se fige. Yeux fixes dans le vide. Il n'ose pas les diriger vers la vieille.

« Merde, qu'est-ce qu'elle me raconte encore, cette folle ? »

— Eh bien… Les fouilles dans votre cave ont pris fin et il a été dénombré sept crânes humains. Donc j'en déduis…

— Qu'est-ce qui t'dit qu'j'les ai tous enterrés là ?

Ventura braque les yeux sur la vieille. Elle arbore un visage radieux d'une patience ancestrale, celle des vieux qui passent leur journée sur un banc à contempler la vie battre à cent à l'heure autour d'eux, alors qu'eux savent tout ce que cette précipitation a de vain.

— Vous voulez avouer d'autres meurtres ?

— J'dis juste qu'c'est pas parce que t'as pas retrouvé les corps qu'y a pas d'meurtres, Columbo. Y t'apprennent quoi, à l'école des képis ?

Déculotté, l'inspecteur. Il se frotte les yeux. En profondeur. Longtemps.

Puis il sort son portable de sa poche et balaie l'écran.

— T'attends des nouvelles de ta douce ? J'croyais qu'vous étiez en « brèque ».

— Non, de mon fils.

— Oh, faut qu't'ailles prendre le relais de la babysitter ? Priorité aux jeunes, dit l'ancêtre compréhensive.

— Mon fils a vingt-cinq ans. Il s'occupe de mon chien quand je ne suis pas là. Mais il n'était pas disponible aujourd'hui et…

— Et y s'fait tard. J'vois l'topo. Faut pas faire languir les bêtes. J'ai eu huit chats, j'sais d'quoi j'parle. Ça peut attendre demain, Lino. Enfin si j'suis toujours vivante.

Cet humour pince-sans-rire puise son efficacité dans

la plausibilité de la menace. La vieille est capable de casser sa vapoteuse dans la nuit, et de laisser Ventura avec des macchabées non identifiés dans la nature, alors que leur meurtrier était prêt à tout révéler.

— Vous me donnez trois quarts d'heure ? Le temps que je fasse l'aller-retour ?

— Va, j'vais faire mon jogging en t'attendant.

Ventura secoue la tête. « Ah, cette femme… »

— Par contre, je suis désolé, mais le temps que j'y aille, je vais être obligé de vous mettre en cellule.

— Ah, tu t'remets à être désagréable ?

— Que voulez-vous, Berthe ? Je suis un flic, vous êtes une criminelle. Il y a certains écueils inévitables.

Berthe fait un pas dans la cellule de détention provisoire et se retourne. L'inspecteur referme la grille à son nez, sans trop de cérémonie.

— Promis, je fais vite.

— Va donc pas culpabiliser, j'suis juste une vieille grabataire qu't'enfermes dans un poulailler.

Las, Ventura préfère ne pas contre-argumenter.

— Je reviens.

— Dis, avant de partir, c'est quoi comme chien ? Fais-moi plaisir, dis-moi qu'c'est un basset.

Ventura se demande si, en définitive, il ne devrait pas la laisser croupir là cette nuit. Ce serait cruel, mais la fatigue et le venin de la vieille aidant, il y pense.

— À tout de suite, Berthe.

— À tout de suite, Columbo.

La grand-mère traîne ses pieds jusqu'au banc et

s'assoit entre Mouss, le jeune Noir à la figure tuméfiée, et une demoiselle au visage fermé étonnamment angélique malgré une tenue de prostituée relevée de la pointe de vulgarité d'une perruque mauve.

— Oh, comment vous l'avez gazé, l'condé, s'esclaffe Mouss. Scarface dans la place !

— Mon garçon, j'ne comprends rien à c'que tu dis.

— Non, j'dis, vous m'faites délirer. Vous vous laissez pas faire pour une vieille, respect.

— Ouais, ben fais d'la place à mes vieilles fesses et va donc t'acheter un Bescherelle.

Berthe se cale entre le délinquant et la prostituée. Enthousiaste, Mouss fait les présentations :

— Tanya, la dame, là, elle a fumé…

Mouss hésite, recompte, puis se retourne vers Berthe :

— Combien vous avez fumé d'darons ?

Berthe se penche vers la prostituée, avec une moue déboussolée.

— Qu'est-ce qu'il dit ?

Le visage de l'ange, amusé par la fraîcheur de la centenaire, se décrispe sous sa perruque mauve.

— Il dit que vous avez tué des hommes et demande combien.

— Ah, mes maris ? Oui, j'en ai enterré cinq et un percepteur des impôts.

— Booya ! T'entends, Tanya ? s'excite Mouss. Six keumés ! Respect quand même !

— Et un nazi…, précise la meurtrière.

— Chanmé !

Tanya hausse les épaules, peu impressionnée, contrairement à Mouss.

— J'comprends pas tout c'que tu racontes, gamin, mais j'vais t'recadrer tout d'suite. Y a pas d'respect à avoir tué sept gars. J'dis pas qu'j'regrette, ils l'avaient mérité, enfin d'mon point d'vue, mais y a pas d'gloire à en tirer. Vraiment pas.

— Mais quand même, si vous les avez fumés, c'est bien pour vous faire respecter ?

— Oui, c'est vrai. Mais l'respect devrait pas passer par la violence. Jamais.

— Mais alors, vous ? Pourquoi vous y avez recouru ? demande la prostituée avec une marque d'éducation en complète antinomie avec sa tenue.

— Parce qu'il fallait qu'j'me défende. J'étais seule. Et puis, j'étais une femme. Ça excuse pas l'geste. Mais ça l'explique. L'problème, y vient d'ce type de réactions, dit Berthe en pointant Mouss.

— Quoi, pourquoi ce serait ma faute ? s'indigne le délinquant.

— Parce que tu tires d'la fierté de la violence, gamin. Tu raisonnes avec c'que t'as entre les jambes, pas avec c'que t'as entre les oreilles.

— Oh, c'est bon m'dame ! Vous m'cherchez, là ? s'énerve Mouss. Raciste, va !

L'ange à la perruque mauve se mure dans le mutisme, pétrifié face à cette démonstration de violence latente.

— Tu vois ? On discute de respect, on n'est pas d'accord sur les arguments, et déjà l'ton monte. J'serais pas une vieille croulante qu'tu m'en collerais une. J'me trompe ?

— Mais c'est vous, aussi ! Vous m'parlez mal, s'insurge Mouss.

— C'est qu'des mots, gamin. Pourquoi donc t'as l'visage qui ressemble à un jour de fête à Verdun ?

— Hein ?

Cette fois, c'est le délinquant qui ne comprend plus la centenaire. Choc des générations.

— Pourquoi t'es couvert d'hématomes ?

— Ah ça ? C'est un keumé qui m'a embrouillé. Il voulait m'vendre du mauvais teushi et c'est parti en frisbee. On s'est chauffés, et puis il a ramené sa cliqua et y m'ont foncedé.

Berthe se tourne vers la prostituée pour le décodeur.

— Une bagarre pour une histoire de drogue, madame, lui traduit l'ange mauve avec une politesse bien appréciable.

Berthe prend sa main, d'une pureté diaphane, et la serre dans la sienne parsemée de taches et de reliefs veineux bleutés.

— T'es une gentille, toi.

— Elle ? C't'une pute ! crache Mouss.

— Et toi, t'es quoi, sale racaille ? feule la prostituée.

— Oh, ferme ta bouche ! grogne Mouss avec une férocité glaçante.

La madeleine rance de cette agressivité masculine projette Berthe dans des traumatismes qui réveillent en elle des pulsions de meurtre. Et des vapeurs de désolation. Le monde ne changera-t-il donc jamais ?

— Oh, on se calme, là-dedans !

Un flic frappe contre la grille pour rappeler les détenus à l'ordre.

— C'est elle, aussi ! se justifie Mouss comme un gosse pris en flagrant délit de bêtise anodine.

— Pauvre type, griffe l'ange mauve.

— Quoi, c'est pas vrai ? T'es pas une pute ? T'as vu comment tu t'habilles ? Tu t'respectes pas toi-même, d'où tu veux qu'j'te respecte.

— Tu parles beaucoup d'respect, gamin, mais t'as pas l'air d'avoir bien cerné l'concept, intervient Berthe.

— Non, mais c'est elle, m'dame, s'embourbe Mouss.

— Grandis, gamin, ou faudra pas t'étonner de t'retrouver avec un coup d'pelle en travers du crâne. Si c'est pas moi qui t'le colle, ce sera p't'être la mignonne, là. Ce sera p't'être ton marlou à qui tu voulais acheter d'la drogue. Ce sera p't'être juste quelqu'un qu'tu connais pas. Mais crois-moi, continue sur c'ton, et y va t'revenir à la gueule.

— Ouais, c'est bon, j'lâche l'affaire, vous m'prenez trop la tête.

Mouss croise les bras et émet un bruit de succion modulé entre ses dents et ses lèvres :

— Tchiiiiip !

— Pour l'instant, t'es vexé, j'te demande pas d'm'entendre dans l'immédiat, mais écoute. Et médite. Tu m'remercieras plus tard.

— Bon, ça va ! J'ai compris !

— Non, t'as pas compris. Tu m'envoies paître, mais j'suis pas une chèvre alors j'reviens à la charge. Tu pourrais m'coller une baffe, ce s'rait l'meilleur moyen de m'faire taire, mais tu sais que j'risque de pas m'relever, et tu prendrais perpète. J'sais d'quoi j'parle, c'est c'qui m'attend demain.

— Ils vont vous condamner ? Mais pourquoi ? demande la prostituée.

— Parce que j'les ai vraiment tués, ma belle…

Berthe lance un œil menaçant vers Mouss :

— Oublie pas ça, gamin !

Puis pour elle-même :

— D'un certain point de vue, c'est juste…

Et elle reprend son sermon au jeune délinquant :

— J'espère que quand tu reperdras ton sang-froid, tu repenseras au p'tit bout de vieille dans son cachot et qu'tu comprendras c'que j't'ai dit. T'as pas envie d'finir comme moi, gamin. Et viens pas m'parler d'racisme. Pas à moi.

Elle sort une photo de la poche de sa robe aussi fanée qu'elle. Mouss fait mine de ne pas s'intéresser, puis son attention est harponnée. La photo montre un GI, fier et charismatique, à la peau d'ébène plus dense encore que la sienne. Et pas seulement parce que la photo est en noir et blanc.

— C'est dans quel film ? demande naïvement le délinquant qui n'a connu l'Histoire qu'au cinéma.

— C'est pas un film… Il s'appelle Luther. Et c'est la personne que j'ai le plus aimée au monde…

— Je peux ?

La prostituée tend une main timide.

— Bien sûr, ma belle.

Berthe confie son trésor à l'ange mauve.

— Il est beau, dit-elle avec une complicité adolescente.

— Oh oui… Mais il était plus que ça… Tellement plus…

Berthe chasse le vague à l'âme pour s'intéresser à l'ange à ses côtés.

— Ton visage m'fait penser à quelqu'un. Une fille que j'ai beaucoup aimée. Comment tu t'appelles ?

— Tanya.

— Mignonne, j'suis pas un d'tes clients. Avec moi, tu peux être honnête.

— Cerise. Ouais, je sais, ça fait con.

Mouss confirme d'un rire moqueur. L'ange mauve lui renvoie un regard noir.

— Oh, c'est fou, s'ébahit Berthe.

— Quoi ?

— Mon amie… elle s'appelait Myrtille.

1928

Depuis quelque temps, le changement qui s'opérait du côté de l'entrejambe de Berthe accaparait toute son attention nocturne. La mère s'endormait sur son livre, entamé depuis des mois, Nana finissait sa cigarette, crachait une dernière quinte de toux qu'elle faisait passer par un coup de gnôle, les lumières s'éteignaient, et Berthe se retrouvait seule éveillée dans sa chambre, exiguë et silencieuse, bercée par le chant léger de l'air qui s'invitait au travers de ses volets fissurés. Berthe se mouvait alors le plus lentement du monde pour ne pas alerter tout le village. Elle respirait d'un souffle qui lui semblait assourdissant, sans pouvoir prévenir son élan. Le plaisir qu'elle venait de découvrir était devenu un rendez-vous quotidien avec sa zone érogène. Et tous les soirs elle y découvrait des recoins et des détours toujours plus enivrants.

Berthe n'avait pas osé parler de sa découverte à sa grand-mère, encore moins à sa mère. Elle ne savait pas que la masturbation était un tabou, mais se doutait que, si ça ne se trouvait pas dans le domaine public, c'est que cette gâterie ne devait pas être bien catholique. Non pas que ça l'eût arrêtée, mais elle préférait rester discrète. Elle ne voulait surtout pas qu'on lui confisque son nouveau jouet.

Tel l'alpiniste à qui il manque un piolet pour attaquer le dernier versant de l'Everest, Berthe s'est demandé s'il ne manquait pas à son aventure l'équipement adéquat. Du haut de ses quatorze ans, après plusieurs mois d'ascension de tous les versants de son mont clitoridien, elle allait crever là, impuissante et frigide. Ce qui était pire que frigorifiée. Berthe a donc décidé de donner rendez-vous à Timothée – quinze ans, boutonneux, les dents pas droites, le geste gauche, l'haleine rance – dans la grange du père Tavenel à seize heures.

En guise de piolet, Timothée était pourvu d'un sexe de taille moyenne et d'une qualité érectile tout aussi passable car mise à mal par la fébrilité due à son âge et à son inexpérience. Berthe n'était pas venue pour qu'on lui conte fleurette mais pour entrer dans le vif du sujet, sans préliminaires ni poésie.

Tout juste arrivés dans la grange, Berthe n'a pas prêté attention aux borborygmes de Timothée, elle s'est emparée de la bosse qui déformait son pantalon, lui fermant par la même occasion son clapet odorant, mais à peine a-t-elle eu le temps d'ouvrir sa braguette que sa quête en a surgi en lui crachant dessus une bave blanchâtre. Surprise, Berthe a fait un bond en arrière.

— Ben toi, t'as jamais vu le loup, lui a dit Timothée avec le peu de verve que son développement intellectuel atrophié lui permettait.

— Quoi ? Je m'attendais pas à ce que tu craches sur moi, c'est tout.

— Toi, t'es une vraie pucelle, t'y connais vraiment rien.

— Si, j'ai vu les bêtes se monter dessus.

— C'est pas pareil.

— Et toi, tu t'y connais, peut-être ?

— Ben ouais, qu'est-ce que tu crois ? J'ai deux cousines pas bégueules. Elles m'ont montré des trucs.

— Des trucs comme quoi ?

— Ben moi, je sais que t'as pas de loup mais que t'as un trou pour que j'y mette ma bête à moi.

Timothée était un cancre, doublé d'un crétin, donc Berthe n'appréciait guère qu'il lui fasse la leçon. Pourtant, il fallait bien le reconnaître, il semblait plus expérimenté qu'elle. Berthe s'est penchée sur le morceau de peau flétri qui pendait de sa braguette ouverte, a pris la chair amorphe entre ses doigts, l'a pliée en deux, l'a tirée en haut, puis en bas, empotée avec cet outil tant convoité. Timothée a explosé de rire :

— Ben dis donc, tu sais vraiment pas t'y prendre, toi.

— C'est la première fois que j'm'en sers, faut que tu m'expliques comment ça marche.

— Ben c'est trop tard. C'est fini.

— Comment ça, c'est fini ?

— Ben, ouais, t'as bien vu. Il a craché. Donc c'est fini.

— Mais c'est nul !

— Ouais pour moi, c'était pas terrible non plus, mais j'ai craché alors ça va.

Et suite à cette conclusion ô combien altruiste, Timothée s'est rebraguetté sans demander son reste. Berthe l'a attrapé par la ceinture alors qu'il s'en allait.

— Oh ! là ! Où tu vas ?

— Ben, chez moi. On a fini ce qu'on avait à faire et le père Tavenel pourrait se rameuter.

— On n'a rien fini du tout. On n'a même pas commencé.

— Ben si, j'ai crach…

— Ouais, t'as craché, j'ai bien compris. Mais puisqu'on est là, tu vas quand même me montrer la machinerie, parce qu'à défaut d'avoir pratiqué j'aimerais examiner.

Berthe a déboutonné le pantalon de Timothée qui, soudain pudique, s'accrochait à son ceinturon comme à une corde de rappel.

— Eh mais t'es pas bien ! Qu'est-ce qui te prend ?

— Montre-moi, s'obstinait Berthe. Je VEUX le voir !

Timothée a senti dans la voix de Berthe une menace qui lui a fait suffisamment peur pour qu'il lâche prise.

— D'accord mais toi d'abord.

— Quoi, moi d'abord ?

— Tes nichons.

Timothée a désigné le haut de la robe de Berthe d'où pointait son début d'excroissance mammaire. Berthe était surprise, mais savait qu'on n'avait rien sans troc. Elle a donc tiré de façon mécanique sur la ficelle de son décolleté et a laissé apparaître ses deux jeunes tétons roses. Les joues de Timothée ont rosi en écho.

— Et ça, tu me le montres ? a articulé Timothée dans un souffle plus rauque.

Les yeux de Timothée s'orientaient vers le bas de sa robe. Il faisait le coq, mais finalement il ne semblait pas beaucoup plus aguerri qu'elle. Berthe l'a vite compris et s'est dit qu'elle pourrait tourner la situation à son avantage. Elle a donc baissé sa culotte. Elle a ensuite relevé sa jupe fleurie, révélant progressivement sa toison encore cachée par le tissu. Elle se trouvait au milieu de la grange, exposée aux yeux concupiscents de ce crétin boutonneux avec qui elle avait échangé trois mots depuis qu'elle le connaissait.

La bête amorphe entre les jambes de Timothée s'est redressée comme une lance prête à pourfendre une forteresse, ou, dans ce contexte, une jeune vierge bien décidée à découvrir le plaisir de la pénétration. Enfin le plaisir, c'était vite dit. Timothée s'est pressé contre Berthe, en se souciant du confort de la demoiselle qui gisait jambes écartées sous lui comme de celui d'une vache à traire. Ses gestes étaient nerveux et bien trop précipités pour la précaution que le moment exigeait.

Berthe a senti une douleur la transpercer. Cette pénétration laborieuse, bloquée par un hymen récalcitrant et surtout par un manque de lubrification dû à une absence de préliminaires – on ne parlera pas d'excitation au vu du laborieux de l'entreprise –, Berthe la ressentait comme une lame émoussée lui déchiquetant tout l'intérieur. Pourtant, ce n'était qu'un petit morceau de chair, dernier bastion à protéger son intimité, qui cédait aux attaques de son assaillant. Comme après toute invasion barbare, le sang et la douleur ont suivi. On était bien loin de la volupté que Berthe se prodiguait chaque soir. De l'ivresse de son clitoris frémissant sous ses doigts, Berthe était passée à la brûlure de son vagin écorché par un adolescent, maladroit et brutal.

À nouveau la bête a craché, cette fois entre les jambes de Berthe, et le résultat n'en était pas plus satisfaisant. Le coït avait pris fin aussi vite qu'il avait commencé et laissé un goût amer dans la bouche de Berthe et du sang entre ses cuisses. De sa désillusion ou de sa douleur, Berthe ne savait pas ce qui était le plus désagréable. Sa seule certitude était qu'elle voulait que Timothée s'en aille.

Berthe a remonté sur son corps tremblant le bout de tissu qui lui servait de robe, taché de son sang virginal. Elle a croisé ses bras sur sa poitrine qu'elle cherchait à masquer aux yeux désolés de Timothée. L'adolescent, plus benêt que malveillant, se sentait merdeux et avait compris qu'il valait mieux la laisser seule.

— Bon ben, j'y vais.

Berthe fixait le vide, la tête tournée vers le foin, dans la direction opposée à celle de Timothée. Le garçon n'a pas insisté. Il a remonté son pantalon, le tachant du sang de Berthe, a observé un instant l'adolescente vulnérable mais, ne sachant comment réagir pour la réconforter, est parti sans un mot.

Berthe a ouvert timidement la porte de la grange du père Tavenel. Tout était calme au village. Elle a pris une brève inspiration et s'est jetée à découvert. Elle tenait un pan de sa robe avec sa main de façon à masquer au mieux la souillure rouge. En quelques pas précipités, elle s'est retrouvée à l'abri dans le silence de sa maisonnette. Elle a grimpé les marches quatre à quatre, vers sa chambre, a retiré sa robe précipitamment, l'a roulée en boule et l'a jetée sous son lit, espérant qu'elle disparaîtrait dans la pénombre comme la brûlure entre ses cuisses. Elle a imbibé le gant dans sa cuvette d'une eau réparatrice puis a épongé à tâtons les marques laissées par Timothée. Méticuleusement, elle a nettoyé le sang, puis a posé le gant gorgé d'eau en compresse sur ses lèvres encore gonflées par le traumatisme. Cette fraîcheur l'a apaisée un court instant.

Et alors qu'elle était voûtée face à sa cuvette en porcelaine, le gant frais qui se réchauffait au contact de sa peau brûlante, Berthe a examiné son image dans le miroir. Quelque chose avait disparu dans ses yeux. Un brin d'innocence peut-être. Un morceau d'enfance. Il avait fait place à une première trace de maturité.

Berthe s'est retournée et est tombée nez à nez avec Nana. Le morceau de tissu souillé entre les mains, sa grand-mère l'a lorgnée avec cette expression des aïeuls difficile à déchiffrer : remontrance ou bienveillance ? Puis elle a esquissé un sourire ancestral, celui des mères qui savent que leur fille vient de devenir une femme, qu'elle est déboussolée, et qu'elle a besoin d'en parler. Ce qu'elles ont fait dans l'intimité de la chambre.

Le printemps passait et avec lui la douleur entre les cuisses de Berthe. Un jour particulièrement ensoleillé, Berthe s'était posée à l'ombre de son chêne préféré dans un champ en retrait du village pour réviser son manuel de français. Bercée par la mélopée des feuillages brassés par le vent, elle a mis de côté le livre scolaire et a laissé son esprit vagabonder dans des pensées érotiques. À trop titiller son imagination, Berthe a senti son sexe gonfler. Sa main remontait le long de sa cuisse, sachant où chercher pour assouvir l'appétit déclaré, lorsqu'une voix l'a interrompue :

— Qu'est-ce que tu fais ?

Sa main aussitôt réapparue de sous sa jupe, Berthe a rougi comme les fraises des bois qui l'entouraient. Face à elle, Myrtille la zieutait, masquée par la lumière éblouissante du soleil. Berthe a fermé un œil pour mieux la discerner. Était-ce d'avoir été surprise dans son élan masturbatoire ou était-ce l'ambiguïté émanant de Myrtille qui l'émoustillait ?

— Je révise, a répondu Berthe en oubliant de se racler la gorge dont le léger enrouement a trahi sa gêne.

Ce qui a égayé Myrtille.

— C'est pour l'épreuve de français de…

— Je m'en fous.

Myrtille ne l'a pas dit méchamment. Elle s'en foutait et ne s'en cachait pas. Berthe ne s'en est pas offensée ; en vérité, à cet instant, Berthe se foutait aussi de ses devoirs, beaucoup plus intéressée par la tension palpable dans l'air.

Myrtille avait emménagé dans le village d'à côté avec ses parents en début d'année. Inscrite au lycée de jeunes filles de Saint-Flour, Myrtille s'était retrouvée assise à deux bancs de Berthe. Les lycéennes avaient échangé des œillades, teintées de curiosité et de jeu, mais jamais de mots. Discrète, Myrtille dégageait quelque chose de sauvage qui tenait toutes les autres camarades à distance. Cette sauvagerie ne rebutait pas Berthe, au contraire, elle l'attirait. Mais sa timidité l'empêchait de faire le premier pas. Le jugement des autres également. À cet âge, on se met des barrières ridicules qui semblent insurmontables. Jusqu'au jour où on se retrouve dans un champ, sans personne autour, et on peut se laisser enfin aller. Sans censure ni retenue.

Les deux adolescentes se sont considérées un long moment, laissant les grillons faire la conversation à leur place. Puis Myrtille a ouvert le bal :

— Pourquoi t'es jamais venue me parler ?

— Toi non plus, t'es jamais venue me parler.

— C'était moi, la nouvelle. Tu aurais pu être plus accueillante.

— Pardon, tu as raison…

— Fais pas la gueule, c'est pas grave.

Myrtille s'est assise sur la couverture orangée où révisait Berthe. Quelque chose dans son regard brûlait de la même couleur solaire. Berthe était chamboulée. Mélange d'émotions étranges accentué par la main de Myrtille venue s'aventurer sur sa cuisse.

— Je sais qu'au fond tu voulais être accueillante. N'est-ce pas ?

— Je…

Berthe avait perdu tout repère à ce ton délibérément joueur. Elle avait la douce main de Myrtille posée sur sa cuisse et ne savait plus comment respirer. Myrtille a émis un ricanement devant le malaise de Berthe, puis a remonté la main le long de son épiderme. Elle a tiré délicatement l'élastique de sa culotte jusqu'à ses pieds. Berthe haletait. Elle sentait des perles d'humidité couler entre ses cuisses. Puis c'est le visage de Myrtille qui s'y est immergé sans qu'elle ne l'y invite ou sans qu'elle comprenne seulement ce qui se passait.

Berthe pensait se donner du plaisir lors de ses caresses nocturnes, devenues plus épisodiques depuis l'échec de la grange de Tavenel. Elle n'avait en réalité qu'effleuré la jouissance du bout des doigts. Myrtille en quelques coups de langue et baisers exquis l'y avait précipitée sans tâtonnements. Des soubresauts la secouaient, irrépressibles. Et des cris, d'abord feutrés, puis très vite affirmés, sont sortis de sa poitrine sans qu'elle ne s'en rende compte. Et heureusement que le champ était loin de tout, sans quoi tous les villageois auraient participé au récital. Mais quel récital ! Au dernier coup de son bassin, Berthe a serré les cuisses contre la tête de Myrtille. Elle a senti ses cheveux onduler contre sa peau. Elle a commencé à se rappeler où elle se trouvait et à être prise de panique devant l'inconcevable de cette situation. Pas longtemps. Myrtille lui a mordu l'intérieur des cuisses afin de l'achever et son corps a repris ses convulsions de plus belle. Une douleur teintée de plaisir. Et elle a crié.

Myrtille a surgi de sous sa jupe, les lèvres brillantes de la jouissance qu'elle y avait donnée. « Eh ben merde, le Timothée, il en aurait des choses à apprendre », s'est dit Berthe alors que Myrtille remontait vers elle, son regard carnassier planté dans le sien, avant de lui avaler la bouche tout entière dans un baiser chaud et humide. Les sens de Berthe ne savaient plus à qui hurler qu'ils étaient en extase, alors ils sont partis en fanfare.

À la fin du baiser, Berthe attendait la suite, sans trop savoir quelle forme elle prendrait. Son professeur semblait maîtriser la situation et, jusqu'à présent, Berthe aimait ses travaux pratiques, donc elle était prête à jouer la bonne élève. Myrtille l'a senti, alors elle s'est léché les lèvres avant d'ajouter :

— À ton tour.

Myrtille s'est allongée sur le dos. Une invitation à Berthe qui n'a pas hésité longtemps. Elle en avait envie autant qu'elle. Alors elle a plongé dans son intimité. Myrtille avait le goût de son nom. Savoureux et sucré.

Ces rendez-vous ont parsemé l'été de joies espiègles et d'apprentissages sensuels qui avaient manqué cruellement dans la grange de Tavenel. C'est Lucien qui a été décontenancé de tant d'expertise quand il s'est retrouvé pour la nuit de noces dans le lit de son épouse. Et le pauvre bougre n'en était qu'au début de ses surprises.

22 h 03

— Hé mais madame, elle est chelou, votre histoire ! Vous broutez du minou mais après ça vous vous maquez avec un daron ?

Berthe se tourne vers Cerise en haussant du sourcil.

— Il trouve étrange que vous ayez eu des penchants homosexuels mais que vous ayez épousé un homme, dit la traductrice.

— Comment une fille aussi éduquée qu'toi se retrouve dans c'trou ? s'interroge la grand-mère.

— Je vous retourne la question, Berthe.

— Parce que mon époux, j'ui ai mis vingt-huit coups d'couteau. Et c'était qu'un début, dit-elle un œil sur Mouss qui fait soudain moins le fier.

Scarface, le sobriquet lui va bien, à la vieille.

— Et pour répondre à ta question, gamin, j'l'aimais, la petite. Et l'amour, ça a pas plus de sexe que d'couleur. Et si l'premier argument, tu l'comprends pas parce que t'es encore engoncé dans tes préjugés, le deuxième tu dois l'entendre. Hein, « Mouss » ?

Le jeune Noir relève les yeux. Oui, le deuxième argument, il l'entend.

— Alors, on s'est fait de nouveaux amis ?

Ventura ouvre la grille, en tenant fermement en laisse son chien. Et Berthe de s'illuminer en frappant dans ses mains.

— Noooooon, tu t'moques de moi, Columbo ?

Ventura le savait, il l'attendait, il accueille donc la moquerie sans broncher. Berthe se penche, se risquant au lumbago, pour caresser le joyeux basset baveux à ses pieds.

— Oh là là ! Tu m'fais ma journée, là. Et dis-moi, inspecteur, comment tu l'as appelé ?

Ventura hésite. Sa femme, qui a choisi le nom, a un drôle de sens de l'humour. Chaque fois qu'il siffle son chien, il s'en mord les doigts.

— Dirty Harry.

Il a fallu dix bonnes minutes à Berthe pour se remettre de son fou rire diablement communicatif. De mémoire de flic, on n'avait jamais entendu une telle hilarité collective dans une cellule.

Ventura recharge sa vapoteuse de liquide saveur tabac brun, Dirty Harry en carpette sous son bureau. Berthe, fébrile comme après un entracte, tapote la main de Beyoun qui l'accompagne à sa place, telle une ouvreuse. La pièce est prête à reprendre. Trois coups de brigadier. Lever de rideau.

— Alors je vous écoute, dit l'inspecteur.

— Pour sûr qu'tu m'écoutes, mon grand. Va même falloir qu'tu restes silencieux et qu'tu m'interrompes pas. Parce que cette partie de ma vie, j'y suis sensible.

Très. Alors s'il te plaît, Lino, j'vais te demander un peu de délicatesse maintenant.

La Veuve Noire ne lui a jamais paru aussi fragile. Depuis quelques heures que Ventura l'observe comme la serial killeuse du siècle, il en oubliait que Berthe n'est qu'une vieille dame. Pourvue d'émotions. Et de sentiments. Et il se doit de les respecter.

— Je vous écoute, Berthe. Je ne vous interromprai pas. Promis.

Berthe plonge en elle-même. Derrière ses blessures péniblement cicatrisées. Elle ne se précipite pas. Elle appréhende. La douleur. Car elle va les rouvrir.

1960

Berthe fossoyait sans conviction dans sa cave. Au moins, les autres avaient une bonne raison qu'elle se pète les lombaires à les faire disparaître. Baptiste Goujon, son dernier mari, aurait été un boulet jusqu'au bout.

Au petit matin, alors que perçait le chant des oiseaux, Berthe tapotait la terre en jurant que, jamais, ô grand jamais, on ne l'y reprendrait. Elle avait mis le temps à comprendre mais le mariage, c'était fini pour elle.

La sonnette de la porte a retenti. Berthe est remontée de sa cave, couverte de terre, en se demandant quel importun pouvait bien sonner à cette heure indue, et a ouvert, une grimace au visage pour l'accueil.

Face à elle, un homme lui souriait derrière un bouquet de fleurs.

Berthe en a eu le souffle coupé. Elle s'est jetée dans les bras de l'étranger et l'a serré, serré et serré encore, se jurant de ne plus jamais le lâcher.

Luther était revenu.

Il a plongé le nez dans ses boucles sauvages. Le

parfum de Berthe lui est parvenu, et il s'est souvenu. L'envoûtement. Ses sens en pâmoison, son cardio battant au rythme d'une New Orleans Parade, les présuppositions de Luther se sont enfin tues. Il avait beaucoup réfléchi à sa venue et avait hésité longuement. Berthe aurait-elle changé ? Le reconnaîtrait-elle ? Serait-elle mariée ? – « S'il savait… » – Aurait-elle seulement envie de le voir ? Le nez dans les cheveux de sa sauvageonne, sa vibration contre sa poitrine, Luther ne réfléchissait plus. Il savait.

Au bout d'un temps, Berthe a desserré son étreinte, timide, presque craintive. Sa frêle menotte a glissé le long de l'avant-bras de Luther jusqu'à sa large main pour l'attirer à l'intérieur.

Berthe s'est assise sur Luther dans sa cuisine. Son sourire tirait tant qu'elle avait mal aux commissures. Du bout des doigts, elle parcourait les contours de Luther. L'arête de son front, le creux de ses tempes, l'angle de sa mâchoire, la chute de sa nuque. Elle dessinait cette silhouette qu'elle avait passé de si longues nuits à se remémorer.

Luther a posé ses mains sur les reins de Berthe. Il se laissait explorer, mais ne bougeait pas. Son toucher ressentait chaque contraction du dos de sa sauvageonne. Il lui a fallu plusieurs minutes avant de noter le mouvement de bassin de Berthe. À peine perceptible. La main de Luther a glissé le long de ses reins, a apprécié la rondeur de ses fesses, pour venir chercher les lèvres gonflées sous sa culotte gorgée d'envie et les effleurer par-dessus le tissu. Berthe a pris une large inspiration, teintée d'aigu. Les doigts de Luther se sont enfoncés dans sa fente avide. Berthe a laissé s'échapper un cri coupant. Elle s'est cramponnée aux épaules de son amant, perforant sa chemise de ses ongles.

Ils ne s'étaient toujours pas embrassés.

Le soleil était déjà haut dans le ciel quand ils se sont réveillés. Aucune parole n'avait été prononcée depuis son arrivée. Luther s'amusait de l'étrangeté de la situation. Il cuisinait avec Berthe une omelette poivrons-pommes de terre qui devrait sustenter leurs estomacs affamés d'avoir fait l'amour toute la nuit.

Le petit déjeuner n'a pas montré beaucoup de résistance. Berthe et Luther ont dévoré leurs assiettes, ont fini la casserole de café bien noir, puis se sont observés. Et ils ont éclaté de rire. Après des heures à laisser s'exprimer leurs corps, ils allaient devoir se parler. Ils ne s'étaient pas vus depuis quinze ans. Depuis quinze ans, ils pensaient à ce moment. Ils l'avaient attendu, espéré, mythifié. Aucun mot n'y rendrait justice. Toute parole serait décevante.

Alors Berthe s'est jetée à l'eau et a fini de désarçonner Luther :

— Tu m'apprendras à nager ?

Luther a défait ses valises chez Berthe et le couple filait un parfait amour. Il touchait une maigre pension militaire et prêtait main-forte à Berthe dans la droguerie ou passait ses journées aux champs à épauler les frères Douais qui avaient l'étranger à la bonne. Luther avait également des notions de menuiserie et se montrait un charpentier de valeur. Il avait trouvé sa place au village où il gagnait des sous dans tous les corps de métier qui requéraient un savoir-faire manuel. Qu'il s'agisse de tenir un marteau ou de réparer un moteur, Luther faisait preuve d'un éventail d'habiletés impressionnantes qui lui avaient valu l'admiration de la plupart des hommes capables de reconnaître un travailleur précieux, et les jurons de quelques grincheux que la couleur de sa peau incommodait. Ils n'avaient pourtant pour la plupart jamais rencontré de Noirs, donc n'avaient *a priori* rien à leur reprocher, si ce n'était peut-être leur différence. Mais Luther avait pris le parti depuis l'enfance de traiter le racisme par le dédain. Du moins en apparence.

Berthe avait craint au début pour l'intégration de Luther au village. Mais finalement, sa réputation de Veuve Noire était plus forte que la couleur de peau de son amant. Il valait mieux un homme travailleur, fût-il nègre, qu'une femme grande gueule, surtout veuve et émancipée.

Le soir venu, Berthe et Luther se confectionnaient une bulle d'intimité. Ils remontaient le gramophone, allumaient quelques bougies et buvaient leurs tisanes sur leur banquette à bascule de la terrasse. Berthe s'alanguissait sur les cuisses de Luther. Il versait une larme de whisky dans leurs tasses. Et ils se racontaient leur vie. Luther lui avait révélé avoir perdu sa femme d'un cancer de l'utérus, et avait préféré ne pas développer. Ce n'était pas nécessaire. Berthe, quant à elle, ne lui a rien caché. Les cinq maris. Le nazi. Le soir où elle lui a tout dit, il a écouté sans moufter. Quand elle a commencé à lui narrer Lucien, Luther a pensé qu'elle avait une imagination débordante. Au nazi, il ne doutait plus de sa véracité, le noir dans les yeux de Berthe n'était pas à remettre en question.

Lorsque l'aube a pointé son nez, Berthe finissait de lui raconter Baptiste. La tisane était froide depuis longtemps. La deuxième bouteille de whisky était vide. Berthe livrait ses secrets enterrés dans sa cave, sans hésitation ni retenue. À la fin du récit, Luther s'est levé, a glissé ses bras sous Berthe et l'a soulevée de son fauteuil. Logée là-haut, dans l'immensité rassurante de Luther, Berthe s'est sentie comprise. Et en paix. Luther n'a rien dit. Ce n'était pas la peine. Son souffle au creux de sa nuque suffisait.

Depuis, tous les soirs, ils discutaient, bercés par le gramophone et les vapeurs de la tisane au whisky. Ils se disaient des banalités ou des vérités essentielles. Il leur arrivait aussi de ne rien dire du tout, de se contempler dans l'obscurité pendant des heures et de profiter du moment exceptionnel d'être simplement ensemble.

Ce soir-là, ils dansaient sur le perron. Sam Cooke chantait. Quelqu'un a sifflé dans la rue et a balancé un projectile. La brique a rebondi contre le mur et a échoué à leurs pieds. Luther s'est redressé d'un bond, poing serré, à l'affût de l'agresseur. Au bruit des pas de course qui s'éloignaient dans l'obscurité, il a compris que l'homme s'était volatilisé.

Berthe, qui n'était pas femme à se recroqueviller dans un coin quand elle sentait le danger, a également bondi :

— Je vais chercher le Luger !

Luther a tendu son bras pour la stopper.

— Pas la peine. Il est déjà loin. Et puis t'as plus de place dans ta cave.

La plaisanterie a amusé Berthe, malgré le malaise.

Luther a ramassé la brique. Une étiquette pendait au bout d'une ficelle qui l'enserrait. Luther a lu le mot : « Rentre chez toi, sale Négro. »

— Qu'est-ce qu'il y a écrit ? s'est inquiétée Berthe.

Cette scène, Luther l'avait vécue mille fois de par chez lui. Il ne pensait pas y avoir droit si loin, dans le Cantal.

— Rien.

Puis il est retourné à sa danse avec Berthe. Mais le cœur n'y était plus.

23 h 08

Berthe s'est interrompue. Elle reprend son souffle. Beyoun a le ventre noué. L'appréhension de la suite. Poussé par son instinct canin, Dirty Harry se met en mission de consoler la vieille et lui lape généreusement la main. Ventura, lui, ouvre son tiroir et en tire une fiole de scotch.

— Beyoun, vous allez nous chercher deux verres, s'il vous plaît ?

Berthe apprécie la prévenance mais ne peut s'empêcher de tiquer. Elle tourne la tête vers la policière derrière elle.

— Deux ? Tu manques de galanterie, Lino.

Ce pauvre Ventura, qui a l'impression à chacune de ses initiatives de se faire réprimander par sa mère, fait un signe du menton à la policière.

— Trois.

— Merci, répond poliment Beyoun, je ne bois pas.

— Ah détendez-vous, ma p'tite, l'patron a dit qu'vous pouviez, plaisante Berthe qui s'empare de cette parenthèse de fraîcheur comme d'une bouée.

— Non, vraiment, merci madame. Je ne bois pas. Je suis musulmane.

— Ah, alors, si c'est par conviction. J'dis pas que j'comprends mais j'respecte.

Appréciant cette ouverture d'esprit, la policière maghrébine s'éclipse en quête de verres.

— Par contre, moi, des restrictions, j'en ai plus, alors j'dis pas non, dit la centenaire en désignant la fiole.

Aussitôt servi, aussitôt bu. Le coup de fouet dans le gosier et les coups de langue du basset donnent à Berthe le cran de continuer.

— Quand vous voulez, l'encourage l'inspecteur.

— J'y viens, Lino, j'y viens.

Berthe reprend une gorgée de scotch, sans remarquer que son verre est vide. Déception. Ventura, d'un geste silencieux, lui offre de la resservir. Elle secoue la tête :

— Gardons-en pour plus tard.

1962

Depuis deux ans qu'il s'était installé dans la région, Luther avait pris l'habitude de courir sur les plateaux et finir son entraînement par un bain rafraîchissant dans le lac. Il se levait aux aurores, embrassait Berthe encore endormie et partait courir une heure. Il revenait gonflé d'énergie, prêt à se repaître d'un petit déjeuner copieux pour ensuite attaquer une journée de dur labeur.

Ce jour-là, Luther avait tiré quelques longueurs en crawl, pour détendre ses muscles et éviter les courbatures. L'eau était encore fraîche de la rosée du matin et faisait redescendre la température de son corps chauffé par l'effort. En bon ancien GI, Luther entretenait sa carcasse de quinquagénaire, ce qui ne déplaisait pas à Berthe.

Au bout de sa dernière longueur, Luther a tendu la main en arrivant près de la berge pour s'emparer de son caleçon mais a été stoppé net par la gueule d'un chien, grande ouverte face à lui. Un braque lui aboyait dessus en montrant les crocs. Luther a eu un mouvement de recul et s'est replongé dans l'eau aussi sec.

Deux autres chiens ont rejoint le premier. Entouré

de trois braques chasseurs, Luther n'osait plus bouger et cherchait une échappatoire en périphérie. Les aboiements hargneux et assourdissants l'empêchaient de se concentrer. Son pouls lui tambourinait dans les tempes, la surprise de cette gueule enragée face à lui avait fait exploser son tensiomètre. Dès que Luther faisait mine de partir sur le côté, les chiens lui bloquaient l'accès de leur va-et-vient sur la berge. Luther était piégé. Il a pris son mal en patience, pensant que leurs maîtres ne tarderaient pas.

Il n'avait pas tort.

— Alors, mes loulous, z'avez pas fini de gueuler ?

— Oh, regarde-moi la belle pièce qu'ils nous ont trouvée.

— Bah, t'as raison ! Ça, c't'une belle prise !

Les braques avaient beau être dressés pour tuer, l'élément aquatique les effrayait. Immergé jusqu'aux narines, Luther restait protégé mais ne pouvait voir les nouveaux venus. Quand il a entendu les voix assez proches, il a senti qu'il pouvait se risquer à découvert. Il s'est redressé hors de l'eau, provoquant une salve d'aboiements doublement furieux.

— Ah non, mais regardez-moi ça ! C't'un bestiau exceptionnel !

— Pis, c'est donc vrai, c'qu'on dit, sont sacrément bien bâtis !

— Avec un engin pareil, va faire peur à tous les bestiaux d'la région.

Les hommes parlaient de lui comme s'il n'était pas là. Luther a tout de suite compris que le ton n'était pas à la plaisanterie. Il était nu comme un ver, à trois mètres de ses vêtements, et, plus embêtant, à plusieurs kilomètres de son colt semi-automatique resté à la maison. Il aimait courir léger et le regrettait déjà.

Face à lui se tenaient trois chasseurs, la carabine au bras, non armée, le canon pendant vers le sol. Ils avaient l'air cons et teigneux mais n'affichaient aucun signe extérieur de menace.

Du moins pour l'instant.

— Bonjour, messieurs. Auriez-vous l'amabilité de rappeler vos chiens, s'il vous plaît ? Ils montrent une certaine agressivité et m'empêchent d'accéder à mes vêtements.

Luther savait qu'en cas d'agression, la cordialité était la meilleure arme pour ne pas alimenter la tension. Dans ce cas précis, il se trompait.

— Oh ben dis donc, c'est que ça s'exprime bien, ces bêtes-là !

— Avec sa tronche toute carbonisée et son nez aplati, y nous donnerait presque des leçons de français.

Ne jamais vexer un chasseur bas du front. Surtout quand on est noir et éduqué. Leçon à retenir pour la prochaine fois. S'il y en a une.

L'un des chasseurs semblait plus guindé, d'un autre milieu. À son cou pendait un christ en ivoire au bout d'une chaîne en or. Apparemment, lui et Luther ne fréquentaient pas la même paroisse. Les deux autres étaient sales et pouilleux, des chicots pourris pour l'un, une peau bubonneuse sur une masse impressionnante pour l'autre.

Luther avait déjà croisé ces trois hommes au village, mais il ne pouvait pas mettre un nom sur leurs visages qu'ils n'avaient même pas pris la précaution de masquer. Ces salauds s'exhibaient avec fierté, toutes dents jaunes dehors, à s'esclaffer face au pauvre animal qui se débattait, pris dans leurs filets.

— Messieurs, je vous en prie. Soyez raisonnables et rappelez vos chiens.

— Je crois que je n'ai jamais fait une aussi belle prise, a dit le guindé.

— Tu vois, tu pensais qu'on allait rentrer bredouilles.

— Ouais, on va avoir une bonne raison d'trinquer ce soir.

Les chasseurs continuaient de parler de Luther comme s'il ne pouvait pas les comprendre. Comme s'il était une vulgaire bête. Une bête à abattre. Belle marque d'hospitalité. Luther allait finir par regretter d'avoir débarqué sur les plages normandes pour sauver leurs culs racistes. Mais pour l'instant, il était à poil, entouré de trois gars armés de carabines à défaut d'un cerveau équilibré, et de trois braques qui ne faisaient pas la différence entre un homme noir et un sanglier. On a les chiens qui nous ressemblent.

— Messieurs, je comprends que cette situation puisse vous amuser, mais la plaisanterie a un temps.

— Ça débarque par chez nous, et ça vient semer le bordel dans les troupeaux.

— L'est venu marquer son territoire.

— Si y pouvait, y boufferait les autres mâles.

— Pis y s'mêlerait aux femelles pour les engrosser.

— Leur faire des bâtards qui sont pas plus bons pour l'élevage que pour la charcutaille.

— Boh, la génisse qu'il monte, elle est pas bien fertile non plus.

— Elle a jamais donné de veau.

— Faudra s'décider à l'emmener à l'abattoir, d'ailleurs.

— En faire du mou pour chat.

— Mais le bestiau, là, faudrait pas qu'il s'en prenne aux autres troupeaux.

— Avec sa grosse queue de bête sauvage.

On n'était pas dans la plaisanterie la plus fine jusque-là, mais Luther aurait pu penser qu'il ne s'agissait que de le houspiller. Les chasseurs se montraient bien plus explicites depuis quelques répliques. Luther suivait le chœur grec qui échangeait des métaphores peu inspirées mais très claires quant à leurs intentions, soutenues par les grognements des chiens, et sentait le lynchage poindre.

Il attendait le coup de feu du départ.

— De la vermine à abattre !

Les trois chasseurs parlaient d'une même voix. D'une intention commune. Celle de se faire la peau d'un Nègre. Leurs corps, par contre, n'étaient toujours pas menaçants. Les carabines pendaient, culasses ouvertes, ce qui laisserait à Luther le temps de plonger et nager le plus loin possible en apnée. Mais une carabine de ce calibre a une sacrée portée de tir. Même avec la résistance de l'eau, Luther n'avait aucune certitude qu'il ne se ferait pas transpercer le dos. Il avait été témoin, durant le débarquement, du massacre de ses camarades qui se jetaient hors des barges, espérant échapper aux tirs nourris des bunkers. La mer de sang à perte de vue avait été une morbide illustration de leur erreur.

— Je cherche juste à rentrer chez moi.

— Chez toi ? C'est où, ça ? Avec ton drôle d'accent ? Aux États-Unis d'Amérique ?

— Ou en Afrique ?

— Avec les autres singes de ton espèce !

Pour la première fois, les hommes s'adressaient directement à lui. Difficile de dire si la situation tendait vers le mieux, vu le ton que prenait la conversation alors que les bas-du-front s'enlisaient dans leurs métaphores animalières.

— Je vis chez Berthe Gavignol, vous le savez très bien.

— Chez qui donc ?

— La génisse !

Les trois chasseurs se sont esclaffés d'un rire gras commun. Luther a hésité à plonger. Puis a repensé au sifflement des balles allemandes sur la plage normande et a repris le dialogue, de façon plus autoritaire :

— OK, c'est très drôle, mais ça suffit. Vous comptez faire quoi ? Y a des lois qui punissent les homicides, je vous rappelle.

— Des quoi ?

— Des homicides, y dit.

— C'est quoi ?

— Chais pas. Y a « homme » dedans. Alors ça nous concerne pas.

— Nous, on est là pour le singe.

Le bubonneux a refermé sa culasse. Luther contractait déjà les muscles de ses cuisses, prêt pour son quatre cents mètres apnée, quand un coup de feu a retenti. Mais sur sa gauche. Alors que les trois agresseurs lui faisaient face.

Un quatrième chasseur ? Non, un coup de semonce plutôt.

— Ôte donc ton doigt de la gâchette, Ranvignac, sinon la prochaine balle t'éclate le fruit pourri qui végète entre tes deux oreilles.

« Dam', I love that woman[1] *! »*

Berthe se tenait sur un rocher, les boucles indomptables au vent, sa longue jupe battant derrière elle, la carabine de Nana braquée sur les trois chasseurs.

La guerrière.

Luther s'extasiait devant la puissance de cette image, oubliant un instant le danger imminent.

— Qu'est-ce tu fais, Berthe ? Tu nous menaces ? a lancé le chasseur aux chicots pourris.

— Pour l'instant, c'que j'vois, Ranvignac, c'est plutôt vous qu'êtes menaçants, a reparti Berthe.

— Rien du tout. On chasse le sanglier.

— Et y s'trouve que ton… compagnon… y se baigne sur un terrain de chasse.

— Et ? a demandé Berthe, le doigt sur la gâchette.

— Et ça prête à confusion, a relayé le bubonneux.

— Tu t'fous de ma gueule, Léon ?

— J'oserais pas.

---

1. Qu'est-ce que j'aime cette femme !

— Ben voyons. Et vous, m'sieur Thuillier ? Vous avez aussi confondu mon homme avec un sanglier ?

« M. Thuillier ! Voilà ! » Depuis dix minutes que Luther se trouvait avec trois carabines sous le museau, il se disait bien que l'homme à la posture plus bourgeoise lui rappelait quelqu'un. Un jour qu'il était passé à la droguerie, Berthe l'avait désigné comme le père de Rose. Entre la mort de Riton, l'avortement puis le départ de sa fille, Thuillier avait une dent contre Berthe. Une dent en forme de couteau de chasse. Crantée.

— J'vous prenais pour un homme avec de l'éducation, j'vois qu'vous êtes aussi con qu'les autres.

Ce connard de Thuillier lui courait depuis longtemps déjà, s'il lui donnait la moindre excuse, Berthe se ferait un plaisir de lui perforer les poumons pour en nourrir les brochets.

— Vous devriez changer de ton, Berthe. Vous aggravez votre cas, a dit Thuillier avec ce calme arrogant des politiciens pris la main dans le sac.

— Mon cas ?

— Vous braquez une arme sur nous.

— Et vous, vous faites quoi, là ?

— On chasse, a rétorqué Léon.

— Tu joues les durs, Léon ? T'as les couilles qu'ont repoussé depuis que j'te les ai décrochées ?

Vexé, le bubonneux a rougi et a empoigné son arme plus fermement.

— Joue pas à ça avec moi, face de clafoutis. Sinon ta tronche en feu d'artifice, j'l'appellerai Légitime Défense auprès de mon pote Robert, l'a menacé Berthe.

— Tu couches aussi avec de la flicaille, hein, sale vendue !

— Tes insultes, j'me torche avec, Thuillier, ça m'fera toujours économiser du PQ.

Berthe n'en était plus au raffinement. Mais sa verve fleurie enchantait Luther, qui pataugeait toujours le cul dans l'eau et s'y sentait un peu idiot. Heureusement, moins maintenant que Berthe faisait les présentations.

— C'est quoi, c't'histoire ? a demandé Ranvignac à Léon, la curiosité éveillée, contrairement à son air.

— Rien.

Léon ne voulait pas répondre et montrait des signes de nervosité contagieux. Mais Berthe a eu envie de faire un détour par le sentier de l'humiliation :

— J'avais huit ans et il s'en prenait à un pauv' chien, alors je lui ai cueilli les valseuses avec mes petites menottes. Là, j'ai une carabine entre les mains, alors imaginez les ravages que j'pourrais faire sur tous vos attributs réunis.

Les menaces de Berthe ont montré leur efficacité. Les légendes couraient sur la Veuve Noire et les trois chasseurs sentaient bien qu'elle ne plaisantait pas derrière son double canon.

— Et dites à vos clébards de fermer leurs gueules. On s'entend pas s'insulter, ici.

Les chiens qui n'avaient rien suivi à l'évolution des cordialités continuaient à aboyer en allant et venant nerveusement le long de la rive.

— Sont excités par la chasse, on peut pas leur en vouloir, a plaisanté le chasseur aux chicots pourris.

— Tu joues au malin avec moi, Ranvignac ?

BLAM ! Berthe a tiré une charge aux pattes d'un des chiens qui a décampé comme le lapin qu'il chassait plus tôt.

— J'ferai pas de mal à une bête, sauf si on m'y pousse. Mais trois connards dans votre genre, j'aurai pas besoin qu'on me taquine longtemps.

— T'aurais pas dû tirer ta deuxième chevrotine, Berthe, a menacé Ranvignac.

— Pourquoi donc ? Tu vas me coller une fessée ?

— Non. Mais t'es à sec.

Rire narquois de Léon. Regard en biais de Thuillier. Sueurs froides dans le cou de Luther. Ranvignac a fait mine d'armer sa carabine mais Berthe lui braquait déjà le Luger sous le nez.

— *Luger Parabellum. Deutsche Fabrikation !* Très bonne qualité. Ça a moins de portée qu'une carabine, mais ça fait des trous plus gros et à cette distance, j'ai pas besoin d'un long canon pour t'aérer la tronche !

« Dam', that woman's fine[1] *! »*

Côté chasseurs, on serrait les fesses et on désarmait les culasses.

— Tu ferais mieux de rentrer chez toi coller des roustes à tes rejetons, plutôt qu't'en prendre à mon homme.

— Je frappe pas mes enfants, a plaidé Ranvignac.

— Pas à moi. J't'ai vu et j'connais les gars dans ton genre. Par contre, j'te préviens, le jour où ton gosse aura l'âge de tenir un flingue pour se venger, c'qui devrait plus

1. Merde, cette femme est exceptionnelle !

trop tarder, et qu'il viendra m'acheter des cartouches, j'me ferai un plaisir de lui faire une ristourne.

— Sorcière.

BLAM ! La balle de Luger a coupé en deux la pipe que serrait Ranvignac entre ses dents. Berthe s'était améliorée au tir avec les années. Elle savait que le coup de la pipe ferait son petit effet tout en se disant qu'il était présomptueux de sa part de tenter un tir aussi précis. Elle aurait aussi bien pu lui décoller la tête. Mais le risque l'excitait et ouvrir la tronche de Ranvignac la titillait. Dans un cas comme dans l'autre, elle sortait gagnante.

« What a shot[1] ! »

Les chasseurs étaient moins admiratifs que Luther. Ils sentaient la situation leur échapper, comme la digestion de Ranvignac dans sa grenouillère.

— Allez, cassez-vous maintenant ! On a assez discuté, et j'ai une poule sur le feu.

Les trois chasseurs penauds ont échangé des grimaces d'acquiescement, et ont sifflé leurs chiens. Ranvignac fixait le sol. Il n'osait pas se tourner et révéler l'humiliation.

— Elle va être marrante à raconter, ton histoire, quand tu vas demander à maman de te nettoyer le falzar, a persiflé Berthe. Hein, Ranvignac ?

Ranvignac n'a rien répondu. Il a ravalé sa honte et s'est éloigné, exposant son derrière de treillis souillé. Ses compagnons n'ont pas relevé. Ils se moqueraient plus tard.

---

1. Sacré tir !

— Oh, les bouseux ! Si j'vous prends encore à tourner autour de nous, c'est plus la pipe que je vise.

BLAM ! Elle a tiré entre les jambes de Léon, lui trouant le pantalon. Elle visait bien, la mère Luger.

Message bien reçu, les trois crétins sont repartis le poil roussi pour certains, et la queue toujours entre les jambes. C'était déjà bien.

Le calme, à nouveau.

Berthe, Luger braqué, a attendu que les chasseurs disparaissent derrière la ligne d'horizon pour reprendre sa respiration et se tourner vers Luther.

— Tu es folle, a dit l'amant amoureusement.

— Merci.

— Non… merci à toi.

Luther savait qu'il avait frôlé la mort et qu'il devait la vie à sa sauvageonne. Il s'est relevé pour sortir de l'eau. Enfin !

— Attends !

Luther a stoppé, aux aguets.

— Ils sont revenus ?

— Non ! Mais ça m'a sacrément excitée tout ça !

Luther n'a pas eu le temps de comprendre que Berthe était nue et se jetait dans l'eau à sa rencontre. Elle a chopé sa queue qui ne s'est pas fait prier pour bander, et a célébré sa victoire à grands coups de reins.

Prudente quand même, dans sa main, Berthe tenait fermement le Luger.

— Faut pas qu'on tarde trop. J'ai une poule sur le feu !

De retour à leur chaumière, Berthe a éteint le four. La

poule était cramée mais qu'importe, son orgasme avait résonné dans toute la vallée. Elle ferait des courgettes.

— Comment t'as su que j'étais en danger ? l'a interrogée Luther.

Berthe a désigné son ventre.

— J'l'ai senti. Là.

Elle a commencé à découper les courgettes en sifflotant.

— Comment tu peux rester si légère ?

— Quoi ? Trois connards qu'en veulent à ta peau, c'est pas une surprise.

— Non, mais c'est dangereux.

— J'ai l'habitude.

Luther a jeté un œil sur le Luger à sa ceinture. L'histoire de Berthe n'avait jamais autant résonné en lui.

— *Gotcha*[1] !

Luther est monté dans leur chambre. Lorsqu'il en est redescendu, il a posé une bise sur la tempe de sa sauvageonne qu'il aimait plus passionnément chaque jour, a sorti la poêle et a lancé les courgettes à frire en sifflotant à son tour.

Berthe savourait ce moment de calme après la tempête. En glissant derrière Luther pour chercher l'ail, elle a remarqué une bosse à l'arrière de son pantalon cigarette. Coincé là, bien au chaud, un compagnon fidèle de l'armée : le bon vieux colt de Luther.

Il s'entendrait parfaitement avec son Luger.

---

1. Compris !

23 h 42

— Vous savez ménager vos effets, dites donc.

— J't'ai dit d'pas m'interrompre, Lino.

Ventura ne sourcille pas, il est plutôt rassuré de la résolution de ce duel au soleil. Il a beau vouloir clore son enquête, il s'est attaché à Berthe et la leçon qu'elle a donnée à ces trois connards de chasseurs, il a bien envie de l'applaudir.

De son poste retranché, Beyoun dégouline d'admiration pour la grand-mère. Du haut de son mètre vingt-deux, plus tordue qu'un bonsaï, qu'est-ce qu'elle en impose, cette vieille dame !

Dirty Harry, lui, s'est camouflé en carpette aux pieds de l'aïeule, et tient chaud à ses engelures.

— Mais pardon, Berthe, je ne voulais pas vous interrompre. Poursuivez.

— J'suis un peu fatiguée, Lino, tu sais.

L'inculpée est lessivée. Elle frissonne. Il fait pourtant chaud dans le bureau. On y étouffe même. L'épuisement joue. Mais l'inspecteur sait que ce n'est pas la seule raison. Berthe a peur. De sa propre histoire.

— Je comprends. On n'est pas forcés de finir ce soir. On peut reprendre demain, si vous préférez. Ce serait même plus raisonnable.

— Non, murmure Berthe, sans force.

— Vous êtes épuisée. Et je ne suis moi-même plus très en forme. Reprenons dem…

— Faut qu'j'aille aux toilettes.

Retour aux réalités triviales. Berthe a fait une bonne dizaine de pauses depuis le début de la garde à vue, incontinence oblige. Ventura se montre patient et fait signe à Beyoun qui passe son bras sous les aisselles de la grand-mère :

— Laissez-moi vous aider.

— Vous avez vraiment des cheveux magnifiques, lui glisse Berthe à l'oreille, enivrée par le parfum qui s'en dégage.

Les deux générations sortent au ralenti.

Dirty Harry redresse la truffe, se demandant s'il doit suivre ou rester. Et, pas beaucoup plus dynamique que la grand-mère, préfère opter pour la position vautrée.

Ventura regarde sa montre.

En sortant des toilettes, Berthe et la policière passent devant un poste de télé allumé. Un journaliste y mentionne la cavale des dénommés Raymond Truchaud et Guillemette Desmoulins.

« Roy et Guillemette, pense Berthe. Qu'ils étaient mignons, ces deux-là. »

Elle marque l'arrêt.

— Ça va, madame Gavignol ? s'inquiète Beyoun.

— Un p'tit coup d'fatigue.

— Vous voulez qu'on s'assoie une minute ?

— Vous seriez gentille, oui.

Le stratagème de Berthe fonctionne. Elle voudrait en savoir plus sur ses petits protégés et cette télé lui tend les bras. Pas sûr que ce bougon d'inspecteur lui laisse glaner des informations, alors que la jolie policière bronzée est suffisamment serviable pour se laisser berner.

La chaîne passe les mêmes images en boucle. Le corps de la victime, Xavier Desmoulins, l'ex-mari de Guillemette, sauvagement assassiné par Roy, comme en témoigne la mère de la petite qui a lancé un avis de recherche pour l'enlèvement de sa progéniture. Comme si Roy avait kidnappé Guillemette ! Ces amoureux-là sont en cavale parce que, comme toujours, les apparences sont trompeuses. L'ex a été tué, soit, mais il faut bien comprendre que Roy protégeait sa luciole. Qu'il l'a en réalité sauvée. Que Xavier aurait fini par la tuer, elle. Pourtant les faits accablent le sauveur. Et la loi s'apprête à le condamner. Alors les amants sont en fuite. Et Berthe a beau être inculpée pour sept meurtres, elle s'inquiète pour ses fugitifs chéris. La voilà cependant rassurée de savoir qu'ils n'ont toujours pas été pris.

Le journaliste passe alors le micro à l'autre tête d'empaffée qui siège face à sa chaumière et se repaît du morbide fait divers d'une dénommée Berthe Gavignol, aussi surnommée la Veuve Noire.

— On va peut-être y retourner ? propose la policière attentionnée qui préférerait ne pas voir sa centenaire malmenée davantage par ces rapaces.

— Attends, ma belle. Ça m'intéresse.

Des photos jaunies de Berthe sont diffusées à l'écran. Seule ou en compagnie de ses différents maris. Des décennies résumées en quelques clichés assemblés sans cohérence chronologique. Par-dessus, le commentaire scande des allégations de cette diction saccadée propre à ces reporters qui se complaisent dans les effets d'emphase : « Et là, c'est le drame ! »

— Les voisins décrivent une femme tranquille, mais certains suggèrent qu'il se raconte des histoires sur cette grand-mère aux airs inoffensifs.

Insert du témoignage d'un villageois, béret et mégot au bec, sous-titré : Gaston Ranvignac, voisin de Berthe Gavignol.

« Tiens, le fils Ranvignac. Fallait s'y attendre… », pense Berthe.

— Bah c'est sûr qu'la mère Gavignol, elle a une drôle de réputation. Elle a changé souvent d'nom, pis d'mari. Elle nous a même ramené un Noir, une fois. J'dis ça, j'dis rien. Elle avait un Luger, pour sûr, c'était connu dans la région. Mais j'ai aussi entendu parler de cyanure. Pis d'mort-aux-rats. D'ici à parler d'meurtres… Enfin c'qu'est sûr, c'est que tout le monde s'en méfiait par ici et qu'si elle finit en prison, c'pas un mal.

« Bien la même sale race qu'son père, çui-là. »

La journaliste reprend l'antenne.

— Les soupçons diffèrent selon les témoignages, mais un sentiment fait l'unanimité : Mme Gavignol cachait de lourds secrets. Et l'enquête révèle aujourd'hui qu'ils étaient enterrés dans sa cave. Alors, mythe ou réalité ? Grand-mère sympathique ou tueuse en série ? Les prochains jours d'investigation trancheront. Mais dans le village, les langues se sont déliées et le verdict est sans appel : Coupable !

— Et vive la France, macère Berthe.

— Il faut pas écouter les infos, madame Gavignol. Ils cherchent juste le sensationnel.

— C'est pas les reporters qui m'choquent. C'est l'voisinage. Ces vautours, ils attendent même pas qu'j'sois refroidie pour s'jeter sur ma dépouille.

Beyoun éteint la télé.

— Vous vous faites du mal, madame Gavignol.

— Tu peux m'appeler Berthe, tu sais.

— J'oserais pas.

— Tu vas pas m'servir des politesses, paraît que j'suis un monstre.

— Mais non, arrêtez.

— C'est pourtant c'qui disent à la télé. C'est qu'ça doit être vrai.

— Non. La preuve, vous n'êtes pas un monstre, Berthe.

Sous les néons blafards du commissariat moribond en cette heure tardive, un respect mutuel se propage entre les deux femmes. Berthe se ressource de l'instant. Une accalmie dans la bataille.

— Et toi, c'est quoi ton p'tit nom, ma belle ?

— Yasmina.

— Yasmina, répète Berthe, comme elle siffloterait par-dessus un air qu'elle aime. C'est chantant. Et épicé.

Elle tapote la main de la policière.

— J'aime beaucoup.

— On y retourne, Berthe ?

Rappel à l'ordre. Soudain tout lui revient. Le commissariat. Les néons. La déposition.

— Ah… oui…

La tristesse de la vieille rebondit dans le cœur de Yasmina par ricochet. Il arrive que la policière Beyoun maudisse son métier.

— Salut, toi !

Berthe se régale des papouilles baveuses de Dirty Harry qui lui fait la fête à son retour.

— Eh bien, vous avez mis le temps.

Ventura tapote le cadran de sa montre pour paraphraser son impatience.

— J'te souhaite d'atteindre les cent piges, tu m'diras comment tu gères ta prostate. Allez, sers-moi donc un autre verre.

Cette petite vieille a un don pour passer d'une humeur à l'autre, une vraie douche écossaise. « Tant qu'à être du côté de l'Écosse, embrayons avec un bon scotch », se dit Ventura. Il rouvre son tiroir et en sort une bouteille, cette fois. Sa cuvée prestige, spéciale coups durs. On est en plein dedans. Alors il leur sert deux verres.

Cul sec.

Berthe arrête de trembler. Pour le moment.

Et reprend son récit.

1974

— Voilà !

Berthe enfonçait les soixante bougies qui s'entassaient sur le clafoutis. Elle aimait les célébrations et arborait son âge avec fierté. Sa peau se détendait, elle avait perdu la superbe de ses formes, mais l'air énamouré de Luther, lui, n'avait pas changé. Quand elle passait près de lui le soir, dans son déshabillé de soie, pour le rejoindre sous la couette qu'il avait réchauffée pour elle, Luther poussait un grognement lui signalant qu'il en croquerait bien un bout. Les années n'y faisaient rien, il ne se lassait pas de ce jeu qu'il avait installé à l'époque où ils faisaient l'amour un soir sur deux.

Depuis, l'appétit s'était amenuisé, mais la tendresse et le regard concupiscent restaient vivaces et c'était tout ce qui importait. Berthe aimait sentir le désir sincère dans les yeux de Luther, mais, plus que tout, elle aimait s'endormir contre sa peau. Au coucher comme au réveil, ils s'emboîtaient, gourmands par chaque extrémité d'un contact avec l'autre, une plante de pied contre un mollet, un sein contre le dos, une joue contre une poitrine, qu'importait, ils avaient besoin d'être collés l'un à l'autre.

Berthe confectionnait son gâteau en chantonnant avec Janis Joplin sa reprise fiévreuse de *Summertime*, qu'elle avait découverte en chinant dans une brocante. Bechet avait troqué sa clarinette contre le cri rageur de Joplin, mais c'était toujours la même chanson qui résonnait dans la chaumière.

Berthe blatérait la chanson dans une bouillie qui sonnait vaguement anglophone, le sens en moins, lorsqu'elle a senti quelque chose lui taper dans le bide. Un vide froid. Au fond des tripes.

Un mauvais pressentiment.

Happée par la confection de son gâteau, Berthe avait perdu toute notion du temps. Elle a jeté un œil sur la pendule au-dessus du four. Luther était parti courir comme tous les matins. Il n'avait plus les muscles de sa jeunesse, ce qui rendait la course plus laborieuse, et son bain dans le lac plus long. N'empêche. Il tardait à revenir.

Il tardait beaucoup trop.

Berthe courait dans la forêt. À bout de souffle. En nage. Le cagnard de l'été 74 lui brûlait les poumons, mais elle courait. Pieds nus. Elle n'avait pas pris le temps de se chausser. Elle se déchiquetait les plantes sur les sentiers rocailleux.

Mais elle courait.

— Luther !! Luther !!

Son cri se perdait dans la forêt et ne lui revenait pas. Pourquoi ne lui revenait-il pas ?

Les larmes coulaient le long de son visage rougi par l'effort. Elle ne grimaçait pas, ses yeux exorbités scrutaient la forêt, à la recherche de l'être aimé. Qui viendrait à sa rencontre. À petites foulées. Après une course vivifiante et un bain revigorant. Luther lui reviendrait. Et lui dirait comme il le faisait souvent : « Tu t'inquiètes pour rien », en lui ôtant le Luger des mains. Il arrivait encore à Berthe de sursauter dans la nuit et de se jeter sur son arme. On n'efface pas des années de terreur par quelques caresses. Si douces soient-elles.

Berthe courait. Et criait. Seule dans la forêt.

Luther lui avait montré le parcours qu'il effectuait lors de sa course, la poitrine gonflée de fierté de l'homme qui entretient son corps pour continuer à plaire à sa belle malgré ses soixante-dix printemps.

Berthe le remontait en haletant de plus en plus fort. Elle trébuchait, se cramponnait aux branches, ses muscles avaient fondu avec l'âge et elle infligeait à son corps un effort au-delà de ses capacités. Mais elle s'en foutait. Elle courait à en crever. Si Luther ne la prenait pas dans ses bras très prochainement, c'est ce qui lui arriverait : elle en crèverait.

Ses pieds tailladés laissaient des traces de sang derrière elle. Ses cris ne résonnaient plus que dans sa gorge asséchée. Ses yeux harassés voyaient flou. Son corps était en train d'abdiquer.

« Non ! Me lâche pas, putain ! Me lâche pas ! »

Et Berthe, trouvant un supplément de forces que seul le désespoir sait dénicher, a repris sa course.

— Luther ! Luther ! Lut…

Enfin, Berthe s'est arrêtée, fauchée. Elle s'est laissée choir sur ses genoux. Coupée en deux. Elle ne pouvait plus respirer.

Au-dessus d'elle pendait un fruit étrange.

L'homme qu'elle avait tant aimé.

Berthe est restée hébétée de longues minutes. Puis le bruit de la corde qui grinçait contre la branche l'a ramenée à la réalité. Il lui fallait le déloger de là. Il ne pouvait pas rester pendu là-haut une seconde de plus.

Berthe s'est précipitée sur la corde. Le nœud trop serré lui faisait barrage. Elle l'a mordu, s'y est cassé les ongles, puis a fini par s'emparer d'une pierre pour la tailler.

Le corps de Luther s'est écrasé lourdement dans les fougères. Berthe s'est jetée sur lui et l'a pris dans ses bras.

Elle a serré. Serré. Serré.

Elle murmurait dans son oreille qui ne pouvait plus l'entendre :

— Luther… mon amour… Réponds-moi… Luther…

Elle a pris le visage amorphe de son homme dans sa main, a dirigé sa bouche vers la sienne, la déformant de façon disgracieuse, et y a posé les lèvres.

Celles de Luther étaient froides. Comme une pierre tombale.

Berthe a utilisé la corde qui avait servi à le pendre

pour tracter Luther à travers la forêt. Ses pleurs lui lacéraient les veines, le ventre, la gorge. Berthe pensait connaître la souffrance, elle ne l'avait qu'effleurée. La perte de Luther la dépeçait vivante.

Quoique, vivante, elle ne savait pas si elle l'était encore.

Elle est arrivée dans le village tard dans la nuit. Curieusement, pas une âme n'errait dans la rue. Pas une lumière ne brillait dans les chaumières.

Curieusement…

Elle est parvenue à traîner le cadavre jusque dans son jardin. Son corps n'était que douleur. Ses reins la brûlaient, son dos cassé en deux, son âme déchirée. Elle ne savait pas si elle survivrait à cette nuit, et il en serait peut-être mieux ainsi, mais avant de rendre l'âme, elle voulait dire adieu à son amour, avec décence.

Elle a allongé la dépouille de Luther sous l'arbre de son jardin. Puis elle est partie faire quelque chose qu'elle n'imaginait plus jamais avoir à faire.

Elle est allée chercher sa pelle.

Berthe a creusé une partie de la nuit. Il était loin le temps où elle enterrait ses maris les seins à l'air en se marrant. Berthe creusait la terre, les yeux hagards. Elle ne pouvait pas y croire. Elle ne voulait pas.

Quand le trou a été assez profond, elle s'est tournée vers Luther, espérant le voir bouger, se redresser et la prendre dans ses bras, puis lui susurrer : « Ne t'en fais pas, je suis là. » Mais seul le vent émettait encore un vague son à cette heure tardive. Rien dans le corps de son homme ne bougeait. Ni son pouls, ni son cœur, ni son âme.

— S'il te plaît… mon amour… s'il te plaît.

Berthe bredouillait une dernière supplication. Désespérée. Elle tenait la main glacée de Luther contre sa joue.

Puis elle a revu son amant tel qu'il était encore ce matin. Rayonnant comme un soleil. Il aurait compris sa douleur, mais n'aurait pas voulu d'apitoiement. Alors Berthe a ravalé ses larmes, a rassemblé ce qui lui restait de courage, a embrassé longuement l'homme de sa vie, puis a fait glisser son corps le plus délicatement possible dans le trou.

— Adieu… mon amour.

Berthe a pris une pelletée de terre et a recouvert le visage de Luther.

00 h 39

Ventura ne parvient plus à détacher ses yeux des mains de la grand-mère, agrippées au tissu de sa robe si fort que ses veines bleues battent à la surface de sa peau tel un tremblement de terre. Dirty Harry, lui, s'est recroquevillé sous sa chaise, en attendant que la secousse passe. Berthe serre, pour ne pas pleurer. Pour ne pas hurler. Si elle ouvre les vannes, elle a peur que tout se déverse. Sa tristesse, sa colère, son dernier souffle. Pas maintenant. Il faut qu'elle tienne.

Derrière elle, Yasmina essuie les larmes qu'elle n'a plus su contenir. La policière se violente pour garder la stature professionnelle de rigueur, et continue à taper la déposition entre deux hoquets.

— Vous avez besoin d'une pause, Beyoun ? demande l'inspecteur sans empathie.

— Ça va aller, chef.

— Alors reprenez-vous.

L'inspecteur garrotte les effusions avant l'hémorragie. Il se lève. Ses talons émettent un choc ouaté sur le lino alors qu'il rejoint Berthe. Il s'assoit sur le bureau et pose sa large main velue sur la frêle épaule de la centenaire. Ventura n'a jamais été très doué avec les mots lors de situations délicates. L'une des raisons pour lesquelles aucun de ses mariages n'a marché. Il espère cette main assez réconfortante pour lui éviter de grandes déclarations.

— Te fatigue pas avec ta compassion, Columbo.

Pour la main réconfortante, c'est raté.

— J'te livre pas tout ça pour ta pitié. J'te livre tout ça pour la justice.

— La justice ?

— Depuis l'début de not' séance de psychanalyse, tu veux m'en servir. Tu veux qu'la loi m'punisse pour mes crimes.

— Je n'ai pas dit ça, Berthe.

— Tout c'que tu notes, c'est pour m'emmener plus vite à l'échafaud. Mais puisqu'on parle de justice, allons jusqu'au bout. Et qu'les coupables soient punis.

— Vous voulez dire que la police ne les a pas retrouvés ?

— La police ? Non, elle a rien fait.

— Et vous ?

La vieille laisse planer le doute.

— J'réclame la justice. J'veux qu'leurs noms soient rendus publics.

— Ils le seront, Berthe. Si vos faits sont corroborés. Ils le seront.

Berthe relève des yeux scintillants d'espérance derrière ses larmes opaques.

— Tu m'le promets, André ?

Ventura s'apprête à répondre, mais sa langue reste en suspens dans sa bouche ébahie. Pour la première fois, Berthe a prononcé son prénom. Le vrai. Pas Lino. André. Fini le second degré, le mordant, le jeu de dupes. Berthe retient son souffle, en attente d'une promesse.

— Je vous le promets, Berthe.

— Bien.

Silence à perte d'ouïe. Puis pic à glace pour le briser.

— Ces hommes, vous les avez identifiés ? demande l'inspecteur. Vous savez qui ils sont ?

— Bien sûr que j'le sais. Tout l'village le savait. Et tout le village le sait encore.

— Alors ? Qui ?

— À ton avis… Columbo ?

1974

Thuillier arrivait sur le pas de sa porte en bras de chemise, des auréoles aux aisselles, en pestant contre cette canicule infernale, quand il a senti une fraîcheur sur sa nuque.

— Tu te souviens de lui ? *Deutsche Fabrikation.*

Berthe se tenait derrière Thuillier et lui enfonçait le canon de son Luger dans les cervicales.

— Tu vas me suivre bien gentiment.

La 4L pétrolait de son moteur asthmatique. Berthe conduisait d'une main, de l'autre elle tenait fermement l'arme contre la cuisse de son otage.

— Prie qu'y ait pas de nids-de-poule sur la route. Paraît que l'artère fémorale, ça pisse plus qu'une Salers.

— Où m'emmenez-vous, Berthe ?

— T'escrime pas à me vouvoyer. Y a que du mépris dans ta politesse.

— Il se trouve que j'ai de l'éducation, moi. Et vous n'êtes et n'avez toujours été qu'une souillon.

— Et toi, t'es un assassin et tu ferais mieux de changer de ton.

Un rondin de bois sur la route a fait déraper la 4L. Le coup a failli partir.

— Merde, le diable me tente ! a dit la veuve dans un rictus aussi noir que son surnom.

L'otage n'a pas osé relever.

— Ben alors, mon Thuillier, tu dis plus rien ? T'as peur que je perde le contrôle ?

Silence de l'otage, de moins en moins rassuré.

— Tu fais bien d'avoir peur.

Quand Thuillier a pénétré dans la bâtisse désaffectée, il ne savait pas où il mettait les pieds.

Deux hommes gisaient agenouillés au milieu de l'usine en construction, bâillonnés et yeux bandés. Berthe ne voulait pas rameuter tout le village et ce qui allait se passer ici ne se révélerait pas très catholique. Pas plus que ces trois hypocrites qui s'en targuaient pourtant tous les dimanches à l'église.

Léon, Ranvignac et maintenant Thuillier tremblaient de tous leurs membres sous la menace de la sexagénaire qui les braquait avec une arme nazie.

— Vous savez ce qu'ils sont en train de construire ici ?

Berthe a débâillonné ses prisonniers, puis leur a dégagé la vue.

— Émile ? Hubert ? Elle vous a eus, vous aussi ? s'est exclamé un Léon, pas bien malin, trahissant ses complices par la même occasion.

— Ta gueule, Léon, a grommelé Thuillier entre ses dents.

— Une usine d'équarrissage, a soliloqué Berthe. Marrant, non ? La symbolique.

— Séquestration et menace d'une arme prohibée. Vous allez prendre perpète, Berthe, a prédit Thuillier.

— J'te trouve bien arrogant pour un mec qui va se prendre une bastos entre les dents dans pas longtemps.

— T'oserais pas ?

Léon a ponctué sa phrase d'une interrogation, et non de l'affirmation assurée derrière laquelle Thuillier se cachait encore, fort de l'ancrage du patriarche. Léon, bien que s'étant toujours pris pour un caïd, n'était qu'un lâche. Il l'avait montré quand la petite fille l'avait agrippé par les couilles, à nouveau quand la femme l'avait braqué au lac, et il n'en menait pas large face à la vieille assoiffée de vengeance.

Ranvignac s'est lancé dans des justifications qui, selon lui, élucideraient l'affaire et les innocenteraient :

— On n'a rien fait Berthe ! C'est pas nous qu'on l'a tué, ton Nègre !

— Qui t'a dit que Luther était mort ? a questionné Berthe calmement.

Ce pauvre Ranvignac était encore plus con que mauvais.

— Y a confusion, Berthe. Quoi que ce soit qu'tu crois qu'c'est not' faute, tu te trompes, a dit Ranvignac, assez fier de son argumentaire.

— Je vais pas vous dénoncer à la police. Je pourrais laisser la justice faire, mais un Noir lynché versus trois figures aussi respectables que les vôtres, en tout cas que celle du père Thuillier, l'enquête patinerait. Et le non-lieu est pas une option.

— Tu t'fais du cinéma. C'est ton Nègre qui t'a quittée, alors t'as les nerfs et tu veux les passer sur nous.

Ranvignac a changé de stratégie. Le cynisme s'avérerait peut-être plus payant. Erreur de jugement.

— T'es ligoté avec un flingue sur la tempe, et tu me provoques encore ? T'as jamais été très finaud, Ranvignac, mais là, j'avoue, tu me surprends.

— Ouais. T'as une p'tite peine de cœur, c'est rien qu'des sentiments à l'eau de rose. Encore un truc de bonne femme, a renchéri Léon, en imitant l'attitude de fiérot de son complice.

Blam ! Léon a poussé un hurlement. La balle du Luger lui a arraché le pied.

— Quand on a mal, on crie. Moi, je tire.

Berthe tenait le colt de Luther dans son autre main.

— J'ai retrouvé ça au bord du lac. Percuteur enrayé. Il a même pas pu se défendre. Camelote américaine. On dira ce qu'on voudra des Boches, mais question armes de mort, ils savaient bosser.

Elle a braqué le Luger sur Léon qui s'effritait en larmes.

— Non, tire pas, Berthe.

— Ça le fera pas revenir. Ça me soulagera même pas.

— Pardon ! J'te demande pardon ! suppliait Léon, les yeux injectés d'effroi.

— Vous avez rien gagné à le tuer. Moi, j'ai tout perdu.

Les mots sont sortis de sa bouche, vides et froids. Des mots fantômes.

Blam !

— C'est pas nous, Berthe, a tenté Ranvignac avec un tressautement dans la gorge, les yeux rivés sur Léon qui baignait dans la mare de son sang.

— J'aurais dû vous buter au lac, quand je pouvais encore plaider la légitime défense. Il serait toujours là.

— T'as aucune preuve contre nous, a insisté Thuillier, avec le courage aveugle de la haine.

— On va parler de fortes présomptions.

Berthe a sorti de sa poche un pendentif qu'elle a jeté sur ses genoux. Un christ. En ivoire.

— Il trônait dans les fougères, à ses pieds. De vrais petits poucets. À croire que vous vouliez que je vous retrouve pour vous punir.

Thuillier toisait Berthe avec répugnance mais n'a pas rétorqué. Chaque parole pouvait le précipiter dans le ravin, alors il les mesurait.

— Quinze ans ! Depuis quinze ans, tu rumines ? Ça vous était si insupportable, notre bonheur ? Vous pouviez pas juste regarder ailleurs ?

Thuillier ne répondait rien. Il savait qu'il ne fallait pas.

Ranvignac pendait à ses lèvres, comme Luther à sa corde la veille, espérant que le cerveau cultivé de Thuillier les sorte de là grâce à une plaidoirie martiale.

Berthe aussi attendait. Une justification. Des remords. Au moins des excuses. Non pas pour expier ses péchés, mais qu'il reconnaisse son inhumanité.

Silence… Rouillé… À en choper le tétanos.

Dans le regard fiévreux de haine de Thuillier, Berthe a lu une tout autre diatribe : Non, il n'avait pas digéré. Oui, la vision de cette souillon et de ce Nègre le faisait vomir. La vengeance est un plat qui se mange froid. Quinze ans plus tard, le plat était non seulement glacé, il avait viré putride. Comme l'âme de Thuillier. Une âme de chasseur qui aime la traque. Jusqu'à endormir la vigilance de sa proie. Armé de patience. Et d'une bonne corde. Tout dans son énergie dégueulait ce dégoût : « Sale Nègre ! »

Au lieu de quoi, Thuillier a contrecarré posément :

— Cette croix pourrait appartenir à n'importe qui.

— Oui. Mais c'est la tienne.

Berthe n'avait plus envie de se justifier.

Blam !

— C'est pas nous, Berthe, je te jure ! C'est pas nous…, s'accrochait Ranvignac, avec un désespoir qui ne trompait plus que lui.

— Ben, si j'ai tort on se retrouvera en enfer.

Blam !

Berthe les a enterrés sur place. Le lendemain, les ouvriers couleraient une chape de béton sans se douter de rien.

On ne les a jamais retrouvés.

Berthe s'est agenouillée sur la terre fraîchement retournée.

Elle y a posé la main.

Se recueillant.

Sous l'arbre de son jardin.

Sa respiration était calme. Pas apaisée, mais la colère évaporée.

Des yeux félins ont percé l'obscurité. Un chat noir s'approchait à pas feutrés. Il s'est posé à une distance respectueuse et l'a observée de loin.

— C'est fini, Luther.

Berthe a écrasé une larme entre ses paupières serrées. Tellement serrées. Puis a relâché. À l'écoute des palpitations de son cœur. Qu'elle voulait à tout prix tempérer. Parce que c'est ce que Luther aurait voulu. Et elle ne ferait jamais rien pour le blesser.

La douleur ne la quitterait jamais, elle. Mais la rancœur, si.

— Je sais ce que tu vas me dire, alors oui, mon amour, je te le promets…

Elle a pris une profonde inspiration, secouée de légers spasmes, séquelles des heures passées à pleurer, puis a expiré longuement entre ses lèvres contractées, y étouffant ses derniers sanglots.

— Je vais continuer à vivre !

01 h 02

Les yeux de Ventura glissent vers la photo de son épouse qui erre sur son bureau. Pourquoi a-t-il soudain le sentiment qu'elle lui manque ? Depuis plusieurs mois, une tiédeur s'est installée entre eux. D'abord à table. Puis sous les draps. Entre leurs bras. Et finalement dans leurs phrases. Arrivés à saturation, ils ont exprimé leur frustration. Mais trop tard. Quand le ressentiment est trop aigu. Et que la valve pète. Se disent alors des horreurs. Avec des phrases tranchantes. La monotonie s'est installée. Avec elle, l'ennui. Et au bout, le mépris.

Pourtant, ce soir, alors que sa femme a quitté la maison depuis deux mois qu'ils ont entamé leur break, elle lui manque. Merde, et s'il avait fait une connerie ? se demande-t-il, foudroyé par l'évidence soudaine de son sentiment.

Berthe a tenté de les ravaler depuis qu'elle a entrepris ses aveux, mais la douleur ravivée aura eu raison de ses derniers remparts, alors ses larmes se déversent. Au ralenti. Éreintées par les années de rétention. Elles prennent les chemins de traverse le long des sentiers d'amertume creusés dans ses rides. Et sa robe de flanelle bleu ciel brunit de larmes centenaires.

— Tu as… tu as… tu as…

Ses mots cherchent leur voie entre ses sanglots.

La policière, n'en pouvant plus, sort un mouchoir de sa poche et y sèche son visage luisant de pleurs.

Ventura ne croit toujours pas au réconfort de ses mots, mais en celui de son scotch, si. Après une double rasade, Berthe parvient à articuler :

— Tu as promis, André.

Ventura acquiesce et décroche son téléphone :

— Oui, Bernier… ? Oui, je sais qu'il est une heure du mat', mais y en a qui bossent encore… Eh oui, mon vieux, on n'est pas aux trente-cinq heures, nous… Bon, arrête de geindre et écoute-moi bien. Tu m'envoies une équipe dans l'ancienne usine d'équarrissage… Oui, l'usine à l'abandon qui a été rachetée par Novotel… Oui… Ben justement, tu vas commencer le chantier pour eux et tu vas me retourner la dalle de béton. On cherche trois autres corps… Oui, tu m'as bien entendu. Trois. Et quand tu les trouves, tu me lances les tests ADN pour qu'on puisse les identifier… Oui… Et c'est urgent !

Ventura raccroche.

— Merci, susurre Berthe.

L'inspecteur se sent cependant le devoir de clarifier les choses :

— Je ne veux pas non plus vous donner de faux espoirs, tempère-t-il. Votre témoignage sera perçu comme des allégations. Sans preuve, il n'a aucune valeur juridique.

— Ma parole contre la leur, hein ? ironise Berthe. Et vu qu'ils sont morts…

— Même s'ils étaient vivants. On va identifier leurs corps, mais je n'ai hélas aucun élément tangible pour prouver que ce sont bien eux qui ont lynché Luther.

— J'tombe pas des nues, le problème était l'même à l'époque. Mais j'ai été entendue, c'est tout c'qui m'importe. Si ta loi condamne pas les coupables, j'm'en fous, vu qu'elle est aussi capable de condamner des innocentes.

— Vous n'êtes pas innocente, Berthe.

— Tu m'as comprise, André. Maintenant les journaux vont exposer ma version des faits. Au grand jour. Et moi, j'sais qu'c'est la vérité.

Berthe sort un crucifix qu'elle conserve précieusement dans sa poche depuis la mort de Luther. Une croix en ivoire. Lors de la fouille, le policier a imaginé la vieille bigote. Il n'en est rien. Cette croix, elle la porte en trophée de guerre. Elle aurait voulu l'exhiber comme les Indiens avec le scalp de leurs ennemis vaincus, mais elle se devait de rester discrète pour ne pas se compromettre. Maintenant qu'elle est condamnée, elle le peut. Alors elle la brandit fièrement. En guerrière.

Ventura observe la croix de Thuillier, sensible au symbole, même si cette nouvelle pièce au dossier ne prouve toujours rien.

— T'es croyant, André ?

— Oui.

— Si toi, t'y arrives pas, lui, il les jugera peut-être. Garde-le. Moi, j'en ai plus besoin.

Berthe se déleste du crucifix. Un poids se lève de sa poitrine, comme si un SS Panzer se décidait enfin à s'en dégager après y avoir tenu le siège pendant des années. Libérée, Berthe prend une immense inspiration. L'air frais lui emplit les poumons et lui monte aussitôt à la tête. Ses globules rouges shootés d'oxygène poussent un coup d'accélérateur dans ses artères bouchées et lui foncent dans le myocarde de plein fouet.

Et la vieille s'écroule au sol.

Sans connaissance.

Berthe se réveille, la tête sur les genoux de Ventura qui lui passe un mouchoir imbibé d'eau sur le front.

— Et pour la mort de mes huit chats, tu prends pas de déposition ? parvient-elle à marmonner.

— Non, ce sera pas nécessaire.

L'inspecteur hausse un sourcil, bluffé que la vieille parvienne encore à en rire.

Une heure plus tard, Beyoun pianote sur son clavier une partition aux airs de marche funèbre. Ventura finit de lui dicter son rapport à grand renfort de scotch. Berthe caresse le basset, l'air absent.

— Maintenant qu'j'suis démasquée, c'est quoi la suite des réjouissances pour moi ?

Tiraillé, Ventura n'a d'autre choix que d'énumérer les étapes judiciaires à venir :

— Eh bien, vous allez être déférée devant un juge d'instruction. Vous aurez l'opportunité de consulter un avocat avant d'être assistée par lui, enfin si vous le désirez. Mais d'abord, on va vous faire passer une expertise psychiatrique. Et il est probable que le juge demande un examen médical afin d'établir les conditions de votre incarcération.

— Tu m'as perdue après « déférée ». C'qu'j'comprends, c'est qu'tout ça va prendre des plombes mais qu'la finalité est la même.

— Oui, Berthe. Vous allez en prison.

Le couperet.

Pour Beyoun, imaginer cette grand-mère au trou, après tout ce qu'elle a traversé, paraît inhumain. « Elle a assez souffert, cette dame, non ? Est-ce que la loi ne pourrait pas fermer les yeux ? Pour une fois ? Et… comprendre ? »

Berthe connaît la sentence depuis le premier coup de pétoire du matin, alors elle se lance dans une diatribe sans pathos :

— La prison m'réjouit pas, loin d'là, mais ça va pas être une punition spectaculaire, même au regard de ta loi chérie. Perpète pour moi, ça finit demain. Ou dans huit jours. Chaque minute en vie, c'est du rab depuis vingt ans, et j'me leurre pas, j'vais pas pouvoir tirer sur la corde encore longtemps, à moins qu'ce soit une corde de pendu. Alors y a une faveur qu'j'voudrais te demander.

— Je vous écoute, Berthe.

— Tout au long des merveilleuses années qu'on a vécues ensemble, Luther m'a écrit. Des lettres d'amour. J'veux pas aller en prison sans. C'est tout c'qui m'reste de lui.

— Bien. J'enverrai quelqu'un les chercher chez vous demain.

— Il les trouvera pas. Elles sont cachées.

— Dites-nous où, et j'expliquerai au policier…

— Tu m'as pas bien écoutée, elles sont planquées, justement pour qu'on les retrouve pas si facilement.

— Pourquoi vous avez caché des lettres ?

Pointe de suspicion chez Ventura. Cette requête ne lui semble pas bien nette.

— Parce que j'y tiens, justement. Donc j'les ai mises avec mon bas de laine, et çui-là, tu comprendras que j'voulais pas qu'on m'le fauche, donc, oui, il est bien planqué.

— Je pense qu'un policier sera capable de les trouver si vous nous décrivez l'endroit.

— On voit qu't'as pas fait la guerre. Quand t'as des nazis à ta porte, tu sais faire en sorte qu'ils mettent pas la main sur c'que t'as de précieux. Ton képi, y trouvera rien, et moi, on va m'balader de juge en psychiatre et j'vais crever sur un brancard en taule sans mes lettres. Y faut qu'j'aille les chercher moi-même… S'il te plaît… André…

Ventura se demande ce que cache Berthe, autre que son bas de laine. Il y a embrouille, son ulcère ne le trompe pas. Dirty Harry lèche la main de Berthe en remuant la queue. Son instinct à lui l'a averti qu'il allait partir en promenade.

« Qu'il est con, ce chien. »

— Pas de mauvais coup, hein, Berthe ?

— T'as piqué mon Luger et ma carabine, t'as peur de quoi ? Que j'parte en courant ? Même en m'laissant une heure d'avance, j'te mettrai pas cent mètres dans la vue. Et puis où tu veux qu'j'aille ? Au Mexique ? Tu risques pas que j'm'évade, va. T'as qu'à m'menotter si t'as pas confiance. Mais s'il te plaît, me mets pas au trou sans mes lettres.

Ventura jauge, Harry renifle, Beyoun trépigne.

— Tu vas encore m'dire qu'ton proctologue va pas être content.

— Exactement.

— Ben file-moi donc son adresse, j'ui enverrai des chrysanthèmes.

Ventura enfile son imper de flic. Dirty Harry bondit avec pesanteur, paré pour sa promenade. Berthe est moins sautillante mais se réjouit tout autant que le canin de prendre l'air.

Avant de sortir, elle glisse la main de la policière dans la sienne. Elle lui caresse ses doigts graciles, le temps d'une respiration. Comme on prend une bouffée d'oxygène avant une longue apnée.

— Au revoir, Yasmina.

— Au revoir, Berthe. Je vous apporterai de l'huile d'argan.

La policière s'est abstenue de spécifier « en prison ». Trop cruel. Pour Berthe. Trop insupportable. Pour elle-même.

— T'embête pas, ma belle. J'ai passé l'âge d'm'pomponner. Et toi, t'as pas celui de venir t'occuper d'une pauv' vieille qui s'morfond en cabane. Vis ta vie, ma grande. Elle est courte… même quand elle est longue…

— Promis, Berthe.

La grand-mère lâche les doigts délicats de la policière, acquiesce en guise d'adieux et rejoint Ventura qui l'attend dans le couloir en passant le collier au cou du basset. Berthe a l'image d'un bourreau qui passe la corde au cou du condamné. Elle ne va pas se demander pourquoi.

Sur le poste de télé du couloir continuent de défiler les mêmes infos en continu. L'abrutissement de la masse par la répétition. Au milieu des catastrophes ferroviaires, des menaces de Daech, des révélations de corruptions politiques et des pronostics hippiques, toujours le même bandeau de Roy et Guillemette en cavale. Le bandeau est de plus en plus court, la nouvelle de moins en moins fraîche.

— Y doivent être loin à l'heure qu'il est, se réjouit Berthe.

— Des criminels en cavale sur les routes de France, ça vous met en joie, vous ? s'agace Ventura, en bon justicier.

— C'est pas des criminels.

— Parlez-en à Xavier Desmoulins.

— Roy a protégé la p'tite. Elle avait déposé une main courante contre son mari. Femme battue pendant trois ans. Mais ça, c'est pas un crime, hein ?

— Si. La violence conjugale…

— Quoi ? Est punie par la loi ? Épargne-moi ton laïus. C'que j'vois c'est qu'c'est la p'tite qui fuit. Si vous aviez fait vot' boulot, rien d'tout ça serait arrivé. À force de pousser les gens dans leurs retranchements, ils mordent. C'est d'la survie. Donc si les minots, là, ils s'en sortent, t'as bien raison qu'ça m'met en joie.

— Étrangement, je finis par me faire à vos raisonnements. Je ne les cautionne pas, mais je les comprends.

Ventura lui ouvre la porte. Alors qu'elle s'apprête à sortir, Berthe constate que la chaîne d'info se gargarise à présent de la sensation du jour. Les révélations autour de la Veuve Noire occupent de plus en plus l'antenne. Croustillant, ça, une centenaire tueuse en série. La nouvelle va faire les gros titres demain, et c'est tant mieux. La justice parlera de ses aveux, elle préfère « le récit de sa vie ». Mais si son témoignage peut inciter des filles à ne pas faire de conneries et des bonshommes à être un peu moins cons, ce sera sa petite pierre laissée à l'attention de l'humanité. Qu'elle en fasse ce qu'elle veut. Berthe, elle, part l'esprit tranquille et la conscience légère.

Tandis qu'il conduit, des pensées se bousculent dans la tête de l'inspecteur Ventura. Il se dit qu'il lui reste bien quinze ans avant la retraite. Non pas qu'il soit pressé de rendre le tablier, mais il n'aura très probablement jamais plus d'affaire aussi spectaculaire que celle de Berthe. L'interrogatoire d'une vie. Ceux qui suivront lui paraîtront bien ordinaires en comparaison. D'un certain point de vue, il l'espère. Il ne souhaite pas rencontrer pléthore de tueurs en série pour pimenter son quotidien, mais l'idée qu'il a déjà vécu le climax de sa carrière crée une sensation de vide en lui.

Assise à la place du mort, Berthe caresse Dirty Harry qui bave sur ses cuisses. Tous ces enjeux moraux dépassent le chien. Il a bien de la chance, se dit son maître. Lui, ces enjeux lui font des nœuds au cerveau.

— Une question me taraude depuis ce matin, Berthe.

— Pose donc.

— De Gore, vous auriez pu viser en l'air mais vous lui avez tiré dessus. Vous auriez pu l'abattre depuis des années, vous n'étiez pas à un meurtre près. Mais vous auriez aussi pu laisser partir les fugitifs au volant de son Audi sans tirer sur lui, et vous n'auriez jamais été inculpée. On n'aurait pas trouvé les cadavres dans votre cave et ce soir vous seriez libre.

— C'est quoi ta question, Columbo ?

— Pourquoi ?

— Elle manque de verbe, ta phrase.

— Pourquoi tirer ? Pourquoi prendre ce risque ?

— Vous les avez r'trouvés, Roy et Guillemette ?

— Non.

— Qui va en prison demain ? Eux ou moi ?

Sacrée maligne, la grand-mère ! Depuis qu'il l'a menottée ce matin, Ventura n'arrête pas de se le rabâcher.

— J'voulais juste… Comment y disent dans les polars à la télé ? demande Berthe avec facétie.

— Créer diversion, lui souffle l'inspecteur, rendant les armes face à l'effronterie de la grand-mère.

— C'est ça ! Entre criminels, faut bien s'entraider.

Finir sa vie sur un tel sacrifice, Ventura ne sait pas s'il doit trouver ça beau ou une belle connerie. Mais à la vue de l'aura de sérénité qui émane de la centenaire, il penche pour la première option.

Le silence se réinstalle. Cotonneux. Alors que le ronron du moteur berce cette traversée du Styx, Berthe se perd dans ses derniers souvenirs après Luther. On dit que les secondes avant de mourir, on voit défiler sa vie entière devant ses yeux. C'est l'impression qu'a Berthe depuis ce matin. Comme quoi, une vie peut se résumer en une journée.

Ou en une garde à vue.

Le crissement du frein à main tire Berthe de sa rêverie. Les phares éclairent sa chaumière. Ils sont arrivés. Sentiment étrange d'être partie depuis des semaines, des années, toute une vie. Sa maisonnette lui paraît si familière, et pourtant si lointaine. Une autre époque. Celle où elle était encore libre.

— T'as l'air plus emmerdé qu'moi, André. Tu t'sens coupable de mettre une vieille acariâtre en taule ?

— Je ne vais pas vous mentir, ça ne me réjouit pas, non.

— J'ai déjà un pied dans la tombe, avec d'la chance j'glisserai sur une peau d'banane sur l'chemin d'la prison.

— Vous avez du courage d'en rire.

— À mon âge, t'as intérêt à être en paix avec la perspective de clamser si tu veux pas qu'l'angoisse t'accélère l'infarctus.

Dirty Harry gratte à la portière. Une envie pressante lui fait rompre le tact de circonstance.

— Si j'ouvre, y bouffera pas mon chat ?

— Je pense que votre chat sera plus vif que lui. Les bassets ne sont pas réputés pour piquer des pointes.

— Allez, viens, j't'offre un calva.

— Berthe, on est venus pour vos lettres. N'abusez pas de la situation.

— Quoi, tu r'fuses mon hospitalité ? Elles sont où tes bonnes manières ? Allez, André, détends-toi, on s'en jette un dernier, j'récupère mes lettres, tu m'coffres et tu peux rentrer t'coucher, bien au chaud chez toi.

Berthe manie la culpabilité avec une dextérité d'escrimeuse. Touché. Ventura vacille :

— Va pour un p'tit calva.

Berthe acquiesce et ouvre sa portière. Dirty Harry se précipite d'un élan mou sur la pelouse et s'y soulage. La vieille lui emboîte le pas sans défier sa vivacité.

Partout dans sa chaumière, Berthe retrouve le passage des flics. Porte d'entrée défoncée au bélier, carreaux brisés par la carabine, hortensias des papiers peints saupoudrés de poussière et débris. La porte de la cave est ouverte. Berthe imagine le chantier macabre mais préfère ne pas aller voir. Tout ça est derrière elle à présent.

— Les sagouins, ils m'ont tout salopé.

Ventura se tient droit au milieu de la cuisine qui lui semble familière après toutes les anecdotes de Berthe.

— Reste donc pas planté là. Prends une chaise, l'invite la grand-mère en sortant verres et calva de son buffet.

— Je suis bien debout, merci, dit l'inspecteur qui commence à sentir la fatigue.

— Comme tu préfères. J'ai un dernier service pour toi.

— Ne poussez pas le bouchon, Berthe.

— Attends, avant d't'énerver, c'est pas c'que tu

crois. J'voudrais juste… enfin… tu viendras m'voir quand j'serai au trou ?

Un vortex s'ouvre sous les pieds de Ventura. Et la grand-mère n'a plus qu'à le pousser :

— Les journées sont déjà longues ici, alors j'imagine pas en taule. J'ai plus d'famille et j'ai jamais vraiment eu d'amis. Donc, de temps en temps, en rentrant chez toi, si tu peux faire un détour et m'rendre visite, tu feras plaisir à une p'tite vieille.

— Bien sûr, Berthe. Je passerai. C'est promis.

— J'te crois, André. T'es un bon gars. Pis t'en fais pas, vu mon état, la corvée va pas être bien longue.

L'inspecteur se demande si le protocole lui interdit d'enlacer une meurtrière. Et puis il se dit qu'il s'en fout. Alors il ouvre les bras. Berthe a un mouvement de recul. Vieux réflexe face à l'intrus masculin. Elle se ressaisit et accueille ce dernier cadeau, le plus beau qu'on lui ait fait ces dernières décennies. Elle se rapproche du large poitrail de l'inspecteur, ferme les yeux et se blottit, un instant qui s'étire en une éternité.

Ventura referme ses bras. Loin du regard de la loi et du jugement moral, il enlace la meurtrière, lui prodiguant la ration de chaleur humaine dont elle aura besoin pour l'accompagner au bout du couloir de sa mort.

Berthe inspire ce souffle de paix et tapote la main de l'inspecteur. Puis, histoire de ne pas verser dans le lacrymal, enchaîne :

— Tiens, goûte ça, tu m'en diras des nouvelles.

Berthe remplit les deux verres et en tend un à Ventura.

— Allez, tchin tchin, dit Berthe. Et sans rancune.

— Vous êtes vraiment une femme étonnante.

— Merci, mon grand. J't'aime bien aussi, va.

Tintement des verres.

Cul sec.

Et Ventura crache ses boyaux, tordus par la gnôle de Nana. Fauché par la brûlure à soixante-cinq degrés, l'inspecteur se plie en deux dans une quinte de toux, aussitôt ponctuée d'un coup de poêle en fonte. Celle à truffade, la plus massive. La veuve n'a pas perdu ses réflexes. La poêle a beau être plus lourde que la pelle, Berthe a gardé le swing efficace quand il s'agit d'assommer un homme.

« Merci, Nana », pense-t-elle alors que la potion magique de sa grand-mère lui sauve la mise, une fois de plus.

— Le prends pas personnellement, André. C'est pas contre toi.

Se retrouver avec un corps gisant à ses pieds, une poêle à la main, projette Berthe dans le passé. Sauf que celui-là, elle n'a aucune envie de l'enterrer.

Toujours aussi perspicace, Dirty Harry s'en vient lécher le visage de l'inspecteur.

— Tu parles d'un chien de flic. Bon, tu m'aides à l'sortir, ton maître ?

Berthe puise dans ses dernières forces, ligote Ventura, pieds et poignets, puis le bâillonne, au cas où il se réveillerait et qu'il lui prendrait l'envie de l'arrêter. Elle déroule le tuyau d'arrosage, l'accroche au pare-chocs de sa 4L puis à la taille du colosse. Elle enclenche le starter, passe la première, appuie tout doucement sur l'accélérateur et tracte Ventura le plus précautionneusement du monde jusqu'à son jardin.

Une fois qu'il est bordé dans son lit de gazon, Berthe se penche sur l'inspecteur qui dort du sommeil du juste et lui pose une bise maternelle sur le front.

— Bonne nuit, mon grand.

Demain, il se réveillera avec un mal de crâne carabiné, mélange explosif de gueule de bois écossaise et de bosse poêlée. Le temps de remettre son cerveau à l'endroit, la dernière partie de la nuit lui reviendra. Il se rappellera que, le coup de poêle, il l'avait senti venir. Mieux, il l'attendait. Il a anticipé le piège de Berthe, espérant dans un recoin de sa tête, loin de l'influence de sa conscience professionnelle, que la grand-mère trouverait un stratagème à sa sauce pour se sortir de là. Espérant aussi ne pas y laisser la peau. Mais il avait confiance en l'ingéniosité de la vieille. Et en son humanité.

Berthe prend la laisse de Dirty Harry et s'en va l'attacher à la niche du voisin. Celle-là même où de Gore s'est planqué ce matin afin d'éviter ses tirs avant qu'elle ne lui vise les fesses.

Dirty Harry, n'y comprenant toujours rien, léchouille la main que lui tend Berthe.

— Non, tu restes là. C'est mieux pour toi.

Le basset jappe dans ses babines ballottantes, comme pour stipuler qu'il a compris.

Et Berthe s'en retourne chez elle.

Enfin !

Dans le silence retrouvé, Berthe, apaisée, jette un

ultime regard à sa chaumière. Puis elle arrose de gazoline le parquet de sa cuisine, allume le gaz et monte se coucher.

Au chaud dans son lit froid, elle contemple son plafond écaillé. Un chat noir bondit sur la couette et la rejoint sur son ventre. Le même chat venu la visiter la nuit où elle a enterré Luther et qui ne l'a plus quittée. Elle l'a appelé King.

— Ah te voilà, toi.

Berthe attendait King pour lui dire adieu. Ce chat, bizarrement, ne vieillit pas. Il devrait être mort depuis longtemps. À croire qu'il est sorti de son imagination.

Paraît aussi qu'ils ont neuf vies.

Berthe le caresse une dernière fois. Elle gobe une boîte de somnifères et les fait couler d'une rasade de gnôle de Nana. Elle n'a plus l'énergie depuis longtemps de faire fonctionner la Grosse Frida. Il ne lui restait qu'une bouteille et elle se la gardait pour une grande occasion. On y est.

— À ta santé, Nana.

Elle pose son verre vide sur sa table de nuit fatiguée, elle aussi, puis donne une tape sur le derrière de King.

— Allez, file maintenant. Va faire une chaleur d'enfer dans pas longtemps.

Berthe se sent légère, elle va bientôt retrouver son Luther.

— Mon amour… prépare la tisane et le whisky. J'arrive.

Berthe craque une allumette, enflamme une bougie et ferme les yeux. Attendant le sommeil.

Et la libération.

King saute du lit à la fenêtre, puis de la fenêtre à l'arbre du jardin. Il glisse le long du tronc et se pose sur le tas de terre où repose Luther.

Quand la chaumière s'est embrasée, le feu de joie a illuminé tout le village. Du haut des plateaux, on pouvait la voir brûler à des kilomètres.

L'arbre du jardin brillait d'une belle teinte orangée.

Le reflet des flammes léchait le visage endormi de l'inspecteur Ventura.

King, lui, ronronnait.

Du même auteur :

Cabossé, Gallimard, Série Noire, 2016.

Le Livre de Poche s'engage pour
l'environnement en réduisant
l'empreinte carbone de ses livres.
Celle de cet exemplaire est de :
300 g éq. CO_2
Rendez-vous sur
www.livredepoche-durable.fr

Composition réalisée par Soft Office

Achevé d'imprimer août 2020 en Espagne par
Liberdúplex 08791 St. Llorenç d'Hortons
Edition 06 - août 2020
Dépôt légal 1re publication : avril 2020
LIBRAIRIE GÉNÉRALE FRANÇAISE
21, rue du Montparnasse – 75298 Paris Cedex 06